LA LOCATAIRE

PENELOPE EVANS

LA LOCATAIRE

roman

Traduit de l'anglais
par François Rosso

Titre original : THE LAST GIRL
(Première publication : Black Swan, 1995)
ISBN 2.0000.7119.8

Dépôt légal : 1er trimestre 1996

1

ILS ONT TROUVÉ une nouvelle locataire pour les trois pièces du premier.

La seule question que je me pose est celle-ci : pourquoi diable leur a-t-il fallu si longtemps ? Enfin, quoi ! Il y a quinze jours que la précédente est partie. Et de toute sa vie, Ethel ne s'est jamais aussi longtemps passée d'un loyer. C'est sous cet angle-là qu'il faut voir les choses : Ethel est une professionnelle, elle est logeuse comme d'autres sont surveillantes d'hôpital ou gardiennes de prison, uniforme compris : dans son cas, le tablier à fleurs réglementaire tel qu'en portaient nos grands-mères. L'argent du loyer va se glisser dans la poche de devant et rejoindre un fouillis de bonbons à la menthe et de listes de commissions oubliées, avec une désinvolture qui peut vous faire croire qu'un jour ou l'autre, forcément, elle le perdra. Ce qui montre seulement l'étendue de votre naïveté : car cette poche s'enfonce jusqu'au fond de la doublure, et les billets qui viennent de passer d'une main à l'autre ne risquent pas plus de se perdre que le motif de votre assiette de se détacher quand vous mangez.

Mais revenons-en à la nouvelle locataire. Je les ai entendues aller et venir au-dessous de chez moi, Ethel et elle. Je me suis dit que le moment était venu de faire une petite apparition et, plus important, de voir s'il y avait quelque chose de neuf. Même si, en réalité, je ne m'attendais pas à de grandes nouveautés. Elles sont toutes exactement pareilles, ces filles. À croire qu'Ethel les fait sortir d'un moule l'une après l'autre. Mais enfin il faut vivre d'espoir, pas vrai ?

Il y a douze marches jusqu'au palier intermédiaire, sans compter l'endroit où l'escalier fait un angle entre les deux, mais à peine en ai-je descendu trois que déjà Ethel, sur le qui-vive comme toujours, piaille de sa voix tellement affûtée qu'on pourrait la croire toujours en train de tailler du verre :

« Ah, voici le monsieur dont je vous ai parlé. »

Suivi d'un impérieux :

« Descendez donc, Mr. Mann, qu'on puisse vous voir de près. »

Ici, deux choses à noter tout de suite : d'abord, elle m'appelle « Mr. Mann ». Pas Larry, ni même Lawrence, mais « Mr. Mann ». Il y a quarante-trois ans que nous nous connaissons et nous n'en sommes toujours pas à nous appeler par nos prénoms. La même remarque vaut pour Gilbert, *alias* le Squelette vivant, comme nous l'appelions. Quatre-vingts ans passés, cloué à sa chaise roulante près du radiateur depuis une bonne décennie. À mon avis, il n'est même plus capable d'aller aux toilettes tout seul. Du moins ça m'étonnerait. Pour moi, ils s'appellent Ethel et Gilbert, et cela depuis toujours, même si je ne m'adresse jamais à eux en les appelant par leurs prénoms. Ils sont propriétaires de la maison, c'est un fait ; mais nous y habitions bien avant eux, Doreen et moi, et c'est la seule et unique raison qui leur a permis de l'acheter. Évidemment, elle a fait tout ce qu'elle a pu pour nous flanquer dehors, surtout après le mois de juin, mais elle n'y est jamais parvenue et nous sommes restés. À présent il n'y a plus que moi, tout seul au dernier étage. Je suis un locataire indéracinable, et elle ne peut strictement rien y faire.

Deuxième remarque : constatant qu'elle doit se résigner à ma présence, Ethel est conduite à se venger par toutes sortes de petites brimades mesquines. Maintenant, par exemple : il est parfaitement évident que je suis en train de descendre, mais ça ne l'empêche pas de faire exprès de m'appeler. Ce qu'elle veut, c'est donner l'impression qu'elle n'a qu'un mot à dire pour que je m'exécute séance tenante, comme si je n'étais sur terre que pour lui obéir. Ce sont des broutilles, mais je sais qu'elles suffiraient à mettre certaines personnes en fureur. Pas moi, je n'y fais même pas attention.

En attendant, Ethel répète mot pour mot ce qu'elle avait expliqué à la locataire précédente et à toutes celles d'avant :

« Donc, Mr. Mann et vous, vous partagerez la salle de bains et le petit coin, mais je suis sûre que ça ne vous posera aucun problème. Mr. Mann est un homme aux habitudes très réglées. N'est-ce pas, Mr. Mann ?

— Réglées comme du papier à musique, Mrs. Duck. »

Elle pourrait aussi bien dire franchement que nous serons comme le soleil et la lune. Parce que son opinion est que dans une maison où les gens observent des habitudes très réglées, il n'y a aucune raison pour que les chemins des uns ou des autres se croisent jamais — sauf, bien entendu, le jour du loyer, quand tout le monde emprunte le même itinéraire vers la porte de sa cuisine. Donc, rien de nouveau dans les paroles d'Ethel. Et pourtant, il se passe quelque chose. Difficile de dire quoi exactement, mais enfin, allez savoir pour quelle raison, la vieille buse a l'air gaie comme un pinson, et je suis bien placé pour savoir que cela n'est pas, mais *pas du tout* dans son caractère. Bien sûr, ce pourrait être une illusion due à l'éclairage — ou, pour mieux dire, au peu qu'il y en a. Nous sommes tous les trois debout dans la pénombre : Ethel, moi, et la nouvelle locataire jusqu'ici invisible, avec, très haut au-dessus de nous, une seule ampoule de 40 watts pour jeter un peu de lumière sur le sujet.

Mais soudain, voici qu'Ethel Duck elle-même laisse tomber un indice :

« Vous devriez venir un peu plus près, Mr. Mann. Comment voulez-vous que Miss Tyson puisse vous voir, là où vous êtes ? »

Tout est là, dans ce « Miss Tyson ». Deux mots qui suffisent à me faire dresser l'oreille et me demander quelle mouche a bien pu piquer cette chère Ethel. Elle a bien dit

« Miss Tyson », et non Miss Guptha ou Miss Radjiv, ou un nom de ce genre. Cela fait bien sept ou huit ans qu'Ethel a découvert que les filles indiennes faisaient les meilleures locataires : plus silencieuses, plus déférentes, et d'une manière générale plus faciles à tyranniser. Aussi avons-nous vu depuis défiler une Indienne après l'autre. Ne me demandez pas où elle les trouve. Le nom de Mrs. Duck doit être célèbre à New Delhi ou ailleurs, enfin là d'où elles viennent. Mais le stock a dû s'épuiser brusquement, puisque après le départ de la dernière, il n'y a pas eu de remplaçante pendant quinze jours. Quinze jours avec un logement qui ne rapporte rien ! Et pour finir, la surprise : une fille pourvue d'un nom de famille prononçable.

Naturellement, lorsqu'elle a réussi à éveiller mon intérêt, Ethel s'en rend bien compte ; aussi, immédiatement après m'avoir dit de venir un peu plus près, elle se déplace d'un pas pour se planter en plein milieu du palier, de sorte qu'à moins d'avoir un périscope à portée de main, Miss Tyson demeure toujours aussi invisible. Mais Ethel, à elle toute seule, reste un étonnant sujet de conversation. Ce qu'on ne peut s'empêcher de remarquer dès qu'elle ouvre la bouche, c'est qu'elle utilise le genre de voix et d'élocution normalement réservées aux docteurs, ou aux inspecteurs du fisc qui frappent à la porte pour lui demander ce qu'elle fait de tout l'argent amassé grâce à ses loyers.

« Vous aurez l'occasion de vous apercevoir que Mr. Mann est un monsieur qu'il est très pratique d'avoir pour voisin. Il est toujours prêt à rendre n'importe quel service, pourvu qu'on le lui demande gentiment. N'est-ce pas, Mr. Mann ? »

Impossible de répondre : je suis trop frappé de stupeur. Quand je parlais d'une voix à tailler le verre, j'ai en ce moment l'impression d'avoir devant les yeux une carafe ouvragée assez grande pour contenir un tonneau de sherry. Même la reine ouvrant le Parlement serait incapable de parler avec ce débit imperturbable et de reprendre sa respiration en même temps.

« Les locataires précédentes l'ont toujours trouvé merveilleusement serviable. Vous comprenez, mon petit, Mr. Mann est un de ces individus gâtés par le sort qui, à la différence de la plupart d'entre nous, peut disposer pour lui-même de tout le temps qu'il désire. »

Sur ces mots, la voilà qui pousse un soupir, un de ces interminables soupirs plus chargés de sens qu'un gros livre et, en l'occurrence, censé rappeler à qui veut l'entendre que pour sa part, il y a dix ans qu'elle n'a pas eu un seul moment à elle, avec ce malheureux Gilbert qui a besoin d'une nourriture spéciale et de médicaments vingt-quatre heures sur vingt-quatre, pour ne rien dire des séjours aux toilettes, tout ça pour que le pauvre vieux reste encore un peu en vie alors que tout l'entraîne vers la tombe. Nul doute que Miss Tyson aura été informée en détail de cette situation moins de deux minutes après avoir passé la porte.

Pourtant, même Ethel n'aurait pu prévoir ce qui se produit ensuite. Il se trouve qu'elle reçoit une réponse, oui, mais non de moi : elle provient, cette réponse, de l'autre côté de sa personne, toujours plongé dans l'ombre, et où seules ces paroles laissent penser qu'il y a bien quelqu'un. De cette ombre arrive le bruit d'une voix qui nous fait à tous les deux l'impression d'un coup de tonnerre. À vrai dire, il s'agit d'un son absolument infime, d'une suggestion de parole plus que de mots réels, un murmure qui résonne moins qu'une plainte et à peine plus qu'un soupir. Et pourtant, son effet est assourdissant. Parce que c'est la voix d'une personne qui exprime de la sympathie, de la compassion. Ici, dans cette maison.

Même Ethel en est réduite au silence. Il me semble que dix bonnes secondes s'écoulent avant qu'elle se reprenne et dise, sans aucun doute pour se ménager un peu plus de temps :

« Allons, Mr. Mann ! Allez-vous rester planté là toute la journée sans dire un mot à personne ? Miss Tyson va se demander par quelle malchance elle est tombée dans une maison aussi inhospitalière ?

Là-dessus, finalement, elle fait un pas de côté.

Une jeune fille se tient debout un peu plus loin, petite, presque trop petite pour m'arriver à l'épaule — et pourtant je n'ai vraiment rien d'un géant. Sous son imperméable, ses épaules à elle sont du genre victorien — ce qui, dans mon esprit, doit vouloir dire tombantes —, et plus haut je distingue ses cheveux noirs, une profusion de cheveux noirs, très raides, qui lui tombent sur le visage. On serait tenté de dire qu'ils sont en désordre — j'entends par là : c'est ce qu'on dirait devant toute autre personne —, mais pour le moment ils font plutôt penser à un rideau qu'on voudrait soulever, délicatement, pour observer ce qui se passe derrière. Et, plus important, savoir à quel genre de fille on doit d'avoir proféré, il y a une demi-minute, ce son étonnant, incongrûment compatissant. Seulement, il n'est guère dans les usages de s'avancer pour arranger à sa manière les cheveux de quelqu'un qui vous est parfaitement étranger : aussi, pendant plusieurs secondes, j'en suis réduit à la regarder fixement — jusqu'au moment où, soudainement et comme pour m'accorder une faveur particulière, elle lève la main et écarte elle-même ce voile de cheveux. Alors, enfin, je peux voir son visage.

Et, l'espace de quelques instants, je suis presque déçu. Oh, bien sûr, c'est un visage qui n'a rien de désagréable. Simplement, il n'est pas de ceux qu'on qualifierait spontanément de « joli ». Même si j'incline à penser que tout ce qui lui manque est une légère permanente et peut-être un peu de couleur sur les joues et les paupières pour que cette jeune personne n'ait rien à envier à la plupart des autres femmes qu'on croise dans la rue. Sans compter qu'elle a vraiment de beaux yeux, grands et bruns, qui vous regardent bien en face avec une expression pleine de douceur. Le genre de regard qu'on attend de quelqu'un qui a su produire ce son tellement inhabituel. Le seul vrai problème, c'est qu'elle est trop pâle. On ne peut pas s'empêcher d'en être frappé, même dans cette lumière. Et aussi beaucoup trop maigre, comme si elle était mal nourrie. En somme, rien de particulièrement attirant dans son physique.

Mais est-ce que cela compte, le physique ? Les gens m'ont dit souvent que Doreen était une très belle femme, et on voit où cela m'a conduit. D'ailleurs, est-ce qu'il y a quelque chose de mal à être pâle ? Au contraire : la pâleur convient parfois mieux à certaines femmes. Elle est même plus attrayante sur un palier obscur, où une couleur de peau plus soutenue ne peut que se dissoudre dans l'ombre environnante. Non, ce n'est pas vilain du tout, la pâleur.

Voilà les réflexions qui me passent par la tête, quand d'une manière tout à fait inattendue survient une chose encore plus surprenante que tout le reste. Une voix s'élève quelque part dans l'ombre, faible comme un chuchotement, et pourtant aussi clairement distincte que le tintement d'une cloche. Elle dit : « Ô Seigneur, éclaire nos ténèbres. »

Surprenante n'est d'ailleurs pas le terme le plus approprié, d'autant plus qu'il suffit de regarder les visages des deux personnes en face de moi pour se rendre compte que de toute évidence, elles n'ont rien entendu du tout. L'ennui, c'est que je n'ai pas le loisir d'y réfléchir, pas maintenant, avec Miss Tyson qui est en train de me sourire et Ethel qui s'impatiente déjà. L'instant d'après, je dois me reculer pour les laisser passer et se diriger vers la chambre à coucher : il n'y a de temps que pour un autre bref, et, oserais-je dire, timide sourire de Miss T. Et puis, elles disparaissent. Le plus frustrant, c'est que pendant ces longues minutes, elle n'a pas pipé mot : tout ce que j'ai entendu d'elle est ce curieux petit son. Voilà ce qui arrive quand c'est une femme comme Ethel qui prend toutes les initiatives. Pourtant, si j'en avais eu la présence d'esprit, j'aurais pu lui faire un clin d'œil, lui faire comprendre que nous aurions tout notre temps pour bavarder tranquillement plus tard. Mais que voulez-vous, avec ces mots surgissant de nulle part et Ethel en ébullition, j'ai laissé échapper l'occasion.

Pourtant, bizarrement, je ne suis pas le moins du monde découragé. Ne me demandez pas pourquoi, mais j'ai soudain la sensation qu'il va y avoir du changement dans cette maison. Entièrement grâce à cette fille. Il y a quelque chose en elle qui la rend différente des autres — pas seulement des Indiennes, mais de toutes les femmes, ce qui veut dire Doreen, June, Ethel, et toutes celles que vous voudrez pourvu qu'elles appartiennent à la gent féminine. Elle n'est pas comme les autres.

Croyez-moi, Larry Mann n'est pas homme à s'emballer facilement, mais vous savez quoi ? Je suis tout tremblant.

*

J'ai pensé que je pourrais les attendre jusqu'à ce qu'elles ressortent de la chambre à coucher, mais ensuite je me suis dit que cela pourrait avoir l'air un peu bizarre que je m'attarde sur ce palier comme si j'avais je ne sais quelles arrière-pensées. Et puis, me répétai-je en remontant l'escalier, nous avons devant nous tout le temps que nous voudrons. Cette fille est ici parce qu'elle va habiter la maison. Il lui aura suffi de visiter les lieux pour se rendre compte que c'est une occasion unique : de nos jours, il est presque miraculeux de trouver dans Londres tout un étage à louer pour une vingtaine de livres par semaine. Bien sûr, lorsqu'elle sera installée, elle ne tardera pas à s'apercevoir de tout ce qui ne va pas. Elle découvrira qu'il lui faut littéralement gaver de pièces[1] son compteur à gaz pour que ses radiateurs acceptent de fonctionner, mais qu'il n'y a pas moyen d'empêcher les courants d'air ou de faire cesser les bruits dans les murs (Ethel la regardera droit dans les yeux en lui jurant que c'est seulement la tuyauterie). Elle comprendra aussi bien vite qu'on ne peut rien faire dans cette maison sans qu'Ethel en soit informée tôt ou tard. Tout cela, au demeurant, ce ne sont que de petits inconvénients. Il y en a d'autres, mais quand elle s'en rendra compte il sera trop tard. Car alors, elle aura pris l'habitude de payer un loyer deux fois moins élevé que partout ailleurs et elle n'aura plus le courage de partir.

Ce que je ne peux m'empêcher de trouver curieux, c'est que les Indiennes n'ont jamais semblé attacher d'importance à ces inconvénients. Apparemment, tout les laissait impassibles. Même quand on essayait de les faire un peu sortir de leur coquille, par exemple en leur faisant gentiment remarquer qu'elles s'angliciseraient plus facilement si, plutôt que d'envahir sans arrêt toute la maison avec des odeurs de curry, elles se contentaient d'un œuf dur comme

1. En Grande-Bretagne, dans certaines vieilles maisons divisées en appartements, on trouve encore des compteurs à gaz individuels (plus ou moins bien réglés) qui ne fonctionnent que si l'on y introduit régulièrement des pièces de monnaie *(N.d.T.)*.

un Britannique moyen. Alors, elles se bornaient à sourire en posant un instant sur vous leur regard obscur — obscurry — mais n'en continuaient pas moins leur petite cuisine. Moi, je m'efforçais seulement de me montrer amical, mais elles étaient toutes — comment expliquer ? — plutôt distantes. Pas moyen de leur faire dire autre chose que bonjour ou bonsoir, et encore. Pourtant, j'aurais pu leur rendre une foule de services. Par exemple, je sais mieux que personne où dénicher les appareils électriques les moins chers de ce côté-ci de Finsbury Park. Elles auraient pu trouver ça bien pratique au moment de faire leurs malles pour retourner dans leur subcontinent. Il aurait suffi qu'elles soient un peu plus aimables.

Mais les choses se passeront différemment avec la nouvelle. Je le sens.

Et d'ailleurs, ce ne serait pas une mauvaise idée de faire dès maintenant le premier pas. Vous savez ce que je vais faire ? Je vais tout de suite faire un saut chez Harry, le marchand de primeurs, je vais lui acheter un bel assortiment de fruits — des pommes, des oranges, tout ce que je trouverai — et le lui offrir dès mon retour, avec mes compliments. Un petit cadeau de bienvenue. Cela vaut bien dix bonjours et dix bonsoirs lorsque je la croiserai dans l'escalier, il me semble.

Vous voyez, plus j'y pense et plus je me dis que nous allons être les meilleurs amis du monde, Miss T. et moi. Retenez bien ce que je vous dis.

*

Mais c'est comme nous disions autrefois dans l'armée : les plans les mieux élaborés ne sont pas toujours, etc. Je pourrais le jurer, je ne suis pas resté hors de la maison plus d'une demi-heure, et cela malgré Harry qui n'en a jamais assez de bavarder. En rentrant, j'ai aussitôt gravi l'escalier jusqu'au palier du premier. Là, sans hésiter une seconde, j'ai frappé bien fort à la porte du living-room, en pensant que même si elle était dans la chambre, juste à côté, elle m'entendrait. Pas de réponse. Donc, j'ai emprunté l'autre escalier et je suis monté jusqu'à sa cuisine. De nouveau, j'ai frappé. Toujours pas de réponse ! J'étais déçu, bien sûr, mais pas vraiment surpris. J'ai simplement pensé qu'elle avait dû sortir pour acheter quelques produits de première nécessité, du thé, du sucre. Tout ce que j'ai regretté, c'est de ne l'avoir pas vue sortir : j'aurais pu lui dire que j'avais largement ce qu'il fallait chez moi pour la dépanner. Mais puisqu'elle n'était pas là, je suis entré un instant dans la cuisine pour poser les fruits sur la table, avec un mot au dos d'une enveloppe disant « Bienvenue à Colditz[1] !!! » C'est une petite plaisanterie de mon cru. Je l'ai dite à chacune des locataires, même si j'ai souvent dû finir par l'expliquer. L'ennui avec les Indiennes, c'est qu'elles n'ont pas vu la moitié de nos programmes télévisés.

Bon, j'étais assez content de laisser les choses telles quelles pour le moment. Mais, revenu sur le palier, j'ai brusquement pensé : et si elle fume ? J'aurais donné mon bras droit pour le savoir, ici, tout de suite. Vous vous rappelez comment c'était, autrefois ? Aussitôt que vous aviez offert une de vos cigarettes à une étrangère, cela déclenchait toutes sortes de choses en cascade. Bien sûr, je parle de ce que j'ai vu dans les films plus que de la vie réelle, mais enfin on ne perd jamais l'espoir qu'un de ces jours, cela vous arrivera aussi, que vous allez brusquement fasciner quelqu'un par la manière dont vous lui tendez une cigarette. Non pas que j'aie l'intention de fasciner qui que ce soit, en la circonstance. C'est bien évident. Mais ce serait une bonne idée d'avoir quelque chose pour briser la glace, pour planter le décor en quelque sorte. Enfin, vous devinez le résultat : cette pensée ne m'a pas plus tôt traversé l'esprit que je redescends l'escalier en trombe, avec l'intention de courir jusqu'au tabac-journaux au bout de la rue et d'en rapporter quelque chose d'un peu plus raffiné que mon vieux Old Holborn, mon gros tabac pour ma pipe.

1. Colditz est le nom d'une forteresse où des officiers britanniques furent retenus prisonniers par les nazis pendant la Seconde Guerre mondiale. L'histoire de ces officiers prisonniers a inspiré une série télévisée en Grande-Bretagne *(N.d.T.)*.

Seulement (c'était à prévoir !), devinez qui m'attend en bas de l'escalier ? Ethel, naturellement. De toute évidence, elle est restée là, à tendre l'oreille, depuis la seconde où je suis rentré.

« Vous ressortez, Mr. Mann ? »

À l'écouter quand elle prend cette petite voix fluette, ou à la regarder avec sa permanente de petite vieille et son mouchoir fourré dans sa manche, vous lui donneriez le bon Dieu sans confession. Mais ne vous y laissez pas prendre. Pour commencer, elle n'est pas ce qu'on pourrait appeler une vieille femme, pas à soixante-douze ans ; exactement le même âge que moi, et tout le monde vous dira que de nos jours, à cet âge, on est encore loin d'être un vieillard. Mais, plus important, tout cela fait partie de la comédie qu'elle joue en permanence, avec un talent qui devrait faire l'envie de tous les retraités du monde. Vous devriez voir tout ce qu'elle lui rapporte, cette petite voix pointue et flûtée. Des œufs pour rien au marché, des places assises dans les autobus bondés. Sans oublier tous les commerçants qui arrondissent le compte au chiffre inférieur en la voyant chercher anxieusement les pièces pour l'appoint au fond de son porte-monnaie. Rien qu'avec ces procédés, elle a dû amasser une vraie petite fortune. Il existe des gens qui ne donnent toute la mesure de leurs capacités qu'en vieillissant, et Ethel Duck appartient à cette espèce. Mais si je parle de cela, c'est parce que moi, je connais la voix naturelle d'Ethel lorsqu'elle abandonne son personnage. Il pourrait difficilement en être autrement, vu le nombre de fois où je me suis trouvé devant la porte de sa cuisine à l'écouter sonner les cloches à son Gilbert et lui aboyer ses reproches avec les intonations d'un adjudant-chef. Pauvre vieux Gilbert. On serait presque tenté de le prendre en pitié, quelquefois. Bien sûr, personne ne l'a jamais vu en uniforme kaki en train de se battre pour son pays, puisque pendant toute la durée de la guerre il est resté tranquillement chez lui, prétextant une faiblesse des bronches. Pourtant, qui vit maintenant depuis des années et des années comme un seconde classe tyrannisé par son supérieur ? Ce vieux resquilleur.

Mieux vaut répondre en vitesse, pour avoir la paix.

« Vous savez bien, Mrs. Duck. Pas de repos pour les âmes damnées ! »

(Dans ce cas, comment se fait-il que Doreen se soit toujours endormie aussitôt qu'elle posait la tête sur l'oreiller ?)

Vous pourriez croire que cette phrase aurait dû suffire à clore la conversation. Qu'il n'y avait rien à ajouter. Mais pas aujourd'hui : Ethel reste plantée là, une main agrippée à la rampe de l'escalier, sans donner le moindre signe de vouloir me laisser passer — ce qui ne peut avoir qu'une signification : elle veut quelque chose. Je dois par conséquent renoncer à aller acheter ces fichues cigarettes jusqu'à ce qu'elle m'ait dit de quoi il s'agit. Ethel est toujours prioritaire et elle peut disposer de moi comme elle l'entend : c'est la règle et cela a toujours été la règle. Doreen ne cessait de me le répéter, et sur ce point elle avait raison, pour une fois. En fait, c'est à cause de Gilbert. Il n'a jamais été capable ne serait-ce que de changer un fusible, même au temps où il pouvait encore monter sur un escabeau. Ethel avait donc deux possibilités : ou bien elle faisait venir un professionnel qui lui présentait une facture, ou bien elle se tournait vers votre serviteur qui faisait le boulot gratuitement et lui payait quand même son loyer à la fin de la semaine sans un sou de remise. Vous devez naturellement vous demander pourquoi j'ai toujours accepté de jouer les factotums, dans ces conditions. Eh bien, voici pourquoi. Chaque fois qu'elle y pense, Ethel est forcée d'admettre que la seule et unique raison pour laquelle sa maison tient encore debout est la présence de Larry Mann, et cela la met en fureur. Génial, non ?

Aujourd'hui, pourtant, il ne semble pas qu'elle ait comme d'habitude une liste de petites réparations à me mettre sous le nez. Non. Si Ethel m'a coincé en bas de l'escalier, c'est pour une raison différente, quelque chose qui se produit à peu près aussi souvent qu'une éclipse de lune : elle a simplement envie de parler.

« Vous savez, Mr. Mann, je dois vous avouer que je suis vraiment inquiète. Si Mr. Duck ne fait pas une très longue sieste pour récupérer aujourd'hui, en plus de son petit somme habituel, eh bien, je ne voudrais pas avoir à répondre des conséquences. »

Il arrive à Ethel de baisser la voix, en général quand elle parle de Gilbert. Ce qu'elle veut, c'est vous persuader que la seule chose qui le maintient en vie est l'optimisme qu'elle simule devant lui. Quand elle réduit sa voix à un murmure — comme en ce moment —, c'est pour que vous sachiez bien qu'en réalité il est terriblement mal en point. Comme si les murmures d'Ethel n'étaient pas assez sonores pour être entendus d'un bout à l'autre de l'Albert Hall[1] ! Remarquez, peut-être qu'elle est dans le vrai, parce qu'à ce moment précis on entend Gilbert tousser comme s'il crachait ses poumons et son âme en même temps. Et j'admets volontiers que cette horrible toux est de mauvais augure. Au demeurant, Ethel ne cille même pas. Elle poursuit :

« C'est la nouvelle locataire, vous comprenez. Il en est tout émotionné. »

Vraiment ? Pour tout vous dire, ces mots me font un peu dresser l'oreille. Mais dans ce cas, la meilleure chose à faire est de s'abstenir de tout commentaire, du moins si l'on veut un supplément d'information. Donnez le moindre signe de curiosité et vous pouvez être sûr qu'Ethel se fermera comme une huître. D'autre part, il peut arriver qu'elle vous dise que Gilbert est très agité, bien qu'il faille comprendre qu'en réalité c'est surtout elle qui l'est. Dans sa phrase, je jurerais avoir entendu resurgir une note de cet accent des paysans du Somerset qu'elle a apporté de sa cambrousse lorsqu'elle est venue s'installer à Londres jadis. Et puis, il suffit de la regarder : elle tremblote comme un tas de gélatine sous son tablier. En fait, je parierais même que pour cette fois, tout ce que je pourrai dire n'aura aucune importance : de toute façon, elle crachera le morceau. Donc, je me risque :

« Ah oui, Mrs. Duck ? Et pourquoi ça ? »

Elle lâche la rampe et s'avance à quelques centimètres de moi. À croire que c'est un secret d'État qu'elle va me confier.

1. Immense salle de concerts à Londres (plus de 6 000 places) *(N.d.T.)*.

« Eh bien, c'est à cause de ses parents, Mr. Mann. À cause de Hong Kong.

— Hong Kong ?

— C'est là qu'ils habitent, comme Hubby autrefois, quand il était encore dans la marine marchande. Il jure que c'est là qu'il a commencé à avoir ses bronches. En tout cas, c'est de l'avoir entendue dire ça qui l'a mis sens dessus dessous. Il parle toujours de ce temps-là comme si c'était hier, du moins quand il en a la force, le pauvre. Et voilà que brusquement, il va avoir dans la maison quelqu'un d'autre à qui en parler, quelqu'un qui sait tout sur Hong Kong. »

Peut-être bien. Encore qu'à mon avis, une fille comme elle n'aura guère envie de perdre son temps avec un vieux schnock comme Gilbert. Et puis, Hong Kong, mon œil ! Il n'est pas impossible qu'il y ait passé un an ou deux dans sa jeunesse, mais il se trouve que je sais qu'il a vécu beaucoup plus longtemps sous les Blanches Falaises de Douvres[1], où il était employé de bureau. Ça, je doute qu'il en parle beaucoup à sa femme.

De toute façon, il y a visiblement plus important, car voilà qu'Ethel s'approche encore davantage. Mon veston va être plein de poudre de riz tout à l'heure. Elle va entrer dans le vif du sujet. Entre ses dents serrées, sa voix vient enfin m'apprendre la véritable raison de son excitation.

« Toujours là-bas, bien sûr. Son père. Un docteur. Chirurgie du cerveau. »

Voilà. Voilà l'effet que l'excitation a produit sur Ethel. Elle l'a transformée en télégramme parlant. Mais le message est clair, et c'est l'explication de tout le reste. Entre autres, de la raison pour laquelle, après toutes ces années à la mode indienne, elle a décidé de relouer son premier étage à une fille qui parle correctement l'anglais. À quelqu'un qui est des nôtres, en somme.

1. Allusion à une chanson des soldats britanniques pendant la Première Guerre mondiale, qui rêvaient au jour où ils rentreraient chez eux et apercevraient en traversant la Manche les « blanches falaises de Douvres » *(N.d.T.)*.

À ceci près qu'elle n'est pas vraiment des nôtres, pas elle, pas Miss Tyson. La vérité, c'est qu'il n'y a jamais eu dans cette maison une personne comme elle, pas en soixante-dix ans, pas depuis l'époque où, comme toutes les grandes maisons, elle n'était habitée que par les membres d'une seule et même famille, avec une pièce pour chaque homme, femme et enfant, plus quelques chambres pour les domestiques. Il se pourrait même qu'elle ait appartenu à un docteur. Et maintenant, qui vient d'en franchir de nouveau le seuil ? Justement la fille d'un docteur ! Connaissant la manière dont fonctionne le cerveau d'Ethel, c'est pour elle presque aussi flatteur que si c'était le docteur lui-même qui s'était installé chez elle.

Donc, Miss Tyson n'est pas des nôtres, pas au sens habituel de l'expression. Pourtant, je dois faire ici une remarque : elle a la même couleur de peau que nous, et c'est une chose qui compte, vous ne croyez pas ?

Quoi qu'il en soit, pas question de laisser Ethel continuer à se croire la seule et unique source d'informations. Il est grand temps de lui faire comprendre que Larry Mann est lui aussi au courant de quelques petites choses.

« Peut-être, Mrs. Duck. Mais vous n'avez pas besoin de parler à voix basse pour me dire tout ça. Peu importe ce que vous dites : de toute façon, elle ne peut pas vous entendre. Elle est sortie. Je crois même qu'elle est sortie immédiatement après moi. »

Tiens, voilà une idée intéressante. C'est comme si elle m'avait suivi.

Quant à Ethel, cela lui cloue le bec. Cette maison est comme régie par une loi naturelle qui veut que pas une âme n'entre ou ne sorte sans qu'elle le sache, et qui plus est sans qu'elle sache pourquoi. Seulement, il semble que d'une façon ou d'une autre, la petite Miss Tyson a cette fois échappé à sa surveillance. Mais essayez donc de faire admettre à Ethel qu'elle s'est trompée !

« Oh, je suis sûre que non, Mr. Mann. Je peux vous assurer qu'elle n'est pas sortie, et même vous en montrer la preuve. Regardez donc ! »

En disant cela, elle tire de son tablier un chiffon à poussière et le secoue sous mon nez. Quand j'ai fini de tousser, elle reprend son explication :

« Cela fait bien une demi-heure que j'ai commencé à nettoyer le vestibule. Depuis l'instant où vous êtes parti jusqu'à la seconde où vous êtes revenu, je n'en ai pas bougé. Et vous pouvez m'en croire, pendant tout ce temps personne n'est sorti de la maison et personne n'y est entré. »

Allez donc répondre à ça. Connaissant Ethel, ce qu'elle dit doit être vrai mot pour mot. Parce que si quelqu'un met un pied hors de la maison, Ethel arrive, comme les vagues qui se précipitent pour combler l'empreinte que votre corps a laissée dans le sable, et elle attend de pied ferme que vous reveniez. Voilà pourquoi je suis sûr qu'elle est entrée dans le vestibule une seconde après que je l'ai traversé. Que voulez-vous, elle est comme ça.

Mais moi, je n'y comprends plus rien. D'une part, il y a Ethel qui est prête à jurer sur la Bible que Miss Tyson est à l'endroit où elle l'a laissée tout à l'heure. Mais d'autre part, il n'y a pas cinq minutes, j'ai cogné contre sa porte assez fort pour réveiller un mort. Et pendant que je réfléchis, Ethel me regarde avec une expression plus triomphante de seconde en seconde, additionnant les points qu'elle vient de marquer sur le tableau noir qu'elle a dans le cerveau. Je n'ai jamais vu une femme plus chicanière. La seule option qui me reste est de quitter les lieux avec autant de dignité que les circonstances me le permettent. Mais j'aurais dû faire attention à la direction que je prenais, car l'instant d'après la voix d'Ethel me parvient, flottant à travers les airs.

« Ce que je peux être sotte, parfois ! Figurez-vous un peu : je m'étais imaginé que vous alliez ressortir, et vous voilà en train de remonter l'escalier ! »

Et rien n'est plus vrai. Car, entièrement à cause d'Ethel, j'avais oublié pour quelle raison j'étais d'abord descendu. En sorte que je ne pouvais rien faire d'autre que redescendre et me diriger vers la porte d'entrée, en passant devant Ethel qui se régalait de ce réjouissant spectacle, sans en perdre une miette.

*

Une fois les cigarettes achetées, pourtant, je me suis senti infiniment mieux. Pendant le temps qu'il m'avait fallu pour aller jusqu'au tabac-journaux et en revenir, j'avais eu le loisir de réfléchir et de tout comprendre. L'explication, c'était tout simplement que je n'avais pas frappé assez fort. J'avais pu *croire* que je frappais vraiment très fort, mais je m'étais trompé. Ici, c'est le genre de maison où tout se fait très discrètement. Pour éviter que tout le monde soit au courant de vos occupations, pour éviter de déranger... L'habitude de ne pas faire de bruit devient une seconde nature, à la longue. Le résultat, c'est que même si vous avez l'impression de faire un boucan terrible, c'est le plus souvent une illusion. Ces coups frappés à la porte — il y a de quoi rire quand on y pense — n'étaient sans doute rien de plus qu'un petit toc-toc. Et quant à Miss Tyson, elle était endormie, probablement. Je me suis bien rendu compte qu'elle était fatiguée quand je l'ai vue, rien qu'à sa manière de se tenir. La pauvre petite avait certainement besoin d'un bon somme. Et dans ce cas, le plus important à présent était de ne pas la réveiller en remontant chez moi. Cependant, j'ai pris tout mon temps pour gravir les deux étages. Je gardais le vague espoir qu'elle sortirait de sa chambre juste au moment où je passerais à proximité, étouffant un bâillement peut-être, et la bouche toute sèche comme on l'a souvent lorsqu'on vient de piquer un petit roupillon. Pouvais-je alors rêver une meilleure occasion de l'inviter chez moi pour se désaltérer avec une bonne tasse de thé ?

Pas de chance, hélas. J'ai dû mettre deux bonnes minutes à traverser le palier du premier, mais rien n'a bougé. La pauvre gosse dormait sûrement comme une masse. Qui plus est, je ne l'ai même pas aperçue mettre un pied hors de chez elle de tout l'après-midi, et croyez-moi, le moindre de ses mouvements ne m'aurait pas échappé.

Et puis, à force de patience, juste au moment où je venais de mettre l'eau à chauffer dans la bouilloire, j'ai fini par percevoir le bruit que j'avais attendu pendant tout ce temps : autrement dit, le déclic que fit la poignée de la porte de sa chambre, suivi du son assourdi de ses pas sur le palier. Retenant mon souffle, j'ai entendu ensuite le bruit de la chasse d'eau, puis, de nouveau, celui de ses pas, et finalement celui de la porte de sa cuisine qui s'ouvrait et se refermait. Vous voyez, l'heure de vérité était finalement arrivée, puisqu'elle venait d'entrer dans sa cuisine et d'y trouver tous ces beaux fruits qui l'attendaient, sans oublier mon petit mot.

Mais curieusement, à ce moment crucial que j'ai attendu si impatiemment, je me sens soudain pris d'un trac terrible. Peut-être faut-il l'expliquer par le simple fait que nous n'avons pas été vraiment présentés dans les formes. Comment voulez-vous que deux personnes fassent un tant soit peu connaissance alors qu'Ethel occupe le terrain entre elles avec son petit sourire suffisant ? Par bonheur, il y a un petit miroir au-dessus de mon évier que j'ai accroché là pour pouvoir me raser, et il me suffit d'un bref coup d'œil pour constater que je n'ai pas de raison de m'inquiéter, du moins pas en ce qui concerne mon apparence.

Larry Mann a tout d'un modèle de respectabilité. Franchement, il est même un peu plus que cela. Étant d'un caractère modeste, je serais le dernier à m'en vanter ouvertement, mais la vérité est que je ne suis pas mal du tout pour mon âge. Mon aspect est celui d'un homme très soigné, avec un teint vif et plein de santé. Soucieux d'élégance, aussi. Ce n'est pas tout le monde qui s'imposerait de garder son postiche sur la tête la nuit comme le jour, mais Larry, lui, tient à rester coiffé vingt-quatre heures sur vingt-quatre. Aujourd'hui, je l'ai peigné en avant pour avoir une petite frange sur le front, dans un style plutôt décontracté, vous voyez ? Et puis je fais très attention à ma moustache. Elle n'est pas de la même couleur, c'est vrai (pour ça, il faudrait que je la teigne en châtain), mais un joli poivre et sel, c'est tout à fait seyant. Des tas de militaires de carrière ont la même. Quoi qu'il en soit, le résultat de ces efforts est que je n'ai pas besoin de me précipiter pour me rendre présentable. Larry Mann est *toujours* présentable. Et je peux donc respirer plus tranquillement, me calmer et ne pas oublier de mettre un autre sachet de thé dans la théière.

Ensuite, eh bien, il ne reste plus qu'à attendre...

2

MALGRÉ TOUT, le laps de temps qui s'est écoulé m'a paru une éternité, même si — soyons honnêtes — il ne s'est certainement pas passé plus de cinq minutes. Simplement, je pensais qu'elle monterait plus vite. Parce qu'elle n'avait qu'à voir les fruits et lire mon petit mot pour comprendre tout de suite. Et puis, soudain, je l'entends frapper à petits coups contre le mur, en bas de mon escalier. J'avais beau être sur le qui-vive, cela m'a fait sursauter car je m'attendais à ce qu'elle monte tout de suite jusqu'à l'appartement. Mais enfin, j'ai dû trouver quelque chose à dire, car je sais qu'un instant plus tard elle était debout dans l'encadrement de la porte de ma cuisine, en chair et en os.

Et pourtant, un tout petit peu différente de l'image que ma mémoire avait gardée d'elle. Elle portait un chandail de laine, beaucoup trop grand pour elle et qui ne pouvait convenir qu'à un homme, et une paire de ces pantalons de toile flottante qui sont à peine moins négligés qu'un bas de pyjama. Et puis, je ne sais pas si c'était seulement un effet de mon imagination, mais, coincée derrière Ethel, elle paraissait plus petite. À présent, j'avais l'impression qu'elle avait grandi. L'espace d'un instant, j'ai pensé qu'elle avait peut-être chaussé une paire de souliers à talons pour monter voir Larry, mais en regardant ses pieds j'ai été un peu dérouté de constater qu'elle n'avait pas de chaussures du tout : rien qu'une paire de grosses chaussettes noires, comme des chaussettes d'homme. Voilà pourquoi je ne l'avais pas entendue. Maintenant, ne me demandez pas de l'expliquer, mais chez n'importe qui d'autre une telle découverte m'aurait inspiré certaines préventions. Que je sache, l'usage est de porter des chaussures quand on rend visite à quelqu'un, et aussi de faire un petit effort d'habillement. Mais c'était comme pour ses cheveux tout à l'heure. Elle ne faisait pas du tout mauvaise impression malgré ces petites marques de laisser-aller. Comprenez-moi : la grâce qui la sauvait était son visage. De ce point de vue, elle était exactement comme je me la rappelais, même si je dois reconnaître que j'ai un peu exagéré lorsque j'ai insisté sur sa pâleur. Mais il est vrai qu'elle venait de faire une bonne sieste. Et l'important, c'est que son expression était semblable. Une certaine timidité, un air presque anxieux, même. Au fond, je crois que ce que je veux dire par là, c'est qu'elle me faisait l'effet d'une fille sérieuse, à mille lieues de ces jeunes péronnelles qu'on croise un peu partout et qui se mettent à glousser aussitôt qu'elles vous voient. Ce qu'il y a de charmant dans un visage comme le sien, c'est qu'il vous donne confiance en vous. Ce sont les femmes trop sûres d'elles qui vous mettent mal à l'aise, vous ne trouvez pas ? Les petites malignes, les mademoiselle-je-sais-tout. Autrement dit, toutes les Doreen qui sévissent en ce bas monde. Mais elle, il suffisait de la regarder pour comprendre à quel point elle était différente. C'est pourquoi il m'a été parfaitement facile de sourire et de lui lancer joyeusement, sur le même ton que si nous avions été de vieux amis :

« Bonjour, belle étrangère. Alors, vous avez bien dormi ? »

À quoi elle répondit :

« Pardon ? »

Extraordinaire, non ? Il y a des gens qu'on a l'impression de connaître dès le premier contact. Si quelqu'un m'avait demandé ce que seraient vraisemblablement ses premiers mots, je vous parie ce que vous voudrez que j'aurais répondu : une parole pour s'excuser. Le fait que j'ignorais pourquoi elle s'excusait n'avait pas la moindre importance. Peut-être était-ce d'avoir dormi tout ce temps alors qu'à l'étage au-dessus, quelqu'un s'impatientait de lui faire savoir son désir d'être le meilleur des voisins ?

« Ah ! Dormir, continuai-je. C'est un remède magique. On se sent comme une loque, et puis il suffit d'un petit somme pour qu'on se retrouve en pleine forme.

— Oh..., fit-elle. Mais je n'ai pas dormi. »

Dans ce cas, plus rien à ajouter sur ce sujet. Je m'attendais à ce qu'elle me raconte à quoi elle s'était occupée pendant tout ce temps, mais elle n'en a rien fait. Pour tout dire, elle n'a pas prononcé un mot de plus. Quelques secondes ont passé, pendant lesquelles elle s'est tenue immobile, la tête baissée comme si elle contemplait ses orteils, et j'ai senti venir la crainte qu'un certain malaise ne s'installe. Mais au dernier moment, elle a parlé de nouveau :

« Mr. Mann, il y a tout un tas de fruits sur la table de ma cuisine.

— Ah oui ? » ai-je répondu d'un air parfaitement innocent, mais en réalité poussant un grand soupir de soulagement. C'était le moment que j'avais attendu, et même, pourrait-on dire, celui pour lequel je m'étais préparé tout au long des heures où elle était restée invisible. D'autre part, j'éprouvai un vrai bonheur rien qu'à m'écouter parler. Pas étonnant que la snob qui dormait en Ethel ait été toute frétillante de plaisir. Elle s'exprimait avec un accent délicieusement raffiné, mais pas du tout d'une manière qui cherchait à vous en imposer. Son élocution était impeccable, oui, mais sa voix trop douce pour être autoritaire, trop aiguë aussi, au point qu'en l'entendant au téléphone on aurait sans doute eu l'impression de parler à un enfant de douze ans. Elle était très révélatrice, cette voix : elle vous faisait comprendre que vous aviez devant vous une jeune fille ayant reçu une excellente éducation, mais qui pour autant n'essayait pas du tout de prendre des airs supérieurs. Quant au sens exact de ses paroles, il n'avait guère d'importance.

L'ennui, pourtant, c'est qu'à présent elle fronçait les sourcils d'un air perplexe, sans doute parce que j'avais répondu comme si je n'étais pas du tout au courant, pour les fruits. Mais si j'avais fait semblant de rien, c'était volontairement, parce que cela faisait partie de mon petit jeu. Et puis, il y avait aussi le mot que j'avais laissé, et cela aurait dû suffire pour qu'elle devine aussitôt. D'ailleurs, à part moi, qui aurait pu laisser tout ça sur sa table ? Les Duck ? Sûrement pas. Vous me comprenez maintenant, quand je dis qu'elle m'a tout de suite fait l'effet d'une fille sérieuse ?

Soyons francs : à ce moment-là, j'ai paniqué. Mon idée première était de feindre l'ignorance et de la faire un peu marcher, gentiment bien sûr, mais là, j'y ai renoncé. C'était trop risqué : je ne pouvais pas prévoir sa réaction si je continuais à jouer la sainte-nitouche. Après tout, peut-être était-elle du genre à ne même pas attendre la fin de ce que je dirais tant elle aurait hâte de courir remercier les Duck pour leur délicatesse.

« N'ayez donc pas cet air intrigué, ai-je dit. Bien sûr que je sais d'où viennent ces fruits. C'est moi qui les ai laissés sur votre table. Ma façon à moi de vous souhaiter la bienvenue. Vous savez, j'essaie toujours d'être en bonnes relations avec les nouvelles locataires. Surtout lorsqu'elles sont aussi charmantes que vous. »

Et voilà. Personne n'aurait pu tourner cela plus aimablement, il me semble. Sans faire de manières, sans chercher à impressionner. En étant simplement gentil. Pourtant, vous allez sûrement vous étonner, mais même après ce petit discours, elle continue à me regarder en fronçant les sourcils. À croire qu'elle est née comme ça !

« Mr. Mann... », commence-t-elle.

Et là, je décide d'être ferme.

« Écoutez, mon petit, dis-je. Il n'y a qu'une seule façon de me faire de la peine : c'est en m'appelant Mr. Mann. Ça, c'est bon pour les Duck et pour personne d'autre. Je m'appelle Larry. Compris ? Quand on m'appelle autrement que par mon prénom, eh bien, je trouve que ce n'est pas amical ! »

Et puisque ces mots ne semblent même pas suffire à la mettre à l'aise (elle se mord la lèvre inférieure comme si elle voulait la manger toute crue), la seule solution est de la pousser doucement vers le salon. Sinon, elle serait peut-être restée là des heures, sur le pas de la porte, comme si nous étions deux personnes absolument étrangères l'une de l'autre. Et où cela nous aurait-il menés ? Nulle part.

Remarquez, au moment où nous sommes entrés dans mon salon, j'ai compris qu'elle devait peut-être faire face à trop de surprises à la fois. Il n'y avait rien dans la cuisine qui puisse attirer son attention, d'autant plus que nous étions presque nez à nez, mais ici, dans le salon, le tableau n'a évidemment rien à voir. Une fois passé le seuil de la pièce, elle n'aurait pas été un être humain comme les autres si elle n'avait regardé autour d'elle en se demandant si nous habitions bien dans la même maison, voire dans la même rue. Si on pense à ce que sont ses trois pièces à l'étage au-dessous, elle ne pouvait sûrement pas s'attendre à voir ce qu'elle voyait maintenant.

Mais elle est bel et bien un être humain comme les autres, et il ne faut qu'une seconde pour sentir l'effet produit sur elle par ce qu'elle a devant les yeux. Elle regarde effectivement autour d'elle, et s'arrête net. Elle en est muette comme une huître, elle ne trouve pas un mot. C'est la surprise, vous comprenez. Il y a pas mal de gens qui, sous le coup de la surprise, sont incapables de parler. Ils voient l'état du reste de la baraque, et puis voilà que brusquement, ils découvrent mon salon. Dans ces conditions, je ne peux pas lui en vouloir si une brouettée de fruits déposée à son intention sur sa table de cuisine ne l'a pas encore amenée à prononcer le petit mot de circonstance.

Malgré tout, j'aime bien entendre la réaction des visiteurs, et puis on ne sait jamais, les goûts varient d'une personne à l'autre. Donc, je décide de la pousser un peu pour qu'elle dise ce qu'elle ressent — mais rien qu'un tout petit peu, bien entendu.

« Alors, qu'est-ce que vous en pensez ? Ça ne ressemble pas vraiment à ce qu'Ethel vous loue pour je ne sais combien de livres par semaine, pas vrai ?

— Oh... », fait-elle.

Et rendons-lui justice : ses beaux yeux bruns si doux ont l'air tout près de sortir de leurs orbites.

Puis :

« C'est... C'est très joli. »

Bon, j'étais content qu'elle le dise. Mais en comprenant qu'elle n'en dirait pas davantage, je n'ai pu m'empêcher de regretter un peu qu'elle ne trouve pas de mots, disons, plus expressifs. Bien élevée comme elle l'était, et certainement cultivée de surcroît, je l'aurais crue capable d'imaginer une formule un peu plus élaborée et moins banale que « très joli ». Autant dire que Buckingham Palace aussi, c'est « très joli » ! Naturellement, je n'irais jamais prétendre que mon salon puisse se comparer aux palais où Sa Gracieuse Majesté a ses habitudes. N'empêche qu'il serait injuste de ne pas reconnaître que, vrai de vrai, cette pièce est une sacrée réussite !

Pour commencer, tout est parfaitement en place et il n'y a rien qui dépasse. Même pas la télé. Il y a une petite merveille avec écran géant derrière une double porte en acajou, mais personne ne peut le savoir à moins qu'elle soit allumée. Et douillet, avec ça. Vous devriez me voir en hiver. Pas de problèmes de courants d'air, ici : j'ai condamné toutes les fenêtres il y a des années. Le radiateur à gaz chauffe la pièce, et pas un centimètre cube d'air chaud ne peut s'échapper. Je l'éteins chaque soir et le lendemain en me levant, je peux encore sentir la chaleur qui imprègne le papier peint. Une sensation merveilleuse. Mais le plus important, à mes yeux, c'est que c'est moi qui ai tout fait de mes mains.

Vous vous dites certainement que je passe quelque chose sous silence en m'attribuant tout le mérite de cette installation de rêve, qu'il doit forcément y avoir une épouse qui a mis son grain de sel et insisté pour que je fasse certaines choses à son idée. Eh bien, non. Une épouse, il y en a bien eu une, mais il y a longtemps qu'elle est partie — et bon débarras. Seulement, j'ai bien dû constater qu'un départ ne suffit pas, que cela ne peut pas suffire lorsque la femme en question a imprimé la marque de sa présence sur tout ce qu'elle a laissé derrière elle. C'est comme si elle était encore là, regardant par-dessus votre épaule. Comme si elle ne vous laissait jamais un moment de tranquillité. Impossible de supporter ça, surtout après ce que Larry Mann a enduré à cause d'elle.

Donc, j'ai tout balancé. Tout, jusqu'au dernier meuble, jusqu'au plus petit bibelot. Je me suis débarrassé du moindre objet qu'elle avait touché. Bien sûr, la façon la plus réjouissante de procéder aurait été de faire un grand feu de joie avec tout ce fourbi, et de préférence après l'avoir assise au milieu, mais il y a des lois qui interdisent ces choses-là. Donc, j'ai opté pour la meilleure solution légalement autorisée : j'ai tout réaménagé à partir de zéro, mais cette fois, sans regarder à la dépense. Elle avait toujours eu envie d'une moquette, et j'en ai une. Très épaisse, à poils longs comme de l'angora. Et un ensemble comprenant canapé, fauteuils et pouf assortis, avec un porte-revues presque de la même couleur. Sans compter le bar, vitré, avec bouteilles renversées la tête en bas comme dans un vrai bar de grand hôtel, éclairage intérieur, étagères en verre pour le service à boissons. Et les deux niches dans les murs aménagées par votre serviteur et personne d'autre. Le tout, du meilleur goût qu'on puisse imaginer : mon goût. Il n'y a pas une seule chose qui ne soit pas de moi. Et puis, j'ai ajouté tout un tas d'ornements au fil des années, ici un cendrier dernier cri, là une statuette. Et un jour, pour parachever cet ensemble, je vais accrocher au mur une de ces belles assiettes en porcelaine des Royal Doultons, celles qui présentent ces motifs si raffinés. J'aimerais bien une jeune fille en longue jupe flottante, genre crinoline tournoyant dans le vent, en train de retenir d'une main sa capeline à rubans. Le jour où je m'offrirai ça, on pourra dire que je serai un homme heureux.

De toute façon, il y a déjà bien assez pour faire grosse impression. Et, beaucoup plus important, personne ne pourrait deviner qu'il a existé une femme du nom de Doreen, et encore moins qu'elle a habité ici pendant trente-cinq ans. Un triomphe, voilà ce que c'est que cette pièce. Un véritable triomphe. Pas étonnant que je m'y sente tellement chez moi.

Naturellement, je n'explique rien à Miss Tyson des raisons pour lesquelles elle est devenue ce qu'elle est — en tout cas, pas maintenant. Pour le moment, il me suffit de regarder son visage — même si tout ce qu'elle a trouvé à dire est « très joli ». Du reste, pour être tout à fait franc, même cette petite déception est déjà oubliée. Si vous me demandez pourquoi je ne dis soudain plus rien, je répondrai que ce n'est pas parce que je laisse admirer mon œuvre à une toute nouvelle connaissance. Non : c'est plutôt comme si je contemplais le futur devant moi, un futur où deux personnes se trouvent réunies par un pur esprit d'amitié, abrités dans une pièce qui leur va comme un gant.

C'est pourquoi il était d'autant plus important que je brise enfin la glace, et définitivement, avant que son impression ne puisse être faussée. Car si je restais silencieux plus longtemps, réfléchissant à l'avenir qui se dessinait, elle risquait de penser que Larry Mann avait décidément un caractère peu sociable. Or, justement, son regard était fixé sur ce qui fait ma fierté et ma joie, ce qu'on pourrait appeler le plus beau joyau de la Couronne.

« Yamaha, dis-je, en me demandant si peut-être elle ne le sait pas déjà. Haut de gamme, comme vous voyez. Tout y est : les violons, les percussions, les cuivres... Dites-moi ce que vous voulez entendre, et je n'ai qu'à appuyer sur un bouton.

— Oh..., répond-elle, de cette façon qui commence déjà à m'être familière. Vous voulez dire que c'est un... un orgue électronique ? »

Là, je dois avouer que l'espace d'une seconde, je me suis demandé si, tout en étant charmante, elle n'était pas aussi un tout petit peu bête. Et puis j'ai observé à mon tour, comme elle l'avait fait, et je me suis rendu compte qu'avec le couvercle fermé et la housse par-dessus, plus la famille d'animaux en céramique harmonieusement disposée sur la têtière, il était possible de se méprendre. La vérité, c'est que la pièce est trop petite. Si j'avais su il y a dix ans que j'allais devenir musicien, j'aurais réfléchi à deux fois avant d'installer les étagères-bibliothèque. Seulement, qui peut savoir ce que lui réserve l'avenir ? Le fait est que maintenant, je ne pourrais pas me passer de mon Yamaha, pas pour un empire. Deux doigts : c'est tout ce dont j'ai besoin pour jouer comme Elton John. L'orgue se charge du reste. J'ai même un petit livre qui explique comment.

Et une fois encore — j'ai l'impression que ça ne cesse plus de se produire depuis que j'ai rencontré Miss T. —, je vois se dessiner une scène d'anticipation : moi assis à l'orgue, en train d'enchaîner toutes mes bonnes vieilles mélodies favorites, et elle lovée sur les coussins du canapé, attentive à la moindre note. On verrait rougeoyer les barres du radiateur, frémir des images sur l'écran géant de la télé dans l'angle, et il y aurait sur la table une bonne bouteille et un petit verre pour chacun.

Cela, d'ailleurs, me rappelle à mes devoirs.

« Bon, qu'est-ce que vous prendrez ? Porto ou sherry ? »

Vous savez, cela commençait à devenir comique. Tout ce que je lui avais dit jusqu'à présent semblait la plonger dans des abîmes de perplexité, et cela continuait. Voilà qu'elle me regardait fixement, comme si elle n'était pas sûre d'avoir bien entendu. Mais enfin, Patience aurait dû être mon prénom ; aussi ai-je répété, en articulant lentement :

« Je désirais savoir ce que vous auriez envie de boire pour l'apéritif. J'ai du porto et j'ai du sherry. Donc, voudriez-vous répondre à ce vieux Larry ce que vous préférez, Miss... ? »

J'ai laissé cette phrase en suspens, volontairement, en songeant que d'emblée je lui avais demandé de m'appeler par mon prénom, mais que de toute évidence elle avait oublié de me dire d'en faire autant. Pour une fois, le déclic attendu s'est produit tout de suite. Elle a souri, et elle a répondu :

« Amanda. Je m'appelle Amanda. »

Puis le sourire a disparu.

« Mais pour cet apéritif, c'est vraiment très gentil à vous, mais sincèrement, je crois que... »

Ce qu'elle croyait ou ne croyait pas, je n'en ai jamais rien su, parce que c'était trop tard et que je lui avais déjà mis un verre de sherry dans la main. En fait, il suffit de la voir pour deviner qu'elle n'était pas du genre à aimer le porto-citron.

« Oh... », dit-elle.

Puis, se rappelant les bonnes manières, comme on pouvait s'y attendre d'une fille comme elle, elle ajoute :

« Merci beaucoup. »

Pour ne rien vous cacher, si hier quelqu'un m'avait prédit qu'aujourd'hui je serais assis dans mon propre salon en train de siroter du sherry avec une jeune et charmante représentante du sexe féminin et de papoter avec elle comme si nous étions de vieux amis, je lui aurais répondu qu'il se fichait de moi. Et pourtant elle était là, comme si elle y avait toujours eu sa place. Vrai, il y avait de quoi se sentir plutôt désorienté pour un homme comme ce vieux Larry, à tel point que je n'avais pas encore bu une goutte. Aussi ai-je levé mon verre, en disant :

« À vous, Mandy, ma mignonne, en vous souhaitant tout le bonheur possible. »

Alors, vous auriez dû voir comment elle a souri ! Elle a les plus jolies dents du monde.

« Dites-moi, d'où nous arrivez-vous comme ça ? » ai-je demandé, en m'attendant bien sûr à ce qu'elle réponde : de Hong Kong. J'aurais bien aimé placer quelques mots sur Hong Kong avant que ce vieux fossile de Gilbert ne vienne mettre son grain de sel. Seulement, la réponse n'est pas vraiment celle que j'attendais :

« D'Écosse, dit-elle. D'Édimbourg, pour être précise.

— Oui, mais est-ce là que se trouve votre vraie maison ? » J'insiste, lui donnant une autre petite clef pour la réponse.

Pourtant, celle-ci n'est pas encore celle que j'avais prévue :

« C'est là que vivent tous mes amis. Je ne connais strictement personne à Londres. J'espère que ça ne durera pas. »

Puis elle me gratifie à nouveau de ce merveilleux sourire qu'elle a, large, mais qui lui fait un peu trembler le coin des lèvres.

« Je ne suis pas très douée pour me faire des amis. »

Vif comme l'éclair, je trouve la bonne repartie :

« Ne vous inquiétez pas. Maintenant, vous me connaissez, moi. Vous pourrez avoir besoin de n'importe quoi, Larry sera là. »

Je vous assure que s'il existe une façon plus gentille d'offrir son amitié, je donnerais beaucoup pour la connaître.

Parce que ce qui se passe ensuite est aux limites de l'imaginable. Je m'apprêtais à lui demander sans plus tourner autour du pot ce qu'il en était de Hong Kong dans sa vie, quand, tout à trac, là voilà qui pose son verre et qui se lève.

« Excusez-moi, Mr. Mann, mais il faut que je vous laisse. J'ai à peine commencé à défaire mes bagages, vous comprenez. Oh, avant de partir, merci mille fois pour tous ces fruits. Vous n'auriez vraiment pas dû. Bonsoir. »

Point final. C'est tout juste si elle avait trempé les lèvres dans son sherry, mais je n'ai même pas eu le temps de lui en faire la remarque. Elle était déjà partie, me plantant là avec un verre à demi plein dans la main, que de toute évidence il me faudrait maintenant finir seul, pour ne rien dire du paquet de cigarettes posé sur l'accoudoir et que je n'avais même pas ouvert.

Elle avait dit qu'elle n'était pas très douée pour se faire des amis, pas vrai ? Eh bien, tout à coup, on pouvait commencer à comprendre pourquoi.

Autant le dire carrément, j'étais déçu. Et le mot est faible. Qu'est-ce qu'on peut penser de quelqu'un qui reçoit le genre d'accueil que je lui avais réservé, et qui reste tout juste le temps de dire un petit merci ? C'était déjà assez désinvolte de me parler de mes fruits comme si c'était le cadet de ses soucis, mais que dire de sa façon de s'adresser à moi ? J'avais été suffisamment clair, il me semble ! Je lui avais dit : appelez-moi Larry. Et que fait-elle ? La sourde oreille, et elle continue à me donner du « Mr. Mann ». C'est ça qui est blessant. On fait de son mieux pour se montrer aussi amical que possible, et tout ce qu'on y gagne, c'est de se faire traiter comme si on n'était qu'un vulgaire étranger.

*

Après cela, je ne pouvais plus penser qu'une chose : au premier étage, tout était et resterait comme avant. Que voulez-vous, les trois quarts des gens ne savent plus comment on doit se conduire entre personnes civilisées. J'ai reversé le sherry dans la bouteille et j'ai décidé d'occuper ma soirée comme si de rien n'était, allumant le radiateur, puis la télé. En un mot, j'ai essayé de ne plus y penser. Seulement, je ne pouvais pas m'en empêcher. Si ç'avait été une des autres filles, tout ça m'aurait été bien égal, mais ce que je n'arrivais pas à chasser de mon esprit était que cette fille-là appartenait à notre classe : par conséquent, il était normal de s'attendre qu'elle se comporte d'une façon un peu différente.

Peu à peu, malgré tout, j'ai commencé à analyser les choses sous un autre angle. Il ne faut jamais juger quelqu'un trop rapidement — même si c'est une femme. Bien sûr, j'aurais trouvé plus normal qu'elle s'attarde pour faire un brin de causette, mais il faut aussi considérer la situation de son point de vue à elle. Après tout, il s'agit d'une fille qui a reçu une excellente éducation, c'est clair. Peut-être a-t-elle pensé qu'il n'était pas convenable de rester trop longtemps chez un homme seul, le soir, à bavarder et à boire. Et si j'avais été un tout autre genre d'individu, si quelque chose s'était passé ? Alors, tout le monde aurait dit qu'elle l'avait bien cherché.

Vous savez quoi ? Cette petite a seulement besoin de me connaître mieux. Elle s'apercevra vite que Larry n'a rien d'un type bizarre. Elle pourrait aussi bien être Sophia Loren que je ne serais pas tenté pour autant. Croyez-moi, Doreen a fait ce qu'il fallait pour ça !

Mais si cela continue, je devrai le lui dire clairement. Pas question de la laisser se faire une idée fausse de Larry, et, ce qui serait pire, de laisser cette idée dresser une barrière entre nous. C'est le genre de malentendus qui peuvent détruire une amitié avant même qu'elle se soit formée. Une brève histoire de la vie de Larry Mann, donc, et de ses expériences avec la gent féminine, pourrait bien être un remède tout à fait approprié. Qui plus est, j'ai l'impression qu'elle fait partie de ce genre de personnes à qui l'on a envie de se confier. Vous vous souvenez de ce petit son compatissant, lorsque nous étions sur le palier ? La demoiselle dont nous parlons en ce moment est peut-être un phénomène exceptionnel, et même contre-nature dans le monde des vivants : une femme douée d'une oreille compatissante !

Malgré tout, je m'interroge. Est-ce que je ne suis pas en train de brûler les étapes ? De me bercer d'illusions ? Je ne crois pas. Un homme qui en a vu autant que Larry est un homme de jugement. Cette fille est bel et bien différente des autres.

Donc, voilà où nous en sommes. Pour ma part, j'estime qu'il y a toutes les raisons d'accorder à Amanda le bénéfice du doute. Ne pensons plus à cet après-midi. Comme quelqu'un l'a dit très sagement : demain est un jour nouveau.

3

CONNAISSEZ-VOUS cette sensation bizarre qu'on éprouve certains matins au réveil, lorsqu'on a la certitude que la journée ne réservera que de bonnes choses ? C'est ce que j'ai ressenti aujourd'hui. J'ai passé une excellente nuit, dormant comme un bébé, et quand j'ai ouvert les yeux je me suis senti la vigueur d'un lion, prêt à tout dévorer. Non que je donne jamais une impression de morosité, loin de là. Mais j'étais si plein d'entrain dès mon réveil que je fredonnais en m'habillant, que je sifflotais en allant prendre le lait sur le pas de la porte et que je chantais à pleine voix tout en préparant mon petit déjeuner. Je me suis même fait cuire une tranche de bacon supplémentaire sans la moindre hésitation.

En un mot, je m'étais réveillé avec une humeur exceptionnellement allègre — ce qui m'a surpris moi-même, car Larry Mann se vante à juste titre d'être un homme au caractère très stable qui n'a jamais été affecté par les changements d'humeur, bons ou mauvais. J'ai l'impression d'être toujours le même, et tous les jours de l'année. Mais pas aujourd'hui.

Remarquez que j'étais déjà un peu moins guilleret en constatant qu'il était neuf heures passées et que j'étais forcé de patienter chez moi malgré un besoin naturel de plus en plus urgent, parce qu'il n'y avait pas le moindre signe d'activité à l'étage au-dessous. On aurait pu penser que toute personne avec des occupations normales aurait dû être levée et avoir quitté la maison depuis longtemps, mais ce n'était pas le cas, semblait-il, avec notre Mandy. Je l'entendais maintenant : c'était seulement à cette heure-ci qu'elle sortait de son lit. Bref, cela me mettait au supplice de devoir attendre qu'elle fasse ce qu'elle avait à faire et se décide à quitter les lieux. Tout au long des années où j'ai vécu dans cette maison, il ne m'est jamais arrivé une seule fois d'aller aux toilettes alors qu'il y avait une personne présente dans les pièces du dessous. En tout cas, jamais pendant la semaine. D'ailleurs, mes intestins semblent deviner quand le week-end arrive et fonctionner au ralenti en attendant le lundi. Mais en semaine, quand il n'y a en principe personne au premier après huit heures, c'est trop leur demander. Ils ont leurs propres petites habitudes, et des habitudes réglées comme une horloge. Seulement, que vouliez-vous que je fasse ? Les toilettes et la chambre à coucher du premier ne sont séparées que par une petite cloison de rien du tout !

À la fin, au moment où je commençais à penser qu'elle s'était accordé une journée de congé, j'ai entendu le bruit de ses pas dans l'escalier, puis dans le vestibule, et la porte d'entrée qui se refermait. Heureusement. Si elle s'était attardée plus longtemps, je crois qu'il aurait fallu m'hospitaliser.

Un bienheureux soulagement : c'est sûrement ce que vous pensez que j'ai dû ressentir à ce moment. Et c'est un fait, personne n'aurait pu dévaler cet escalier plus vite que moi : mes pieds faisaient tant de vacarme que j'étais sourd au reste du monde. Seulement, alors que j'étais presque arrivé au but, devinez ce qui s'est passé : la porte de la cuisine de Mandy s'est ouverte. Pour laisser le passage non pas à Mandy, mais à Ethel. Moins de deux minutes après le départ de la petite.

Il n'y avait rien à faire. Étant donné que même une charge de chevaux sauvages ne m'aurait pas persuadé de me réfugier dans le petit réduit salvateur alors qu'elle se tenait juste à côté, la seule solution était de m'arrêter net et de dire, d'un air aussi dégagé que possible compte tenu des circonstances :

« Bonjour, Mrs. Duck. »

C'est alors que j'ai vu l'expression de son visage.

Tomber sur Ethel quand elle est de mauvaise humeur est un peu comme s'approcher de trop près du bûcher le soir de la fête de Guy Fawkes[1] quand le vent souffle dans toutes les directions. Où qu'on se trouve, on finit sous une pluie de brandons, et il ne faut pas longtemps pour imaginer quelles sensations éprouve le Guy à ce moment. Et il est inutile de se rassurer en se disant qu'on n'a rien fait de mal. Dès qu'elle vous a repéré, il faut vous résigner à être de toute façon coupable.

Le seul moyen de faire face à cette situation est de rester aussi jovial que possible. D'essuyer le feu ennemi en gardant le moral.

« Mr. Mann, je crois savoir que vous avez échangé quelques mots avec Miss Tyson.

— C'est exact, Mrs. Duck. C'est une jeune fille discrète et tout à fait charmante. Vraiment sympathique.

— Sympathique autant qu'il vous plaira, Mr. Mann. Mais cela n'excuse rien. »

Donc, ce n'était pas après moi qu'elle en avait, mais après Mandy. On se demande comment elle a pu trouver le temps de s'attirer la colère d'Ethel. Mais c'est clair, elle a fait quelque chose qu'elle n'aurait pas dû. Déjà, Ethel retourne vers la cuisine au pas de charge, et naturellement je suis sur ses talons. Elle ouvre la porte toute grande et s'écarte pour que je puisse jeter un coup d'œil à l'intérieur. Mais cela ne lui suffit pas. Alors que je me penche un peu pour voir, une méchante bourrade entre les épaules me précipite en plein milieu de la pièce.

1. Guy Fawkes était l'instigateur de la conspiration des Poudres, un complot du parti catholique visant à faire sauter le Parlement de Londres et à tuer le roi Jacques Ier et sa famille, le 5 novembre 1605, en réaction au refus royal d'accorder la liberté de culte. Il mourut sur le bûcher. L'échec *in extremis* de la conspiration est célébré tous les 5 novembre par une fête traditionnelle, au cours de laquelle on brûle sur un bûcher une effigie de Guy Fawkes, qu'on appelle le « Guy » *(N.d.T.)*.

« Maintenant, dites-moi, siffle Ethel dans mon dos. Qu'est-ce que vous pensez de ça ? »

Que c'est un vrai foutoir, voilà ce que j'en pense, même si je ne le dis pas. Il y a deux ou trois assiettes sales dans l'évier, sans compter les couverts. La table est jonchée de miettes, et au milieu est restée abandonnée une tasse à thé, avec tout autour, là où devrait se trouver la soucoupe, une petite flaque de café renversé. C'est une table en Formica, donc le dégât n'est pas grand. Mais naturellement, là n'est pas la question. Pas du tout.

Ethel piaille derrière moi :

« Inutile de vous dire que je ne m'attendais pas à ça de sa part, Mr. Mann. Oh non. Est-ce qu'elle prend ma maison pour une porcherie ? Si j'avais pu penser une seconde qu'elle était du genre à... »

Je l'interromps :

« Mrs. Duck... »

Voyant les proportions qu'allait prendre cette affaire, j'ai coupé court à ses récriminations sans même réfléchir à ce que j'allais dire. Je continue pourtant.

« Le mieux est que je lui en touche un mot quand elle rentrera ce soir, cela vous évitera de devoir le faire. D'accord ? Si vous me demandez mon avis, je pense qu'elle a seulement besoin de trouver un peu ses repères. Dans quelques jours, je suis sûr que vous aurez complètement oublié ce petit incident.

— Mr. Mann, elle n'a pas non plus fait son lit. »

Ah, voilà qui est plus grave. Ethel n'est pas femme à fermer les yeux sur ce genre de choses. Bien sûr, un peu partout dans la maison, le papier peint se décolle et la peinture des plafonds s'écaille, mais aux yeux d'Ethel cela n'a aucun rapport. Elle ne fait attention qu'aux dommages imputables aux locataires.

« Ça ne sert à rien, Mr. Mann. J'aurais dû reprendre une fille comme les précédentes. Elles ne sont peut-être pas de la même race que vous et moi, mais elle ne m'ont jamais causé la moindre contrariété. Elles savaient comment tenir un appartement en ordre. Mais celle-ci, je vous demande un peu ! Qu'est-ce que sa mère dirait si elle savait ? »

Au moment même où je me désole en pensant que tout est perdu, la mention de la mère de Mandy me donne soudain une inspiration :

« Je suis sûr que sa mère ne serait pas contente, Mrs. Duck. Mais, à mon avis, elle ne prendrait pas ça trop à cœur, du moins pas la première fois. Et même, je crois qu'elle comprendrait. Vous savez, là où Mandy a été élevée, il y a certainement des serviteurs pour toutes les tâches ménagères. La pauvre petite n'a jamais dû vivre autrement. »

Bien sûr, je passe sous silence Édimbourg.

« En fait, pour elle, c'est un terrible handicap. Elle n'a jamais été habituée à se débrouiller seule, c'est évident. N'empêche que c'est une bonne petite. Elle apprendra vite, j'en suis sûr. Souvenez-vous de ce que je vous dis. »

J'ai employé le mot inspiration, et j'ai eu raison. L'effet de ces quelques phrases sur Ethel est un petit miracle. L'idée de louer une partie de sa maison à une demoiselle dont la famille a des serviteurs provoque en elle une authentique métamorphose. C'est comme si le standing de la maison s'était progressivement élevé à mesure que je parlais.

Alors, pourquoi diable ai-je failli tout gâcher en ajoutant bêtement :

« Ah, toutes ces gamines, vraiment ! Il leur faut toujours quelqu'un qui ait l'œil sur elles. Comme June, quand elle avait cet âge... »

Heureusement pour moi, j'ai remarqué le changement sur le visage d'Ethel presque avant qu'il soit perceptible. Elle n'a jamais pu supporter de voir un enfant aller et venir dans la maison. Doreen disait souvent que c'était par pure jalousie, parce que Gilbert et elle n'en ont jamais eu. Allons donc ! L'idée qu'Ethel puisse avoir une fibre maternelle est tout bonnement une absurdité, voilà la vérité. Quoi qu'il en soit, je me demande ce qui m'a pris. Comparer Mandy avec June, c'est comme comparer un rossignol avec une perruche. June était mignonne quand elle était toute petite, c'est vrai, mais les petites filles grandissent vite, et les années passant, elle devenait toujours davantage l'exacte réplique de sa mère. Le plus triste, c'était de devoir contempler ce spectacle.

Fort heureusement, j'ai eu assez de présence d'esprit pour m'interrompre à temps. J'ai marmonné : « Mais je bavarde, je bavarde... », et je suis remonté chez moi en toute hâte. Bizarrement, alors que cinq minutes plus tôt je souffrais le martyre à force de me retenir, le seul fait de me retrouver face à face avec Ethel avait eu un effet radical sur les exigences de mes viscères. Dans le cas présent, c'était plutôt une bonne chose, mais espérons que ces dames n'auront pas bloqué durablement mon transit intestinal. Rien de plus malsain que de ne pas aller régulièrement à la selle.

Enfin, peu m'importait pour le moment. J'avais de quoi m'occuper toute la journée, puisqu'il me fallait réfléchir à la façon la plus délicate de faire comprendre à Mandy qu'à l'avenir elle devrait tâcher d'être plus ordonnée si elle ne voulait pas qu'on la flanque à la porte. C'est à peine si j'ai trouvé le temps de mettre le nez dehors, et d'ailleurs je ne suis pas allé plus loin que chez Harry, pour voir ce qu'il avait sur ses étals. Comme d'habitude, il m'a cassé la tête pendant je ne sais combien de temps avec ses bavardages, mais enfin je suis content d'y avoir fait un saut. Il avait des pêches magnifiques aujourd'hui. Succulentes, il n'y a pas d'autre mot. Inutile de vous dire que les deux plus belles ont fini sur la table de la cuisine d'une certaine demoiselle. J'ai remarqué qu'Ethel avait fait le ménage.

À la fin de la journée, tout était clair dans ma tête : je savais exactement ce que j'allais lui dire, tout était prévu. Dès cinq heures et demie, il ne restait plus rien à faire à ce vieux Larry que s'asseoir et attendre son retour.

Mais j'aurais dû deviner qu'elle serait en retard, vu l'heure où elle était partie ce matin. Si j'y avais pensé, cela m'aurait épargné de sortir toutes les cinq minutes pour vérifier depuis mon palier qu'elle n'était pas encore rentrée, pendant que j'étais chez Harry peut-être, car dans ce cas je ne l'aurais pas entendue frapper contre le mur. En fait, c'était bien la dernière chose que j'avais à redouter. Non seulement j'ai entendu très clairement le bruit de ses pas sur le palier du premier, mais deux minutes plus tard, bang ! Elle cogne si fort que j'en sursaute. Le moins qu'on puisse dire, c'est que je ne m'attendais pas à un bruit pareil après le timide petit toc-toc d'hier soir.

Puis, tout semble se passer en un éclair. Je n'ai pas le temps de lui dire de monter, car une demi-seconde après avoir cogné elle est déjà là, à la porte de ma cuisine. Elle a dû monter cet escalier trois marches à la fois. La jeunesse. Plus exactement, la jeunesse et aussi quelque chose d'autre. Ça ne peut pas être à cause de ce petit effort qu'elle est si rouge. Ses joues sont empourprées de deux taches brillantes. Aussitôt, je pense : *« Ce sont les pêches. Elle doit vraiment adorer les pêches. »*

« Bonsoir, Mandy, mon petit, dis-je à haute voix. Entrez, je vous en prie. »

Mais — imaginez-vous ! — elle est déjà dans la pièce.

« Mr. Mann, dit-elle. Mr. Mann ! »

Elle s'interrompt. Elle semble avoir du mal à trouver ses mots. Mais je ne la presse pas. J'attends seulement, refrénant mon impatience, de savoir ce qu'elle veut me dire.

Seulement, une fois de plus, ce n'est pas du tout ce que j'attendais.

« Mr. Mann *(elle persiste à ne pas m'appeler Larry !),* quelqu'un est entré chez moi. On a fouillé dans toutes mes affaires. Je n'en crois pas mes yeux. Rien n'est plus à l'endroit où je l'avais laissé. Tout a été manipulé, déplacé. Mes livres, mes vêtements, tout ! C'est comme s'il y avait eu un cambriolage, et pourtant on n'a rien emporté. Je n'y comprends rien. Alors, permettez-moi de vous poser la question : est-ce que vous savez ce qui s'est passé ? »

Ahuri. C'est le seul mot qui décrive mon état d'esprit. J'attendais quelque chose comme : « Bonsoir, Larry. Merci Mille Fois pour les Pêches. Comment avez-vous Fait pour Deviner que c'était mon Fruit Préféré ? » Et j'ai droit à cette tirade. Oui, je suis ahuri. C'est même étonnant que j'aie pensé à cesser de sourire.

« Répondez-moi, s'il vous plaît. Est-ce que vous savez quelque chose ? »

Elle me regarde avec des yeux furibonds. Si je n'avais pas compris tout de suite, à présent, une chose est claire.

Elle vient d'avoir une mauvaise surprise qui l'a mise absolument hors d'elle, et c'est pour ça qu'elle crie si fort.

« Je ne sais vraiment pas de quoi vous parlez, ma mignonne. Vous n'aviez pas fermé les portes avant de partir ?

— Non, bien sûr que non. Je n'ai même pas les clefs. Mrs. Duck m'a demandé si je les voulais, mais j'ai répondu que je n'en avais pas besoin. À quoi bon, quand il y a au moins cinquante serrures à la porte de la maison ! Comment un étranger aurait-il pu entrer ? »

J'aurais voulu que vous voyiez l'expression de mon visage à ce moment-là. Même si elle criait tant qu'elle pouvait, la douce Mandy (et Dieu seul sait ce qu'il était advenu de ses manières si polies), le fait est que ses derniers mots m'avaient tout simplement coupé le souffle. Ethel lui avait demandé si elle voulait les clefs des pièces qu'elle occupait, comme elle l'avait fait pour toutes les autres locataires. Mais, alors que celles-ci avaient toujours accepté, elle, Mandy, n'en avait pas voulu. Peu importait qu'Ethel ait de toute façon son propre jeu : cela, elle ne pouvait pas le savoir. L'important, c'est qu'elle m'avait confié qu'elle laissait ses portes ouvertes en son absence : en somme, c'était comme si elle était venue tout droit vers moi pour me dire les yeux dans les yeux qu'elle me faisait une totale confiance. J'ai le cœur qui bat la chamade rien qu'à y penser.

« D'ailleurs, je vous l'ai dit, rien n'a disparu. Tout ce qui s'est passé, c'est que quelqu'un est entré dans mon appartement et a fouiné partout. Apparemment dans le seul but de mettre son nez dans mes affaires. »

C'est alors que la lumière commence à se faire dans mon esprit. Mais comment lui expliquer ? Je n'ai pas envie d'être le premier à lui révéler des choses désagréables.

Et pourtant, il faut bien que je dise quelque chose ! Dans un instant, elle va prendre mon long silence pour un aveu et s'imaginer que c'est moi le coupable. Or, vous vous doutez bien que ce n'est pas moi. C'est Ethel, naturellement. Et qui plus est, on pouvait s'y attendre. Simplement, d'habitude, elle ne va pas jusqu'à farfouiller dans les affaires personnelles de ses locataires. Mais c'est sans doute une conséquence de sa colère après avoir découvert l'état de la cuisine ce matin.

Vous vous rappelez ? Mandy n'était pas partie depuis plus de deux minutes quand je me suis retrouvé nez à nez avec Ethel. Et pourtant, en si peu de temps, elle avait déjà trouvé moyen de visiter toutes les pièces du premier étage. Mais vous avez peut-être aussi remarqué que je n'ai pas été le moins du monde surpris de la rencontrer là. Pourquoi ? Tout simplement parce qu'elle était en train de faire ce qu'elle fait tous les matins depuis le premier jour où elle a loué ces pièces. C'est la règle : à l'instant même où elle entend la porte d'entrée se refermer, elle monte l'escalier jusqu'au premier, plus vite que Carl Lewis en personne. Ensuite, assis dans mon canapé, je peux l'entendre qui passe d'une pièce à l'autre à petits pas feutrés, en prenant tout son temps, soulevant des objets, les déplaçant — oh, probablement de quelques centimètres vers la gauche ou vers la droite, pas davantage —, mettant un coussin ou un bibelot à la place d'un autre... En somme, exactement comme vous pourriez le faire vous-même si vous étiez l'occupant en titre, histoire de personnaliser à votre goût l'endroit où vous habitez. Les gestes qu'on fait pour se sentir vraiment chez soi. La seule petite différence est qu'en l'occurrence, c'est Ethel qui les accomplit.

Seulement, cela, Mandy ne le sait pas encore. Comment pourrait-elle le savoir ? Elle n'a jamais été confrontée à une femme comme Ethel. En montant ici pour me parler de « son » living-room ou de « sa » chambre à coucher, elle devrait réfléchir à deux fois. Car elle paie pour avoir l'usage de ces pièces, mais c'est tout. Ce n'est pas cela qui empêchera Ethel de venir y faire ses petites tournées d'inspection, parce que, dans son esprit, ces pièces n'ont jamais appartenu à personne d'autre qu'à elle. C'est elle, la Maîtresse de Maison.

Si Mandy est disposée à supporter cette situation, tout ira bien. Mais si elle ne l'est pas ? Vous voyez sans peine la gravité du problème. Et mon opinion, en ce moment, est que Mandy n'est certainement pas prête à subir ces indiscrétions. Ce qui s'est passé lui a retourné les sangs. Par conséquent, si je lui apporte maintenant et sans qu'elle y soit préparée l'explication qu'elle attend, le risque est grand qu'elle redescende séance tenante pour faire ses valises. Et il ne servirait à rien de lui dire qu'elle regretterait sa précipitation dès qu'elle se mettrait en quête d'un autre logement : elle n'est pas d'humeur à écouter la voix de la raison, c'est évident. Non, un mot maladroit, et ce serait sans doute adieu Mandy, et pour toujours.

Il faut donc trouver autre chose. Une manière de répondre qui dédramatisera la situation. Mais quoi ?

« Attendez un instant », lui dis-je.

Je vais jusqu'au placard qui est au-dessus de l'évier et reviens vers elle.

« Tenez, prenez-en une », dis-je.

Et en parlant, j'ouvre le paquet de Silk Cut acheté la veille et le lui tend, d'un seul mouvement tout en souplesse, avec cette aisance propre aux acteurs lorsqu'on les voit faire ce geste au cinéma. On jurerait que je me suis entraîné toute ma vie.

Je voudrais trouver les mots pour décrire l'effet produit. Elle me regarde, devient encore plus rouge que tout à l'heure, puis tend la main pour prendre une cigarette. Et rien qu'en la voyant aspirer sa première bouffée, on comprend que c'est exactement ce dont elle avait besoin. Toute son agressivité disparaît, elle est calmée sur-le-champ. C'est une fumeuse, une vraie, comme Larry. Encore un point commun entre nous.

Après quoi, il ne me reste plus qu'à l'entraîner vers le salon et la faire asseoir sur le canapé, sans oublier d'emporter les cigarettes. Je les pose aussitôt sur la petite table devant elle, à portée de sa main. Pas besoin d'insister, pas besoin de palabres inutiles. Elle s'assied et entoure ses genoux de ses bras, tout en continuant à tirer sur sa cigarette.

Finalement, elle lève les yeux vers moi, et je peux voir qu'elle est de nouveau dans son état normal, que son visage a retrouvé son joli teint pâle.

« C'est Ethel, n'est-ce pas, Larry ? C'est elle qui a fouillé partout ?

— J'ai bien peur que oui, mon petit.

— Est-ce que c'est dans ses habitudes de faire ce genre de choses ?

— Hélas ! ça aussi, je crains que oui, mon petit. »

Je pousse le paquet un peu plus près d'elle.

« Est-ce que ce serait différent si je lui disais qu'à la réflexion, je préfère avoir les clefs ? »

En l'entendant poser cette question, on comprend qu'elle a déjà deviné la réponse. Elle est en train d'apprendre, notre Mandy. De faire son expérience. Elle secoue la tête, puis plus un mot sur Ethel. Une demi-minute plus tard, elle aspire une dernière bouffée et écrase le bout de sa cigarette.

« Vous savez, je n'aurais pas dû fumer. Ce n'est pas raisonnable.

— Allons donc ! lui dis-je. S'accorder un petit plaisir de temps en temps, ça ne peut faire que du bien.

— Ce n'est pas ma santé qui me préoccupe. Je fumerais cigarette sur cigarette si j'en avais les moyens. Seulement, le prix augmente tout le temps, alors j'ai fini par arrêter, il y a déjà pas mal de temps. Maintenant, le problème est de m'empêcher de fumer celles des autres. Sinon, vous savez bien ce que les gens pensent de vous. »

En d'autres termes, ce qu'elle me dit est qu'elle se soucie réellement de l'opinion que je peux me faire à son sujet. Allez donc faire comprendre ça à des bonnes femmes comme Doreen !

« Écoutez-moi, petite Mandy, dis-je, l'air tout à fait sérieux. Il y aura toujours des cigarettes à votre disposition chez moi. Chaque fois que vous en aurez envie. Souvenez-vous-en. Une petite visite de deux minutes, voilà tout ce que ça vous coûtera. Et rappelez-vous, Larry n'est pas du genre à compter.

— Oh, mon Dieu, Larry... »

La voilà qui pousse un gros soupir, Dieu sait pourquoi, et qui secoue de nouveau la tête. En même temps, je remarque qu'elle s'efforce de ne pas regarder le paquet de cigarettes posé juste devant elle, au niveau de ses genoux.

D'autre part, c'est intéressant de découvrir qu'elle a si peu d'argent que non seulement elle est prête à supporter

Ethel et ses détestables petites manies, mais qu'elle ne peut même pas s'offrir un paquet de cigarettes de temps à autre. J'aurais cru qu'avec un père chirurgien du cerveau, elle ne serait pas fauchée à ce point. J'allais lui poser une question à ce sujet, mais je me suis rendu compte, subitement, que c'était trop tard.

« Larry, merci d'avoir été si gentil avec moi. Je ne vous ai pas remercié comme j'aurais dû hier. Mais croyez-moi, je suis vraiment très touchée... »

Eh bien, on peut dire que ça, c'était une bien douce musique à mes oreilles. Rien d'étonnant si j'en ai oublié ce que je voulais lui demander. De toute manière, je n'allais sûrement pas l'interrompre, pas maintenant. Je n'ai donc pas pipé mot, attendant seulement qu'elle parle davantage, de mes pêches par exemple. Mais cela n'a servi à rien, sinon à provoquer un moment de silence entre nous. Mais à présent je commençais à ne plus m'en inquiéter. Cela prouvait simplement que je ne m'étais pas trompé au sujet de Mandy, qu'elle était une de ces créatures qu'on rencontre trop rarement : une femme parlant peu.

« Vous savez, Mandy, ai-je dit alors (non pour rompre le silence mais parce que j'avais sincèrement envie qu'elle connaisse le fond de ma pensée), c'est un véritable cadeau qu'une fille comme vous vienne habiter ici. Vous aurez peut-être du mal à le croire, parce que vous êtes trop gentille vous-même, mais il y a eu dans cette maison des locataires que rien au monde n'aurait pu persuader de se montrer un peu sociables. »

Je me suis de nouveau tu un instant, pour observer si elle m'écoutait. Et j'ai vu aussitôt que oui. Elle n'avait pas besoin d'ouvrir la bouche : son silence était à lui seul une façon de m'encourager à poursuivre.

« Il y a des personnes qui ne pensent jamais aux gens âgés, ceux qui donneraient tout ce qu'ils ont pour qu'on leur tienne un peu compagnie de temps en temps. Vous voyez de quel genre de gens je veux parler, n'est-ce pas, petite Mandy ? »

Et là, je me suis interrompu pour de bon. Non parce que j'attendais une réponse, en tout cas pas une réponse exprimée par des mots. Mais je souhaitais entendre autre chose, quelque chose de bien particulier. Or, soudain, je l'ai entendu : précisément le son que j'espérais. Non pas un mot, non pas même un soupir, mais ce son infime, unique, à nul autre pareil, qui m'avait déjà tant ému une fois auparavant. D'autres ne l'auraient peut-être même pas perçu, tant il était discret, mais à moi, il ne pouvait pas m'échapper, et j'ai su aussitôt ce qu'il signifiait. C'était le son de la compassion.

Que vous avais-je dit ? C'est une fille comme il n'en existe pas une sur un million. Et ce bruit, ce gémissement, ce râle, appelez-le comme vous voudrez, était une invite en même temps qu'une promesse. Il me révélait que Mandy est le genre de fille qui peut tout comprendre, à qui on peut confier toute l'histoire de sa vie. Autrement dit, ou plutôt sans que rien soit dit, ce son minuscule était un signal, et ce signal, Larry l'avait reçu cinq sur cinq.

Mais enfin, je ne pouvais pas laisser la conversation finir ainsi, sûrement pas après cela. Ç'aurait été une insulte.

« Bien sûr, ai-je repris, c'était différent avant que je prenne ma retraite. En ce temps-là, je rencontrais toutes sortes de gens. Trop, même. C'en était fatigant. J'étais employé aux bains-douches de Camden, comme responsable des vestiaires. Mais pour être franc, je vous avouerai que la plupart de ceux avec qui je travaillais ne me manquent pas, surtout quand je pense à ce qu'ils avaient le culot de raconter aux clients. Par exemple qu'ils étaient maîtres-nageurs diplômés, alors que presque aucun n'aurait pu nager trois brasses sans boire la tasse. Non, en réalité nous étions tous responsables des vestiaires, c'est-à-dire que nous nous occupions des serviettes et de l'hygiène en général. Mais malgré tout, je n'étais pas seul, même si quand on y va maintenant la moitié d'entre eux n'ont même pas envie de faire un brin de causette. Ils ne font pas attention à un type comme moi, ils savent que je suis réglé comme une horloge, que je viens tous les jeudis pour prendre mon bain... »

La preuve que je me sentais maintenant complètement à l'aise en lui parlant, c'est que je l'ai à peine entendue m'interrompre. Il a fallu que je m'excuse et que je lui demande de répéter ses propos. Ce qu'elle a fait très gentiment.

« Je disais : il y a une baignoire ici, Larry. Pourquoi allez-vous prendre des bains ailleurs ?

— L'habitude, ai-je répondu. D'ailleurs, autant vous dire tout de suite qu'aucune des locataires précédentes n'aimait beaucoup se servir de la baignoire qu'Ethel a fait installer. Elles n'arrivaient pas à s'habituer au chauffe-eau, je crois. Il leur faisait une peur bleue ! Je crois que le problème, c'est qu'après avoir tourné le robinet il ne se passe rien pendant plusieurs secondes, et puis, brusquement, WOUMFF ! On a l'impression que ce truc explose et toute la maison avec. Mais ensuite tout va bien, remarquez. Du moment qu'on n'oublie pas de laisser la fenêtre ouverte à cause des odeurs de gaz. Vous avez de la bonne eau bien chaude. »

Elle doit adorer prendre des bains, parce que soudain, voilà qu'elle a de nouveau l'air tout triste. J'allais essayer de la dérider un peu en proposant d'allumer la télé, mais j'ai dû y renoncer en voyant qu'elle se levait.

« Qu'est-ce qu'il y a ? ai-je demandé. Vous ne partez pas déjà ? »

Si on pouvait entendre à ma voix que j'étais un peu vexé, ce n'est pas ma faute, il me semble. Après tout ce que j'avais fait pour lui remonter le moral, sans compter mon petit couplet sur la solitude des gens âgés, j'étais en droit de penser qu'elle m'accorderait un peu plus de temps. Du reste, elle l'a compris. Vous auriez dû voir comme elle a rougi. En voyant ça, j'ai cru qu'elle allait se rasseoir, mais non.

« Oh, Larry, je suis vraiment désolée. Seulement, il se fait tard et je n'ai pas encore mangé. Et ensuite, il faut que je travaille.

— Quoi ? »

J'avais du mal à en croire mes oreilles. J'ai jeté un coup d'œil à la petite horloge sur le mur. Neuf heures moins le quart.

« Vous n'allez pas travailler à une heure pareille ? Qu'est-ce que vous faites comme boulot, mon petit ? Veilleuse de nuit ? »

Franchement, ça ne m'a pas beaucoup plu qu'elle se mette à rire si fort, comme si c'était moi qui étais comique et non ma petite plaisanterie.

« Non, bien sûr que non. Ethel ne vous a pas dit ? Je suis étudiante. Ce qui signifie qu'il faut que je travaille le soir, vous voyez ? Que je lise, que je révise mes cours.

— Ah, je comprends ! »

En réalité, je ne comprenais pas, ou du moins difficilement. Il s'était passé beaucoup de choses surprenantes en deux jours, mais ça, c'était le bouquet. Je veux dire, savoir qu'Ethel laissait maintenant une étudiante approcher à moins de trois kilomètres de sa maison ! Cela défiait l'entendement. À ce moment-là, je me suis souvenu qu'elle n'en a d'ailleurs pas soufflé mot après avoir trouvé la cuisine dans l'état que vous savez. Et, en toute justice, on ne peut pas le lui reprocher. C'est normal qu'elle n'ait pas voulu donner l'impression d'être obligée d'accepter n'importe qui comme locataire. Je dois ajouter, pour être tout à fait sincère, que cette nouvelle ne me réjouit pas vraiment. Ne serait-ce que parce que cela me fait voir Mandy sous un tout autre jour. Je veux dire, quand on sait comment ils sont, les étudiants, toujours à promener des banderoles et à crier des obscénités, sans parler de la drogue et de tout le reste... C'est un choc inattendu, voilà tout ce que je peux dire. En tout cas, ça explique sa drôle de façon de s'habiller.

Finalement, je trouve une réponse, qui est un dernier effort d'optimisme :

« Vous êtes sûre que vous n'êtes pas en train de me raconter des blagues, Mandy ? Comprenez-moi bien : je ne veux pas dire que vous êtes vieille, loin de là, mais enfin j'aurais cru que vous aviez quand même un peu plus de dix-huit ans. Les étudiants ont tous à peu près cet âge-là, non ? C'est seulement parce qu'ils sont tous barbus qu'ils font plus vieux. »

Et voilà, elle recommence à rire comme une baleine.

« Oui, oui, je comprends. Mais c'est parce que je viens de reprendre mes études. J'ai commencé il y a trois ans, à Édimbourg, mais j'ai été obligée de m'interrompre avant ma licence, vous voyez ? Alors, je me suis réinscrite à l'université, mais à Londres cette fois. Le seul problème, c'est que je n'ai droit qu'à une toute petite bourse. »

Et elle me regarde comme si ces quelques phrases suffisaient à tout expliquer.

« Eh bien, continuez, dis-je, comprenant qu'elle n'a pas l'intention de me donner plus de détails. Ne vous arrêtez pas en si bon chemin, mon petit. Vous ne voulez pas dire pourquoi à votre vieux Larry ?

— Pourquoi quoi ? »

Maintenant — allez donc savoir la raison ! — son visage a brusquement pris une curieuse expression, comme si elle se tenait sur ses gardes.

« Eh bien, pourquoi vous avez quitté l'université, quand vous étiez à Édimbourg. Je suppose que vous aviez passé toutes sortes d'examens pour y être admise. Donc, question toute naturelle : pourquoi avez-vous abandonné ensuite ? »

Si vous voyiez son visage à ce moment-là, vous n'en croiriez pas vos yeux. C'est comme si je lui avais demandé avec une lampe braquée sur la figure ce qu'elle faisait dans la nuit du quatorze au quinze. Qu'est-ce qu'elle a bien pu fabriquer à Édimbourg ? Un hold-up dans une banque ?

« Larry, je ne... »

Sa voix s'éteint.

Vous imaginez ma stupeur, bien sûr. Je lui ai posé une question toute simple et subitement, c'est comme si je ne parlais plus à la même personne. Il y a une minute, elle riait alors qu'il n'y avait vraiment pas de quoi, et maintenant, la voilà qui sc tortille nerveusement comme un chat qu'on caresse à rebrousse-poil. Vous m'avouerez que ça n'a pas de sens ! C'est pourquoi j'insiste :

« Allons, Mandy, mon petit, vous n'allez pas faire des cachotteries à votre vieux copain Larry ? En un mot comme en cent, pourquoi avez-vous abandonné ? »

Apparemment, j'ai emporté le morceau. Elle ramène ses cheveux en arrière et me lance, d'une voix précipitée :

« Si vous tenez vraiment à le savoir, il m'est arrivé quelque chose d'un peu pénible. J'ai souffert d'une sorte de dépression. Pas très grave. Je ne devrais même pas dire une dépression, plutôt un passage à vide. Cela arrive à des tas de gens, vous savez. Tout le temps. Ils ont un petit moment de déprime, et puis ils se remettent et tout va bien. Est-ce que cela répond à votre question ? »

Ma foi, oui, je suppose que oui. Mais ce qui est surtout frappant, c'est la manière dont elle s'est exprimée. Je ne la connais pas encore très bien, c'est vrai, mais quand même assez pour pouvoir vous dire que cela ne lui ressemble pas du tout de parler sur ce ton. Un ton de défi, comme si elle s'attendait à des remontrances. Et pas spécialement amical, c'est le moins qu'on puisse dire.

Vous vous en doutez, j'ai gardé tout mon sang-froid et je me suis efforcé de lui répondre d'une façon aussi bienveillante que possible :

« Ne vous fâchez pas, petite Mandy, c'était une simple question. Et si vous m'en voulez encore, rappelez-vous ce que je vous dis : ce sont les cinquante premières années de la vie qui sont les pires. »

Maintenant, Dieu seul sait ce que cette phrase peut avoir de drôle à ses oreilles, mais la voilà qui rit de nouveau à gorge déployée. Ça, on peut dire qu'elle est d'humeur changeante ! Pas moyen de savoir sur quel pied danser avec elle — en tout cas ce soir.

« Sûrement, Larry, dit-elle. Vous avez sûrement raison. »

Tout cela est très bien, oui, mais enfin je ne vois toujours pas ce qui a pu la pousser à me parler si sèchement il y a une minute. Et j'étais sur le point de le lui dire, quand soudain tout va de nouveau pour le mieux dans le meilleur des mondes. Elle est sur le pas de la porte et se retourne une dernière fois.

« Je suis vraiment désolée de devoir vous laisser, Larry. Vous avez été si gentil. J'étais dans un tel état quand je suis arrivée ! Je ne sais pas ce que j'aurais fait si vous n'aviez pas été là. Merci encore.

— Attendez une seconde, lui dis-je. Il y a encore une dernière chose que je voulais vous dire. »

Mais c'était trop tard. Elle était partie, et je veux bien être pendu si je me rappelle cette dernière chose que je voulais lui dire.

Peu importe, car ses paroles étaient restées dans la pièce, profondément gravées dans les murs. *Elle ne savait pas ce qu'elle aurait fait sans son vieux Larry.* Qu'aurait-elle pu me dire qui me fasse davantage plaisir à entendre ? Et vous pourrez bien me rabâcher autant que vous voudrez que celle qui m'a dit ça est une étudiante, Larry s'en fiche complètement.

Mais, puisqu'elle était étudiante, et qu'elle avait beaucoup de travail, rien n'était plus important à présent que de lui permettre de travailler en paix. J'ai donc rallumé la télé, mais en baissant tellement le son qu'il aurait fallu savoir lire sur les lèvres pour deviner ce qui se disait. Puis, j'ai marché sur la pointe des pieds jusqu'à la cuisine, j'ai mis l'eau à chauffer dans la bouilloire et je suis revenu m'asseoir. Cela ne m'a pas gêné, pas un instant, car de toute la soirée je n'ai plus cessé de repenser à ses derniers mots, et à tout ce qu'ils me révélaient de la personne qui les avait prononcés.

Seulement, je vous le demande, qu'est-ce que ça peut bien être qu'un « passage à vide » quand on vit tranquillement chez soi avec les siens ?

4

DRÔLE DE RÉVEIL. Je rêvais tranquillement que j'étais en train de prendre un bain. C'est un rêve que je fais assez souvent — ne me demandez pas pourquoi. Je suis dans une baignoire avec de l'eau jusqu'au cou, sans avoir besoin de savon ou de quoi que ce soit, prenant simplement plaisir à faire trempette. Et puis, brusquement, j'entends de grands coups frappés contre la porte. C'est Doreen, bien sûr, qui me joue encore un de ses sales tours et s'arrange comme à son habitude pour tout gâcher du moment que je me sens bien. Pendant un temps et une fois pour toutes, j'ai cru que j'avais mis un terme à ces cognements insupportables, mais sa vilaine figure est réapparue. Après ça, il n'y avait rien d'autre à faire que se réveiller, à moins de vouloir dire des grossièretés dans son sommeil.

En fait, c'est toujours un avertissement, ce rêve. Il me prévient que je dois m'attendre à quelque chose de « doreenesque », c'est-à-dire de très désagréable, qui va se produire dans la journée. C'est donc de cette façon que je l'ai su, dès l'instant où j'ai ouvert les yeux : quelque chose n'allait pas.

Et puis, l'image m'est apparue tout à coup. De la vaisselle sale, la table jonchée de miettes. Le foutoir d'hier matin. Voilà ce dont j'aurais dû lui parler.

« Mon Dieu ! »

C'est la vérité vraie, je me suis entendu m'exclamer à haute voix. Et j'ai aussitôt sauté du lit. Dire que j'avais eu cette longue conversation avec Mandy, que j'avais si soigneusement cherché les mots justes pour la décider à ne pas partir, en oubliant qu'Ethel était déjà sur le sentier de la guerre ! Si jamais elle découvrait ce matin la cuisine dans le même état qu'hier, Mandy se retrouverait à la porte, c'était sûr.

J'ai dû rester cinq bonnes minutes planté comme un piquet à côté de mon lit, complètement désemparé, avant de recouvrer mes esprits. Tout n'était pas perdu. Mandy est une lève-tard, et je pouvais donc sauver la situation à condition de réussir à l'attraper par la manche avant qu'elle s'en aille. Dans ce cas, je pourrais lui dire ce qu'il fallait absolument que je lui dise, et même l'aider à faire un peu le ménage. Comme un écho à mes pensées, j'ai entendu à cet instant le bruit de la porte de sa cuisine.

J'ai descendu l'escalier plus vite qu'un pompier qui grimpe en haut de son échelle.

« Mandy ! ai-je appelé en tapotant contre la porte vitrée et en essayant de voir quelque chose à travers le verre dépoli. Mandy, mon petit, ouvrez-moi. J'ai quelque chose à vous dire. C'est très, très important. »

J'ai distingué vaguement une forme à l'intérieur de la pièce qui venait rapidement dans ma direction, et cela, déjà, m'a rassuré. On ne sait jamais, elle aurait pu ne vouloir ouvrir à personne si tôt le matin. Puis, la porte s'est ouverte toute grande.

« Mrs. Duck ! »

C'est plus un cri qu'une parole articulée. Parce que là où je m'attendais à voir Mandy, je me trouve nez à nez avec Ethel, et, pour autant que je puisse voir sans la pousser de côté, il n'y a personne d'autre dans la pièce.

« Eh bien, Mr. Mann, dit-elle. Il y a quelque chose qui vous tracasse ? »

Si quelque chose me tracassait ? La seule réponse possible était *tout* ! Je voyais la petite vie de Mandy passer comme un éclair devant mes yeux. Mais tout ce que je pouvais faire était de ne rien laisser paraître.

« Rien du tout. Pourquoi aurais-je des raisons de me tracasser ? J'ai simplement eu envie de dire un petit bonjour à Mandy avant qu'elle sorte. »

À ce moment, Ethel, s'apercevant que j'essaie de regarder par-dessus son épaule, tire brutalement la porte derrière elle et se prépare à m'annoncer le pire.

« Mais vous arrivez trop tard, Mr. Mann. Il y a déjà longtemps qu'elle est partie.

— Comment ? Oh, Mrs. Duck ! Quand ? »

En guise de réponse, elle me lance un de ces regards mauvais dont elle a le secret et répète :

« Comme je viens de vous le dire. Il y a longtemps. »

Puis, parce que Ethel sera toujours Ethel et qu'elle ne peut pas s'empêcher d'enfoncer le clou, elle ajoute :

« En fait, je lui ai dit que je ne voyais pas pourquoi elle semblait si pressée. Elle aurait pu partir un peu plus tard. »

Rien d'étonnant qu'elle ait préféré partir tout de suite, le pauvre chat, après le savon qu'avait dû lui passer Ethel ! Oh, Mandy...

« Mais elle y tenait. Elle m'a dit qu'il lui était absolument nécessaire d'arriver là-bas de bonne heure. Et en plus, qu'elle resterait sûrement très tard. Je ne me doutais pas qu'ils avaient tant de travail, ces jeunes gens, et d'ailleurs je venais justement de dire à Mr. Duck... »

Tout cela va un peu trop vite pour moi. Je l'interromps :

« Un instant, Mrs. Duck. Où fallait-il qu'elle aille ? Je ne comprends pas.

— Eh bien, à l'université, Mr. Mann, voyons ! Où voulez-vous qu'elle aille ? Et elle a dit qu'elle reviendrait très tard.

— Elle reviendra, Mrs. Duck ? »

Si vous m'aviez entendu, vous n'auriez pas reconnu ma voix. C'était plus un râle qu'autre chose.

« Vous avez dit qu'elle reviendra ?

— Naturellement. Que devrait-elle faire d'autre, à votre avis ? »

La voix d'Ethel, quant à elle, a exactement le même son que d'habitude : celui d'un sac de clous qu'on renverse sur le sol, une suite de cliquetis métalliques.

« Vraiment, Mr. Mann, je ne sais pas ce que vous avez ce matin. »

Ce qui se produit ensuite relève de l'Ethel à l'état pur.

Tout en me scrutant des yeux, elle renifle l'air qu'il y a entre nous.

À croire que...

Mais ma peau n'a pas pour autant cessé d'être parcourue de frissons. À cause d'un ensemble d'émotions combinées : la détresse, le soulagement, et l'angoisse de ne pas savoir quoi penser puisque Ethel reste volontairement évasive. Dans un moment pareil, beaucoup de gens auraient été incapables de trouver une parole à dire — mais pas moi, et vous devez reconnaître que c'est tout à mon honneur.

« Mrs. Duck, lui fais-je alors observer, hier, vous aviez de sérieux doutes à son sujet. Vous ne pouvez pas le nier. C'est vous-même qui me l'avez dit. Vous m'avez montré dans quel état elle avait laissé la cuisine, vous vous souvenez ? »

Évidemment qu'elle s'en souvient. Et qui plus est, elle ne peut pas revenir sur ce qu'elle a dit. C'est pourquoi elle a vicieusement refermé la porte tout à l'heure et m'oblige maintenant à m'écarter pour la laisser passer, de manière à bien me faire comprendre qu'hier, c'était hier.

Mais si nous en restons là, alors je ne saurai jamais ce qui l'a fait changer d'avis, à supposer qu'elle ait bel et bien changé d'avis.

« Mrs. Duck... »

C'est affreux de m'entendre lui parler sur ce ton de supplication.

« Mrs. Duck, vous ne voulez vraiment pas me dire ce qui s'est passé ? Est-ce que vous comptez la garder ou non ? »

Grâce à Dieu, elle se retourne. Ethel est ainsi faite : pour peu qu'elle sache quelque chose que vous ignorez, elle ne peut pas résister à l'envie d'étaler ses connaissances supérieures.

« Puisque vous tenez tant à le savoir, Amanda et moi nous avons eu une petite conversation sur la manière dont le ménage doit être fait dans cette maison. Et elle a parfaitement compris ce que j'attendais d'elle.

— Mais, Mrs. Duck... »

Me retenir de l'interrompre est au-dessus de mes forces.

« Mrs. Duck, c'était moi qui étais chargé de lui expliquer.

— Excusez-moi, Mr. Mann, répond Ethel sèchement, mais je n'ai jamais eu le moindre besoin d'aide de la part de qui que ce soit pour régler ce genre de questions. Et j'ajouterai, puisque encore une fois vous tenez tant à le savoir, qu'elle est elle-même descendue nous voir.

— Comment ? Et quand ça ? »

J'ai presque crié. On pourrait dire qu'à présent je perdais totalement mon sang-froid. Seulement, je ne parvenais pas à imaginer *quand* elle avait pu trouver le temps d'aller parler avec les Duck.

À ce moment, Ethel plisse les yeux et me jette un autre de ses regards mauvais. Toutefois, elle daigne répondre :

« Juste avant neuf heures hier soir. Le fait est qu'elle nous a pris par surprise. Mais en fin de compte, je dois reconnaître que je n'avais pas passé une heure aussi agréable depuis longtemps. Quant à Mr. Duck, le moins qu'on puisse dire, c'est qu'il était dans son élément, avec tout ce qu'ils se sont raconté sur les Chinois et leur drôle de façon de vivre... »

Les mots qui suivent passent au-dessus de ma tête et sombrent dans le néant, car ma pensée s'est fixée sur la seule information qui m'importe. Juste avant neuf heures, a dit Ethel. C'est-à-dire moins de cinq minutes après que Mandy m'a quitté, en déclarant qu'elle devait travailler et qu'il lui était réellement impossible de rester plus longtemps. C'est bien ce qu'elle a prétendu, en précisant qu'elle n'avait pas encore mangé.

Et dire que moi, j'ai marché toute la soirée sur la pointe des pieds, pour ne pas déranger quelqu'un qui n'était même pas à portée de voix...

Maintenant que je sais cela, il n'y a pas grand-chose à ajouter, je crois. Sauf cette question : « Et comment est la cuisine ce matin ? » Mais, à vrai dire, je ne me soucie guère de le savoir.

Ce qui doit être, justement, la seule raison pour laquelle Ethel me répond :

« La cuisine est parfaitement en ordre, Mr. Mann. Exactement comme je m'y attendais. »

*

Que dire de plus ? J'ai passé le reste de la matinée dans une sorte d'abrutissement, réagissant comme aurait fait n'importe qui après avoir cru ce qu'on lui avait dit et découvert que ce n'était pas vrai. Je ne suis même pas sûr qu'abrutissement soit le mot juste. Mais comment appeler une déception qui vous pénètre complètement et ne vous laisse pas un instant penser à autre chose ? Rien d'étonnant si je n'ai pu recommencer à réfléchir correctement que vers l'heure du déjeuner. Et c'est alors que j'ai vu les choses autrement.

En réalité, Mandy avait absolument raison de faire ce qu'elle faisait, c'est-à-dire de caresser les Duck dans le sens du poil. C'est d'ailleurs ce que je lui aurais moi-même conseillé de faire si j'avais eu le temps d'y penser. Quand il s'agit de ne pas se retrouver à la rue, on est bien forcé de faire des compromis, même si cela vous oblige à perdre un temps précieux en allant tailler le bout de gras avec des propriétaires sinistres. Si elle s'était dispensée de cette corvée, pas de doute : elle aurait déjà été flanquée à la porte.

Non, la vérité vraie est que cette petite commence à trouver ses marques avec intelligence, et qu'il lui manque simplement quelques conseils supplémentaires de votre serviteur pour les trouver de mieux en mieux. Il se pourrait même qu'elle finisse par se sentir plus heureuse dans cette maison que nulle part ailleurs et qu'elle décide de ne plus jamais en partir. Parce que avec Larry comme ami à l'étage au-dessus et les Duck gentiment tenus en laisse au rez-de-chaussée, elle estimera peut-être qu'elle a tout ce dont elle a besoin. En attendant, il ne lui faut qu'une seule chose : avoir auprès d'elle une personne dévouée, avec une main qui saura la guider.

Et c'est avec cette idée en tête que j'ai établi mon plan d'action.

*

Quand elle est rentrée ce soir, j'étais fin prêt pour l'accueillir : parfaitement détendu, parfaitement disponible. Le premier signe de sa présence, c'est ce léger bruit de pas sur le palier, aussi discret que le trottinement d'une souris. Voyez-vous, ce sont surtout toutes ces petites choses qui me touchent chez elle, par exemple cette façon qu'elle a de rentrer comme si elle faisait de son mieux pour qu'on ne l'entende pas. Je crois vraiment que cette petite aimerait mieux mourir plutôt que de déranger ses voisins.

Uniquement pour le plaisir, j'ai essayé d'imaginer les pensées qui lui traversaient en ce moment l'esprit. Elle se demandait sans doute quel petit cadeau l'attendait aujourd'hui. Réponse : deux paquets de Silk Cut. Quarante cigarettes, quatre fois dix. Là, sur la table de sa cuisine. Et elle peut être sûre d'une chose : ce n'est pas Ethel qui les y a posées. Donc, je me disais que je n'avais qu'à attendre. Et j'avais raison.

Rien qu'à la façon dont elle a frappé, un petit toc-toc timide, vous auriez pu deviner qu'après sa colère d'hier, elle était de nouveau dans son état normal. Et pour le confirmer, il suffisait de voir son visage quand elle est arrivée en haut de l'escalier : plus pâle que pâle, et avec cet air sérieux si caractéristique. Quand nous serons devenus encore meilleurs amis, il faudra que je lui dise de ne pas arriver chez les gens comme si elle portait tout le poids de la misère du monde sur les épaules. Mais pour le moment, je me contente de sourire et de lui faire comprendre à quel point c'est un bonheur pour moi de la voir.

« Bonsoir, bonsoir ! dis-je. Alors, comment va ma petite Mandy aujourd'hui ? »

À une question comme celle-là, une simple façon de souhaiter gentiment la bienvenue, la plupart des gens répondraient : « Très bien, merci, et vous ? » Mais, comme vous vous en doutez probablement, avec notre Mandy les choses se passent différemment.

Et bien sûr, son front est tout plissé de rides inquiètes — exactement ce contre quoi je veux la mettre en garde — et son air si sérieux en devient lugubre.

« Larry... »

C'est le seul mot qu'elle prononce. Puis j'aperçois dans sa main les deux paquets de cigarettes, qu'elle gardait cachés derrière son dos et qu'elle pose maintenant sur l'égouttoir. Apparemment, elle considère qu'il n'y a pas besoin d'en dire plus.

« Qu'est-ce que vous faites ? dis-je. Pourquoi les avez-vous rapportées ? Elles sont pour vous, mon petit. C'est parce que vous n'aimez pas les Silk Cut ?

— Larry..., répète-t-elle d'une voix qui mérite à peine d'être appelée une voix, tant elle est aux limites de l'inaudible. C'est très gentil à vous, mais sincèrement, j'aimerais mieux que vous cessiez de me faire des cadeaux. Chaque fois que je rentre, je trouve quelque chose que vous avez acheté pour moi... Et maintenant, ces cigarettes. C'est trop, Larry. »

Je n'ai pas mis longtemps à comprendre où était le vrai problème. La pauvre petite se sentait absolument obligée d'être polie, voilà tout. C'est pour cette raison qu'elle avait rapporté les cigarettes, mais en ayant l'air si malheureux. Dans ce cas, tout ce dont elle avait besoin était de quelques banales paroles d'encouragement, même si cela impliquait un peu de fermeté.

« Allons, allons, ne dites pas de sottises. Votre vieux Larry n'a pas besoin de tant de cérémonies. Ces cigarettes, c'est un simple geste d'amitié. Prenez-les donc sans façons, fumez-les avec plaisir, et ensuite n'y pensez plus.

— Larry, je...

— Larry rien du tout », ai-je dit d'un ton sans réplique.

Je commençais à me rendre compte de tout le plaisir qu'on pouvait trouver à se lier d'amitié avec une personne tellement polie qu'elle ose à peine respirer en votre présence. Pendant ce temps-là, elle se tient debout devant moi, en se frottant les mains comme si elle avait froid.

« Passez donc au salon, lui dis-je. Vous aurez bien chaud. Je n'ai pas éteint le chauffage de toute la journée. »

Immédiatement, elle fait un pas en arrière et proteste doucement, de sa petite voix timide qui bouscule un peu les mots :

« Oh, Larry, je ne peux pas, vraiment pas. Je voudrais bien rester, naturellement. Mais je vous l'ai déjà expliqué hier soir, j'ai beaucoup de travail et il faut d'abord que j'aille m'acheter quelque chose à manger, alors... »

Et la voilà qui fait un autre pas en arrière. Si elle ne fait pas attention, elle va finir par tomber à la renverse dans l'escalier. Mais non, pas de danger. Car à l'instant où elle dit : « Vous comprenez, n'est-ce pas, Larry ? », je réponds, rapide comme l'éclair :

« Bien sûr que je comprends, petite Mandy. C'est pourquoi je vous ai préparé... ceci ! »

Et j'ouvre le frigo.

Vous voyez, quand je vous disais que j'étais fin prêt à l'accueillir ! Tout est là, présenté sur une jolie grande assiette, d'une manière qui ferait la fierté de Fanny Craddock[1] elle-même : du jambon, de fines tranches de langue, des œufs durs, des feuilles de laitue et des rondelles de concombre et de tomates. Un vrai régal pour les yeux, j'ose le dire. Pendant qu'elle regarde tout cela, j'ajoute pourtant :

« J'ai d'abord pensé à vous cuisiner un plat chaud, je l'aurais vraiment fait avec plaisir, seulement je sais à quel point les filles de votre âge font attention à leur ligne. Mais enfin, tout est là qui vous attend. Pas besoin de sortir faire des courses, mon petit. »

Là, j'aurais aimé que vous voyiez sa figure. Si seulement j'avais eu un appareil photo ! Elle aurait fait un triomphe dans une de ces émissions de télé où tout le public rigole en voyant des gens qui se retrouvent tout à coup face à face avec le frère dont ils avaient perdu la trace en Nouvelle-Zélande il y a vingt ans, et qui ont toujours à ce moment-là l'air sonné comme s'ils avaient été renversés par un bus. Souvent, on a l'impression qu'ils ne savent pas s'ils ont plutôt envie de rire ou de pleurer. En tout cas, l'expression de Mandy est à peu près la même. Abasourdie. Et que dit-elle ? Eh bien, elle ne dit rien. Elle ne comprend plus rien à ce qui se passe, le pauvre petit ange. Mais ça n'a aucune importance. Larry peut se charger tout seul de la conversation.

« Quand même, vous aimeriez peut-être bien quelques pommes de terre, non ? Pour vous caler l'estomac. Vous pourriez oublier un peu les calories, pour une fois. J'en ai

1. Présentatrice pendant de nombreuses années d'une émission culinaire à la télévision britannique *(N.d.T.)*.

qui sont déjà cuites. Froides, bien sûr, mais je vous en ferais une bonne salade bien assaisonnée. »

Pas besoin d'être très malin pour deviner la réponse :

« Je vous en prie, Larry. Vraiment, je ne peux pas... »

La solution dans ces cas-là est de faire semblant d'être un peu dur d'oreille. Sinon, il y en aurait pour toute la soirée. C'est la seule méthode avec Mandy. Plutôt que de discuter, je lui fourre l'assiette entre les mains et je lui donne une petite bourrade dans le dos pour la faire entrer au salon. Et là, tout est prêt : couteau, fourchette, serviette, sel et poivre, et même un grand verre d'orangeade pour tout faire descendre. Sans oublier la petite note de raffinement : deux œillets dans un vase, achetés au fleuriste à côté de chez Harry. La petite regarde tout ça, s'assied comme si elle était dans un rêve et pose l'assiette sur le set de table, l'air prête à attaquer son petit festin.

Seulement, voilà : elle ne mange pas.

« Allons, Mandy, réveillez-vous, lui dis-je. Ce n'est pas fait pour regarder, vous savez. C'est votre dîner, pas une œuvre d'art.

— Mais, Larry, je ne peux pas..., fait-elle d'une voix mourante.

— Et pourquoi pas ? Ne me dites pas que vous m'attendez ! Il y a des heures que Larry a déjà dîné, vous savez. En regardant les informations de six heures, comme tous les jours. Alors allez-y, mangez, mon petit. Ne faites donc pas de façons.

— Non, Larry, vraiment, je ne peux pas. »

Finalement, je m'aperçois qu'il y a quelque chose de bizarre dans le ton de sa voix — et aussi, qu'elle ne semble pas se sentir très bien.

« Oh, petite Mandy, qu'est-ce qui ne va pas ? Vous n'êtes pas malade, j'espère ?

— Non... Enfin, si. Je ne sais pas. C'est peut-être ça. Tout ce que je sais, c'est que je ne peux pas manger ce que vous m'offrez. Je suis désolée, vraiment. C'est très appétissant, mais quand je pense que vous vous êtes donné tout ce mal... Eh bien, je sens que je ne dois pas accepter. »

Et comme si cette petite explication était suffisante, elle

se lève. Comme ça. Sans même avoir touché sa fourchette ou son couteau. Et à en juger par son expression, il fallait s'attendre à ce qu'elle me dise ensuite : « Vous comprenez, n'est-ce pas, Larry ? » comme si tout cela avait un sens.

Auquel cas, la seule réponse que j'aurais pu lui faire était non. Parce que cela n'avait pas de sens, justement. Pour dire la vérité, j'avais de la peine à croire ce qui m'arrivait, que je pouvais me mettre en quatre pour faire plaisir à quelqu'un et essuyer un refus pour toute récompense. J'ai levé les yeux vers elle, puis j'ai regardé l'assiette, puis elle de nouveau.

« Alors, vous n'en voulez pas ? »

C'est tout ce que je trouve à lui dire. Mais même à cette simple question, elle ne répond pas par un oui ou un non franc et net. Au lieu de cela, elle recommence à bredouiller que je n'aurais pas dû me donner tant de mal. Comme si à ses yeux c'était ça l'important, allez savoir pourquoi.

Je sais ce que vous êtes en train de vous dire. Que j'aurais dû tout laisser tomber. Que cette fille ne méritait pas mes efforts. C'est vrai, j'aurais pu rapporter l'assiette à la cuisine et n'en plus parler. Ensuite, nous aurions bavardé encore deux minutes, uniquement par politesse, et elle serait repartie en se disant qu'elle ne devait rien à personne et n'avait aucun souci à se faire. En particulier, qu'elle n'avait pas à se préoccuper de savoir qu'il y avait quelqu'un à l'étage au-dessus, tout seul, qui passait toutes ses soirées sans jamais voir âme qui vive, à qui personne ne venait jamais tenir compagnie. Oui, j'aurais pu faire cela, et elle se serait sentie libérée de toute responsabilité.

Seulement, voilà : *elle l'aurait regretté plus tard !* Pas tout de suite, peut-être, mais dans quelques années, en songeant au passé. Le fait de s'être comportée de cette façon, de m'avoir planté là avec une telle indélicatesse, tout ça aurait forcément pesé sur sa conscience. Et il serait toujours présent, ce souvenir, la harcelant le jour et l'empêchant de dormir la nuit. Car alors — et alors seulement —, elle aurait compris ce qu'est l'ingratitude et combien elle peut faire souffrir. Avec le temps, elle en aurait sûrement fait l'expérience.

Ces pensées me traversaient l'esprit tandis que je la regardais, et que je me demandais le genre de fille qu'elle était vraiment. Une partie de moi me disait de ne plus m'occuper d'elle, l'autre me murmurait : « Donne-lui encore une chance. »

À la fin, voici ce que je décide de faire : je la regarde dans les yeux et je lui parle, d'une voix douce mais empreinte de dignité.

« Je sais que ce n'est pas grand-chose, petite Mandy. Surtout comparé à ce dont vous avez probablement l'habitude, dans votre milieu. Chez vous, je suppose que l'ordinaire, c'est plutôt le champagne et le saumon fumé. Seulement, il faut que vous compreniez que je ne pouvais pas faire mieux. Les retraités ne roulent pas sur l'or, vous savez.

— Larry...

— Non, non, mon petit. Il n'y a aucune raison pour que vous vous forciez. N'y touchez pas. De toute manière, ce n'est pas perdu. Avec un peu de chance, ce sera encore tout à fait mangeable demain à midi. Je vais le remettre au frigo. »

Mais je n'en fais rien. Je ne bouge pas de ma place. L'assiette reste où elle est, et Mandy aussi. Quelques secondes plus tard, elle se rassied. J'attends encore quelques secondes de plus, et je la vois saisir sa fourchette et son couteau. Une dernière petite hésitation, et la voilà qui commence à manger. Un petit oiseau, elle ressemble vraiment à un petit oiseau qui picore un peu de ceci, un peu de cela, mais elle finit par tout manger jusqu'à la dernière miette — enfin, presque. Elle prend son verre d'orangeade et avale une petite gorgée entre chaque morceau. Je suppose que c'est la raison pour laquelle elle n'a plus de place pour tout finir. Mais je ne dis rien. Elle a assez mangé, à sa suffisance pour une demoiselle comme elle, oserai-je dire.

Ensuite, quand j'ai été certain qu'elle avait vraiment terminé, qu'elle n'avait pas envie d'une petite portion de glace ou d'autre chose, j'ai allumé la télé et nous nous sommes installés bien confortablement pour regarder un documentaire sur les animaux sauvages d'Afrique, que j'avais coché dans le *TV Times.* Au moment de la pause publicitaire, toutefois, j'ai fait ce que j'aurais déjà dû faire bien avant : je lui ai appris un certain nombre de choses qu'elle ignorait au sujet d'Ethel Duck. Surtout, je lui ai dit que l'essentiel était de ne jamais, jamais se fier à elle. Et, pour lui donner un exemple concret, je lui ai parlé d'une certaine occasion où j'avais, par inadvertance, révélé à Ethel que la locataire du premier (c'était avant qu'elle décide de ne prendre que des Indiennes) avait reçu un garçon chez elle la nuit précédente. Aussitôt dit, aussitôt fait : la pauvre fille rentre le soir pour constater qu'Ethel lui a fait ses valises, les a descendues dans le jardin et les a abandonnées au milieu de l'allée. Ethel, dont on croirait, à la voir, qu'elle n'aurait pas la force de soulever toute seule l'annuaire du téléphone ! Et je suis sûr qu'elle en serait encore capable.

Et Mandy ? La pauvre mignonne m'écoutait sans dire un mot. À mon avis, c'était le choc. Apprendre la vérité sur Ethel a de quoi laisser n'importe qui muet de stupéfaction. Mais enfin, c'était nécessaire qu'elle la connaisse, ne serait-ce que pour s'éviter des problèmes à l'avenir. J'aurais d'ailleurs pu lui raconter tout un tas d'autres choses, mais sans que je me sois rendu compte du temps qui avait passé, la petite horloge au-dessus de la cheminée a sonné onze coups, et la petite s'est aussitôt levée. J'avoue que ça m'a rendu un tout petit peu triste, mais vraiment, je n'avais pas de raisons de me plaindre.

« Eh bien, passez une bonne nuit, mon ange, ai-je dit.

— Oui, Larry. »

Bien sûr, elle sous-entendait : « Vous aussi, passez une bonne nuit. » Toujours concis, toujours précis : c'est ça, le langage de Mandy. Maintenant, je commence à bien la connaître, et ce n'est certainement pas moi que vous verrez ronchonner parce qu'elle ne se noie pas dans des flots de paroles comme font presque toutes les femmes. Elle est redescendue tout de suite, silencieusement, vers ses pièces froides à l'étage en dessous.

Mais quelle importance ? De toute façon, je sais maintenant qu'elle va rester.

5

ÇA VA PEUT-ÊTRE vous surprendre, mais ce soir elle est rentrée de bonne heure, bien avant que j'aie seulement songé à guetter son arrivée. Non pas que je m'en plaigne ! Plus tôt elle était rentrée et plus tôt je la verrais. Du moins, c'est ce que j'ai pensé, et cela montre que j'ai encore beaucoup à apprendre. Car les minutes passaient, et où diable était mademoiselle ? Mystère. En tout cas, pas chez moi. Après la soirée d'hier, on aurait pu croire que la première chose qu'elle aurait à cœur de faire serait de monter l'escalier en trois bonds pour dire bonsoir à son vieux copain Larry. Or, que s'est-il passé ? Ne me posez pas la question.

Vers sept heures, j'ai commencé à sentir une odeur de toasts brûlés, et cela a failli m'achever. Vous comprenez, j'avais commencé à me demander (même si j'avais prétendu toujours dîner à six heures en regardant les nouvelles à la télé) si la raison pour laquelle elle ne montait pas n'était pas par hasard qu'elle était occupée à nous cuisiner un petit repas à tous les deux — histoire de me rendre la politesse, en quelque sorte. Eh bien, sauf si elle avait décidé de mettre du charbon au menu, on pouvait dire que je m'étais fait des illusions.

Et puis, à la réflexion, j'ai conclu que j'avais tort de me tracasser. En fait, elle n'allait sûrement pas tarder à monter. Après tout, ça ne prend pas deux minutes de racler quelques toasts un peu noircis.

Seulement, il s'est ensuite écoulé une bonne heure encore.

J'ai même commencé à m'inquiéter un peu. D'autant que j'avais beau tendre l'oreille, je n'entendais pas le moindre bruit venant du premier. Et je savais que si elle s'était activée à quoi que ce soit, je l'aurais entendue. Mais tout était tellement silencieux que j'aurais même été en peine de préciser dans quelle pièce elle se trouvait.

Enfin, j'ai entendu une porte s'ouvrir.

À ce moment-là, j'étais dans la cuisine, c'est-à-dire au meilleur endroit pour sortir sur le palier et la héler amicalement. Mais je ne l'ai pas fait. Je voulais voir si elle se comporterait en personne bien élevée et prendrait d'elle-même l'initiative de venir me dire bonsoir. Donc, je me suis borné à tousser, une seule fois mais bruyamment, au cas où elle se serait crue seule dans la maison.

Vrai, l'effet a été magique ! Une seule toux, après quoi on aurait pu entendre une mouche voler. Comme si la compassion qui lui faisait produire quelquefois cet étrange petit son si touchant l'avait saisie au point de ne plus pouvoir faire un pas. Résultat : vous auriez presque pu nous voir tous les deux, comme deux statues, moi en haut et elle en bas, dans un tel silence qu'il ne s'en fallait pas de beaucoup que je ne puisse l'écouter respirer, et réciproquement.

Et puis, à la fin, je l'ai entendu. Son petit toc-toc sur le mur. Je savais bien que je finirais par l'entendre.

« Bonsoir, jeune étrangère », lui dis-je en lui ouvrant, pour qu'elle comprenne bien ce que j'ai pensé en l'attendant.

Et de toute évidence, j'ai atteint mon but, car immédiatement ses joues pâles se colorent très légèrement et elle me répond :

« Oh, Larry, je suis désolée de ne pas être montée plus tôt. Surtout que je ne peux pas rester avec vous, maintenant. Je suis vraiment trop fatiguée. »

Dans ce cas, heureusement pour elle que Larry a réponse à tout. Sans compter un remède pour tout !

« Ah oui, petite Mandy ? Eh bien, si vous êtes tellement épuisée, vous feriez mieux de vous asseoir avant de tomber par terre. »

Une gentille petite pression sur l'épaule pour la pousser vers le salon, et que peut-elle objecter ? Sûrement pas que mon salon n'est pas la pièce idéale pour se reposer, avec le profond canapé en douce peluche qui fait si bien disparaître la lourdeur dans les jambes, et tout ce qu'elle peut désirer entièrement à sa disposition pour peu qu'elle le demande.

D'ailleurs, il se trouve justement que je sentais moi-même venir un petit coup de pompe — avant de la voir, j'entends. Mais, comme tout le monde pourrait le lui dire, il n'y a rien de tel qu'une petite bavette avec un vieil ami pour vous remettre en forme.

J'ajoute que la vérité, c'est que j'avais attendu ce moment toute la journée.

J'avais réfléchi, voyez-vous. Il y a des choses que jusqu'à présent je n'ai jamais confiées à personne — d'abord, parce qu'elles ne regardent que moi, ensuite et surtout parce que j'étais sûr d'être déçu par la réaction des autres. Mais voilà : Mandy est différente ! Nous ne nous connaissons que depuis quelques jours, c'est vrai, mais vous pouvez me croire si je vous affirme que c'est une fille à qui on peut absolument tout dire. Non seulement elle écoutera, mais, ce qui importe par-dessus tout, elle comprendra. On peut le deviner rien qu'à voir ses yeux, rien qu'à entendre le son de sa voix. Voilà quel genre de personne elle est. Si vous n'aviez pas un seul souci au monde, vous auriez envie de vous en inventer un (comme Ethel quand elle veut se rendre intéressante) uniquement pour qu'elle vous écoute et qu'elle vous regarde avec cet air si particulier qu'elle a.

Mais Larry n'a pas besoin de s'inventer des soucis. Tout ce qu'il a enduré est déjà beaucoup pour un seul homme. Et ce soir, je comptais donner à Mandy ce signe de confiance absolue : j'allais lui confier certaines choses dont je n'avais jusque-là jamais parlé à âme qui vive.

Mais vous vous en doutez, une décision comme celle-là n'est pas facile à prendre. Et dès qu'on l'a prise, on n'a plus du tout envie de tourner autour du pot — surtout que la petite était maintenant là, dans mon salon, assise juste devant moi. La tentation, c'était de la regarder bien en face et de lui dire : « Bon, Mandy, maintenant, préparez-vous à en entendre de belles. Quelle opinion avez-vous d'une femme qui partage l'existence d'un homme pendant trente-cinq ans, en tant qu'épouse absolument légitime, et qui lui annonce tout à coup qu'elle s'en va vivre dans une caravane à Waltham Abbey avec une espèce d'énergumène aux grands airs qui a la moitié de son âge ? Et comme si ça ne suffisait pas, la seule et unique personne dont l'homme en question attend qu'elle soit tout naturellement de son côté, autrement dit sa propre fille, le laisse complètement tomber. Au lieu de le soutenir, elle préfère aller en douce rendre visite aux deux autres. Comme s'il ne s'était rien passé d'anormal. Je veux dire, quand un homme a subi des horreurs pareilles, rien d'étonnant s'il ne s'en relève pas facilement, pas vrai, Mandy ? »

Seulement, on ne peut pas s'y prendre comme ça, bien sûr. Il faut savoir choisir son moment, attendre une occasion opportune. L'astuce, c'est d'amener tout doucement la conversation vers ce dont on a décidé de parler. Ensuite, vous pouvez vider votre sac. C'est ce que j'ai fait. Je lui ai dit de s'asseoir confortablement, j'ai commencé à parler de choses et d'autres, tout en me rapprochant sans cesse du sujet, en préparant le grand moment. J'y prenais même un certain plaisir. Je veux dire, à évoquer le bon vieux temps, avant la guerre, l'époque bénie où un homme avait la possibilité de vieillir tout en gardant sa dignité intacte. D'accord, les pensions de vieillesse étaient maigres en ce temps-là, et les docteurs commençaient par s'assurer que vous aviez de quoi casquer avant de vous donner ne serait-ce qu'une aspirine ; mais au moins, les gens savaient qu'il fallait respecter leurs aînés. Si l'on compare avec ce qui se passe de nos jours, lui ai-je dit, il y a vraiment de quoi pleurer, parce que les aînés, aujourd'hui, tout le monde s'en fiche.

Un silence, et un soupir. J'estimais que maintenant, c'était son tour de parler. Effectivement, après un léger sursaut — comme si elle s'en rendait compte brusquement —, elle me regarde avec de grands yeux et demande :

« Mais, Larry, vous n'avez pas du tout de famille ? »

C'était le signal que j'attendais. J'ai respiré profondément : je savais que j'aurais besoin de souffle. Parce que sur le sujet de la famille, croyez-moi si je vous dis que j'aurais tout un livre à écrire, moi !

« Amanda ! Il y a quelqu'un au téléphone qui vous demande. »

Cela m'a fait faire un bond. En vérité, cela nous a fait faire un bond à tous deux. C'était la voix d'Ethel Duck, son cri de paon plutôt, qui nous arrivait depuis le bas de l'escalier. Une seconde plus tard, Mandy avait sauté sur ses pieds.

« Excusez-moi, Larry », l'ai-je entendue murmurer en passant devant moi — et déjà elle était dehors, dévalant l'escalier quatre à quatre à en juger par le bruit qu'elle faisait. Trop vite pour que j'aie seulement le temps de la prévenir que s'il y a une chose qu'Ethel ne tolérera en aucun cas, c'est que les gens se servent de son téléphone. La connaissant comme je la connais, à cette minute précise elle doit être au bord d'une crise de fureur. Mais dira-t-elle quelque chose à Mandy ? À tout prendre, ça vaudrait mieux. Mieux, en tout cas, que de ne faire aucune remarque et de lui décerner mentalement un mauvais point, pour l'enguirlander encore plus vertement la prochaine fois. À cette idée, je me suis rongé les sangs pendant cinq bonnes minutes, mais finalement je suis parvenu à me calmer.

« Puisque c'est la première fois, ce n'est pas si grave, me suis-je dit. Et il n'y aura pas de deuxième fois, puisque tu pourras la mettre en garde aussitôt qu'elle remontera. »

J'ai donc arrangé les coussins à l'endroit où elle s'était assise pour que tout soit bien en ordre et avenant lorsqu'elle reviendrait, puis j'ai commencé à chercher une manière efficace et gentille de lui formuler mes avertissements au moment où elle apparaîtrait de nouveau sur le seuil de ma porte.

Mais voilà : elle n'est pas revenue. J'ai dû rester assis à l'attendre jusqu'à près de minuit, en espérant malgré tout qu'elle finirait par revenir. J'ai attendu et attendu, jusqu'au moment où j'ai entendu la porte de sa chambre se refermer pour la dernière fois et où j'ai compris que cela ne servait à rien.

À qui dois-je en vouloir ? À moi-même, pour ne pas m'être lancé assez tôt ? À Ethel, pour nous avoir interrompus et par conséquent tout gâché comme à son habitude ?

Ou à Mandy, pour avoir posé une question sans avoir ensuite pris la peine de revenir pour savoir la réponse ?

*

Ne me demandez pas si j'ai bien dormi ! La déception a une façon bien à elle de perturber le sommeil. Ce qui me blessait plus que tout, c'était ce manque d'égards. Elle devait bien savoir que je l'attendais. On ne sort pas en courant de chez quelqu'un en plein milieu d'une conversation sans revenir ensuite.

À moins, bien sûr, que ce soit Ethel qui lui ait tenu la jambe.

Mais non, même cela ne serait pas une excuse. C'était chez moi qu'elle était venue en premier. Par conséquent, elle aurait dû trouver un prétexte pour se débarrasser d'Ethel et revenir.

Si je l'avais vue ce matin, je lui aurais dit franchement le fond de ma pensée. Après la nuit que j'avais passée, je ne m'en serais pas privé. C'est peut-être parce qu'elle s'en doutait qu'elle a décidé de partir encore plus tôt qu'hier matin. C'est le genre de fille qui doit savoir très bien quand elle a mal agi, après tout. Donc, il n'est pas impossible qu'elle ait eu honte à l'idée de se retrouver face à face avec moi.

Mais de toute façon, tôt ou tard il faudrait bien qu'elle rentre. Et qu'elle s'explique. Parce que après réflexion, il me semblait clair comme de l'eau de roche que jamais une fille comme Mandy ne se serait comportée *volontairement* de façon blessante. Si elle n'était pas revenue pour savoir la réponse à la question qu'elle avait elle-même posée, il y avait forcément une raison, et, connaissant ma Mandy, ce ne pouvait être qu'une bonne raison.

Voilà pourquoi les oreilles me sont presque tombées de la tête à force d'écouter, pour être bien sûr de l'entendre rentrer. Mais, croyez-le ou non, je n'ai rien entendu du tout ! Même pas un bruit de pattes d'oiseau. Quand j'ai vu que la pendule indiquait neuf heures et quart, j'ai été forcé d'admettre qu'il était vraiment très tard, même pour elle. Et comme vous vous en doutez sûrement, j'ai commencé à me faire du mauvais sang. Parce qu'il y avait d'autres choses que je n'avais pas encore eu l'occasion de lui dire. Entre autres, qu'il n'était pas prudent de marcher dans les rues du quartier après la tombée de la nuit, à cause des fourrés de Finsbury Park à deux pas.

Je m'étais senti beaucoup mieux pendant l'après-midi, mais maintenant je commençais soudain à me sentir beaucoup plus mal.

J'étais dans cet état d'inquiétude lorsque tard dans la soirée, je suis discrètement descendu à l'étage en dessous pour satisfaire une petite exigence de la nature avant de me mettre au lit. De toute façon, je ne fais jamais le moindre bruit dans ces cas-là. Même si Mandy n'était pas chez elle, on n'a pas envie de le crier sur les toits lorsqu'on doit obéir à ce genre de nécessités. Donc, je passais sur la pointe des pieds devant la porte de sa chambre, lorsque soudain elle s'est ouverte et qui était là ? Mandy !

« Oh, Larry..., fait-elle avec une sorte de vague sourire.

— Mandy ! Alors, vous êtes rentrée ? »

En fait, je m'aperçois que je parle beaucoup trop fort. La vérité, c'est que je suis tellement content de la voir que toute autre préoccupation s'est évanouie de mon cerveau.

« Vous venez juste de rentrer ?

— Mmm... », répond-elle — si du moins on peut appeler « réponse » ce murmure inarticulé, apparemment adressé à ses orteils.

J'aurais pu m'éloigner sans rien dire de plus, mais il y avait quelque chose dans la manière dont elle s'accrochait à la porte, regardant fixement ses pieds, qui m'a poussé à dire :

« Allons, allons ! Je mettrais ma main à couper que vous avez passé toute la soirée à la maison sans vous faire voir. »

Je plaisantais, naturellement. Tout ce que je voulais, c'était qu'elle sache que j'avais remarqué son absence.

Mais voilà le problème avec Mandy : il faut toujours que les choses les plus simples deviennent compliquées. Je n'avais pas d'autre intention que de la taquiner un peu, et figurez-vous qu'à cet instant, là, sous mes yeux, elle devient rouge comme une pivoine — mais sans dire un mot.

Ce n'est pas l'effet que je recherchais, vous pensez bien ! J'espérais seulement l'entendre rire, et me répondre : « Bien sûr que non, Larry. En voilà une idée ! Je suis rentrée il y a tout juste cinq minutes. » Au lieu de cela, elle reste muette, se balançant pratiquement d'un pied sur l'autre.

Soudain, je trouve que tout ça a assez duré et j'ai envie d'en terminer avec quelques mots qui pourront l'aider à tout expliquer :

« Ne vous inquiétez donc pas pour moi, lui dis-je. Je parie que je devine pourquoi vous êtes rentrée si tard. Ce sont ces satanés bus ! C'est toujours la même chose : on donnerait n'importe quoi pour rentrer chez soi, et on voit tous les bus passer l'un après l'autre dans la mauvaise direction. Il y a de quoi devenir enragé, quelquefois. »

Tout ce qu'elle avait à faire, c'était de hocher la tête affirmativement. Après quoi, nous aurions pu nous en tenir là et aller tranquillement nous coucher. Mais Mandy n'était pas de cet avis.

« À vrai dire, je ne prends jamais le bus, me répond-elle. Sauf si je ne peux vraiment pas faire autrement. Mais en général, je préfère marcher. »

Alors là, je reste pantois. Je la regarde fixement, en me demandant si j'ai bien entendu. Son université est à presque cinq kilomètres d'ici. Je le sais, parce que j'ai eu la curiosité de chercher l'adresse dans l'annuaire. Et j'ai découvert où elle devait se rendre chaque matin : tout au bout de City Road, autant dire au diable vauvert ! Bien sûr, autrefois, les gens trouvaient parfaitement normal de parcourir ces distances à pied, mais plus de nos jours, plus à l'époque des cartes d'abonnement pour les autobus et tout le reste.

Elle continue d'expliquer :

« Ça me prend beaucoup moins de temps qu'on pourrait croire, et ça me fait économiser presque dix livres par semaine. »

Sûrement. Mais enfin, les gens sont en général bien contents de dépenser un peu d'argent du moment qu'ils économisent leurs jambes. Dix kilomètres par jour !

« En un sens, je vous comprends, petite Mandy, lui dis-je. Seulement, si vous faites tout ce chemin à pied pour économiser quelques livres, vous rentrez forcément beaucoup plus tard. Est-ce que vous y avez pensé sérieusement ? Je veux dire, la moitié du temps, il fait déjà noir quand vous quittez votre université ! »

Elle hausse les épaules. Comme pour dire : « Et alors ? » Puis elle se met à jouer machinalement avec la poignée de la porte. Je l'observe quelques instants, puis je lui dis doucement :

« Mandy, mon petit, il faut absolument que vous me croyiez ! Vous jouez avec le feu. Ce n'est pas un quartier où on peut se permettre de se promener après la tombée de la nuit, vous savez. »

Quelque chose dans le ton de ma voix a dû la mettre en alerte. Elle arrête de tripoter la poignée et me regarde bien dans les yeux, pour la première fois.

« Vraiment, Larry, je ne vois pas ce que vous voulez dire.

— Ce que je veux dire, petite Mandy ? »

Je continue à parler d'une voix aussi douce que possible, parce que je ne veux pas qu'elle soit prise de panique en entendant ce que j'ai maintenant à lui raconter.

« Je veux dire qu'au sujet de ce quartier, il y a certains faits dont vous n'avez pas entendu parler, voilà tout. Voyez-vous, il est arrivé des choses dans les environs dont la seule pensée a de quoi vous glacer les sangs, pour parler sans détours.

— Quel genre de choses, Larry ? »

J'ai enfin l'impression qu'elle prend ce que je dis au sérieux.

« Eh bien, il y a eu cette femme, pour commencer.

— Oui ?

— Assassinée, dis-je. On l'a retrouvée à moins de trois cents mètres de cette maison. Raide morte. »

Ses yeux s'ouvrent tout grands.

« Larry, ce n'est pas vrai ? Quand ?

— Laissez-moi réfléchir. Il y a onze ans, non, douze ans, je crois.... »

J'essaie d'être aussi précis que possible, de lui fournir une réponse absolument exacte, mais voilà qu'elle m'interrompt brusquement. Et, croyez-le ou non, elle rit.

« Douze ans ? Mon Dieu, Larry, vous m'avez presque effrayée pendant une minute. Bien sûr, si c'était arrivé la semaine dernière...

— Non, non, attendez, dis-je. Ce n'est qu'un exemple parmi d'autres. Par la suite, quelqu'un a été retrouvé presque au même endroit. Une autre femme, et elle avait été assassinée comme la première.

— Et quand cela s'est-il produit, Larry ? Il y a neuf ans, dix ans ? »

Autant l'avouer sincèrement, j'ai bien failli me fâcher à ce moment-là. Vraiment, ce n'était pas le genre de réaction à laquelle je m'attendais de la part d'une fille comme elle. Un instant, j'ai même eu l'impression d'être en train de parler à June. Et puis soudain, je m'aperçois que son sourire s'efface, et c'est de nouveau la vraie Mandy que j'ai devant moi.

« Excusez-moi, Larry. Je n'aurais pas dû rire. C'est parce que vous m'avez réellement fait peur sur le moment. Et puis, quand vous m'avez dit que cette femme s'était fait assassiner il y a tant d'années... »

Mais en voyant l'expression de mon visage, elle se tait brusquement, puis reprend :

« Et la deuxième ? Quand est-ce arrivé ? »

Pour être franc, j'ai grande envie de me défiler, mais, parce que je suis honnête avant tout, je réponds quand même :

« Il y a six ans, peut-être sept. »

Cette fois, je ne la regarde pas.

« Allez-y, riez si vous voulez, mais ça ne veut pas dire que la même chose ne puisse se reproduire. Si une femme se balade tous les soirs dans les rues alors qu'il fait nuit noire, et dans un quartier comme celui-ci, que voulez-vous qu'il arrive ? Un jour ou l'autre, il se trouvera forcément un type pour se faire des idées à son sujet. Tout ce que je veux dire, c'est qu'une fille jeune comme vous devrait faire beaucoup plus attention. »

Silence. Au moins, elle ne rit pas.

« Merci, Larry », dit-elle enfin.

Je me dis alors qu'en fin de compte, mes paroles ont quand même dû produire leur effet.

Mais il y a encore quelque chose qui me trotte par la tête.

« Ce que je ne comprends pas, petite Mandy — et je suis sûr que vous ne m'en voudrez pas de vous poser cette question —, c'est pourquoi vous êtes tellement à court d'argent. Et votre père ? Il doit être drôlement friqué, non ? En tout cas, suffisamment pour que vous ne soyez pas obligée d'arpenter les rues de Londres à n'importe quelle heure du jour et de la nuit, j'imagine. »

C'est absolument tout ce que j'ai dit, je vous le jure. Seulement ces quelques mots. Mais ce dont je me rends compte aussitôt, c'est que j'ai mis les pieds dans le plat, et carrément. Sans le vouloir, bien entendu, mais il aurait fallu que vous voyiez l'effet produit. Ce petit visage habituellement si doux se durcit tout à coup comme de l'eau qui gèle. Et ses yeux ! Je n'exagère pas, si on en avait approché une allumette, elle aurait aussitôt pris feu.

« Écoutez-moi bien, Larry, dit-elle. S'il y a une personne au monde de qui je n'accepterai jamais d'argent, c'est mon père. Je n'ai pas besoin de lui, et je me suis parfaitement passée de lui depuis deux ans. Suis-je assez claire ? »

Et je ne peux rien répondre, parce qu'elle m'a claqué la porte au nez.

Curieusement, cela ne m'a pas du tout vexé — pour la simple raison que ce n'était pas après moi qu'elle en avait, mais après lui, son père. Ou je ne comprends rien à rien, ou le moins qu'on puisse dire est qu'ils ne s'entendent pas. Et ce ne sont certainement pas les milliers de kilomètres les séparant qui posent problème : apparemment, ce qu'il y a entre eux, c'est plutôt un abîme sans fond. Vous avez entendu sur quel ton elle m'a répondu ? À croire qu'il suffit de mentionner son nom, et brusquement vous vous retrouvez en train de nager dans une mer infestée par les requins.

Si vous voulez mon opinion, il s'est passé quelque chose de très grave dans cette famille.

Maintenant, pour le peu que j'en sais, il se pourrait très bien que ce soit sa faute à elle. Mais ce n'est pas Larry qui va se ranger dans un camp ou dans l'autre, surtout devant un cas comme celui-là. Ce que je vois surtout, c'est que nous sommes exactement dans le même bateau, Mandy et moi, poussés à la dérive et condamnés à surnager ou à couler. Et tout ça à cause de qui ? De nos familles, bien sûr ! Ce qui me fait dire une fois de plus qu'il serait impossible de trouver deux personnes ayant plus de choses en commun.

En tout cas, cela pourrait expliquer ses fameux « passages à vide », comme elle dit ! La pauvre petite n'a jamais appris à se rebiffer, voilà son grand problème.

Quoi qu'il en soit, je ne voulais pas que nous restions sur cet accès de colère. Donc, j'ai frappé à la porte, très doucement, je l'ai appelée et je lui ai parlé à travers le battant :

« Je sais que vous êtes occupée, petite Mandy, mais écoutez-moi un instant. Je ne veux pas que vous soyez inquiète à cause de ce que je vous ai dit ce soir, sur ces femmes assassinées. Du moment que vous restez dans cette maison, personne ne touchera un seul de vos cheveux. Larry est là pour veiller sur vous. »

*

Tout ça est très instructif, pourriez-vous me dire. Mais ensuite, déception sur déception. Évidemment, je ne pouvais guère m'attendre à la revoir ce soir-là ; mais le lendemain soir, et le surlendemain ? Eh bien, rien ! Et pour compliquer encore la situation, le vendredi est le jour de Harry.

Harry. Il passe me rendre visite en rentrant chez lui après avoir fermé sa boutique. Et il n'a jamais manqué un vendredi, sauf accident ou période de vacances. Jamais depuis douze ans, c'est-à-dire depuis que Doreen est partie. Sûrement parce qu'il a honte. Après tout, c'était sa sœur, et quand on pense à la façon dont elle m'a traité... Je crois qu'au début, son idée était de venir seulement une fois pour que nous en discutions à cœur ouvert, peut-être aussi pour me présenter des excuses au nom de la famille. Seulement, ce qu'il aurait dû comprendre dès la première fois, c'est que pour rien au monde je n'aurais prononcé le nom de cette garce. Pourtant, il continue à venir, comme s'il attendait toujours que j'aborde le sujet.

Mais puisqu'il n'en est pas question, nous n'avons pas grand-chose à nous dire. À présent, il ne peut même plus me parler de Molly. Après avoir passé des années à gémir comme une porte qui grince, elle a surpris tout le monde lorsqu'elle s'est enfin décidée l'an dernier à casser sa pipe. J'ai trouvé des paroles compatissantes, naturellement, mais enfin les condoléances ne sont pas un thème sur lequel on peut broder indéfiniment. Et au moins, elle est restée à ses côtés jusqu'à la fin, elle ! Donc, il n'a pas vraiment de raisons de se plaindre. Tout ce qui lui reste, maintenant, c'est sa boutique, et cela aussi est un sujet dont on a vite fait le tour. Par conséquent, le moins qu'on puisse dire, c'est que nos conversations sont plutôt limitées. Invariablement, Harry soulève la tranche supérieure de son sandwich et me dit : « Toujours fidèle aux sardines, Larry ? » Je lui réponds : « Toujours, Harry. » Et en général nous n'allons guère plus loin.

Vendredi soir, j'aurais pu lui parler de Mandy, mais je ne l'ai pas fait. D'abord parce que j'espérais bien qu'elle retrouverait seule le chemin pour monter me voir — auquel cas les présentations diraient tout ce qu'il y avait à dire —, ensuite parce qu'à supposer qu'elle ne vienne pas, j'aurais vraiment l'air d'un idiot si je parlais à tort et à travers de cette chère petite qui était devenue presque inséparable de son vieux Larry. Et j'avais raison, parce qu'elle n'a pas montré le bout de son nez. Pourtant, elle devait bien savoir que nous étions là, tous les deux.

Le lendemain, samedi, je l'ai enfin aperçue, mais de loin. Elle était de l'autre côté de la route et marchait en direction de l'Archway[1]. J'ai supposé qu'elle allait vers l'un ou

1. Énorme carrefour partiellement souterrain du nord de Londres *(N.d.T.)*.

l'autre des parcs. Mais pourquoi diable y aller toute seule ? C'est ce que je me suis demandé. Si elle avait envie d'une promenade, je lui aurais volontiers tenu compagnie. Et j'aurais également pu lui faire remarquer que le temps ne s'y prêtait guère. Nous ne sommes qu'en octobre, c'est vrai, mais si vous sentiez ce vent !

Malgré tout, il va quand même sortir de tout ça quelque chose de positif. J'ai décidé de dire à ce raseur de Harry ce que j'aurais déjà dû lui dire depuis des années, à savoir qu'il ferait mieux de trouver une autre façon de s'occuper le vendredi soir. Après tout, ce n'est pas comme si nous étions vraiment des amis. Vous savez, j'ai réfléchi. Je suis sûr qu'il a induit Mandy en erreur quand il est venu chez moi l'autre jour. Je veux dire, alors que je m'étais évertué à bien lui faire comprendre que Larry Mann était complètement seul au monde, voilà que ce crétin trouve malin de me rendre visite, comme pour lui donner toutes les raisons de penser qu'il n'y a pas un mot de vrai dans ce que je lui ai dit. Rien d'étonnant qu'elle se soit dispensée de monter me voir, ne serait-ce qu'une seule fois pendant tout le week-end ! À présent, elle se dit sûrement que Larry a des tas de copains un peu partout, et que la dernière chose dont il a besoin est de nouer de nouvelles relations.

Donc, fini les visites de Harry.

Pourtant, Harry ne peut pas être la seule explication. Nous sommes voisins et amis, oui ou non ? Le seul visage féminin que j'ai vu ce week-end, ce n'est pas le sien mais celui d'Ethel, et le moins qu'on puisse dire, c'est qu'Ethel est tout sauf une amie. Pour ne rien vous cacher, si j'étais homme à me fier aux apparences, je pourrais presque croire qu'elle m'évite.

6

C'EST TOUJOURS la même chose, vous ne trouvez pas ? Vous avez un problème qui vous tracasse jour et nuit et vous mettez un temps fou à trouver l'explication, même quand elle saute aux yeux. Prenez hier soir, par exemple. Quand j'ai fini par me dire que ce n'était plus la peine d'attendrc, qu'il était trop tard, que je pouvais maintenant me relaxer et cesser de tendre l'oreille, eh bien, j'ai ressenti un véritable soulagement. Le moment était enfin venu pour la bonne nuit de sommeil dont j'avais tant besoin. Et c'est seulement à ce moment-là, alors que j'allais me mettre au lit en pensant à tout autre chose (pour être exact, je me demandais si je ne ferais pas bien de me préparer une bouillotte), c'est à ce moment-là que bang ! l'explication est venue me frapper entre les deux yeux.

C'était le coup de téléphone. Évidemment. Elle était là, assise dans mon salon, pleine d'attention chaleureuse, me suppliant pratiquement à deux genoux de lui raconter ma vie, et l'instant d'après elle avait disparu. Envolée, évanouie dans la nature. Et qu'est-ce qui l'avait fait partir ? Eh bien, ce coup de téléphone, justement. Autant vous l'avouer franchement, j'ai ri comme un bossu au moment où j'ai enfin compris. Ça oui ! C'était d'une telle évidence, et dire que pourtant ça ne m'était même pas venu à l'esprit ! Seulement, je n'ai pas tardé à tirer la conclusion logique de l'incident. Qu'est-ce qu'un simple coup de téléphone avait pu apprendre à une fille aussi charmante que Mandy pour qu'elle devienne brusquement si distante ?

De mauvaises nouvelles, forcément.

Aucun doute : elle avait reçu de terribles nouvelles ce soir-là, et c'est pour ça qu'elle n'était pas revenue. Parce qu'elle ne veut rien laisser paraître. Je vous le dis, cette fille est comme mon fidèle reflet dans un miroir, quelqu'un d'une extrême pudeur, exactement comme moi, qui déteste parler de ses ennuis. Je me rends compte maintenant qu'elle a dû rester de longues heures calfeutrée dans sa chambre, à ruminer son angoisse. Souhaitant ardemment qu'il y ait quelqu'un vers qui elle puisse se tourner, mais trop timide pour oser s'adresser à la seule personne dont elle pouvait s'assurer la compassion. C'est ma Mandy toute crachée. Vraiment, ça vous donne envie de pleurer.

Après cela, je me suis endormi facilement, mais bien sûr je n'ai pensé qu'à elle dès l'instant où j'ai ouvert les yeux ce matin. À présent, une chose était absolument sûre : cette situation ne pouvait pas durer. Cette pauvre gosse risquait de dépérir avant qu'on ait eu le temps de lui apporter le plus petit secours, et la faute à qui ? À moi — parce que je ne serais pas intervenu.

C'est pourquoi les premiers mots qui se sont formés dans mon esprit à mon réveil ont été : *Il faut faire quelque chose.*

Oui, mais quoi ?

Ce que je peux vous dire pour commencer, c'est ce que je n'aurais fait en aucun cas : à savoir descendre au premier, tambouriner contre la porte de sa cuisine et crier : « Allons, Mandy, si vous racontiez un peu à votre vieux Larry ce qui vous arrive ? » Sûrement pas. Pourquoi ? Parce que Larry Mann n'est pas le genre d'homme qui va se mêler des affaires des gens quand on ne lui a rien demandé. C'est contraire à ma nature, voilà tout. La vie privée des gens leur appartient, elle est leur territoire, et on n'y entre pas par effraction.

Mais d'un autre côté, qu'auriez-vous fait ? Impossible de rester assis les bras croisés en attendant qu'elle vienne me confier ce qu'elle a sur le cœur, car le plus probable est qu'elle n'osera jamais. En fait, ce dont j'avais besoin, c'était d'un indice, d'une suggestion — même très simple — grâce à quoi je pourrais deviner ce qui se passait. C'était l'unique façon dont je pouvais lui apporter mon aide. Et si je ne pouvais pas obtenir d'elle qu'elle me fournisse cet indice, alors la seule solution de bon sens était de chercher ailleurs.

Ce qui est une manière un peu détournée d'expliquer pourquoi, à dix heures et demie du matin, alors que Mandy est partie depuis longtemps et qu'Ethel a terminé sa ronde, je me trouve ici, devant la porte du living-room de la petite, la main sur la poignée. Il n'y a personne, bien sûr, mais c'est justement pour cette raison que je suis là.

Je cherche des indices, c'est tout.

C'est maintenant que le problème se pose, quand le moment est venu de tourner la poignée et d'entrer. Riez si vous voulez, mais c'est moins facile qu'on pourrait le croire. Depuis le jour de son arrivée, je l'ai accueillie plusieurs fois chez moi en faisant tout mon possible pour qu'elle s'y sente à l'aise, mais elle ne m'a pas une seule fois rendu la politesse. Je n'ai mis les pieds dans aucune des pièces du premier depuis qu'elle y a emménagé. Et maintenant, je m'apprête à le faire sans y avoir été invité.

C'est idiot, je sais. En fait, je devrais considérer ces pièces comme un second chez-moi, étant donné que j'y suis entré des centaines de fois au cours des années. Personne n'a jamais hésité à faire venir ce vieux Larry quand il y avait un sèche-cheveux à réparer ou une prise à changer. Sans compter toutes les fois où Ethel m'a envoyé dire quelque chose de sa part à la personne qui les occupait. Alors, où est la différence à présent ?

Elle n'existe pour ainsi dire pas. C'est ce que je me dis. Elle n'existe pour ainsi dire pas, c'est pourquoi je tourne fermement la poignée, et ouvre la porte.

Malgré tout, je ressens un choc.

Ces pièces ont toujours été un peu miteuses, surtout le living-room, et je ne les ai jamais vues autrement. Délabrées, moisies, négligées : voilà les mots qui vous viennent spontanément à l'esprit. De très vieilles pièces dans une très vieille maison. Il faudrait investir beaucoup d'écus sonnants et trébuchants pour les remettre à neuf, mais on ne peut certainement pas espérer cela d'Ethel, surtout si ce sont ses locataires qui doivent en bénéficier.

Donc, pourquoi ce choc ?

Parce que en regardant autour de moi, c'est bizarrement comme si je pénétrais dans cet endroit pour la première fois. Je ne me suis jamais vraiment demandé ce que ça devait être d'habiter là-dedans. Après tout, si nous parlons des Indiennes qui s'y sont succédé, ce n'était peut-être pas exactement l'appartement idéal, même pour elles — mais j'imagine que c'était quand même sacrément mieux que ce à quoi elles sont habituées dans leur pays pouilleux. Pour autant que je sache, ils ignorent même ce qu'est le papier peint là-bas. Mais maintenant que je regardais ce living-room à travers les yeux de Mandy, en quelque sorte, je considérais les choses d'une tout autre façon.

Prenons le papier peint, justement. J'essaie de me souvenir depuis quand il est là, et j'en suis incapable tellement cela remonte loin. Pourtant, c'est moi qui l'ai posé. En tout cas, je suis sûr d'une chose : à l'époque, il n'avait pas cette couleur brunâtre, et ce n'est pas parce que j'ai mal fait le boulot qu'il se décolle du plafond. C'est la faute de toute cette humidité qui forme de larges taches un peu partout.

Quant aux moulures en plâtre, ce n'est pas mieux. À mon avis, on pourrait passer l'aspirateur deux fois par jour qu'on continuerait d'en trouver des fragments sur le sol comme des pellicules sur le col d'un veston. Et ça, c'est vraiment désolant, parce que je me rappelle que pour le plâtre Ethel m'avait donné carte blanche. « Faites ce que vous voudrez, Mr. Mann. » C'est ce qu'elle m'avait dit, je m'en souviens très bien. Alors je m'étais lancé, et j'avais peint les moulures en forme de rosaces et de guirlandes, dans des tons dont je me disais qu'ils mettraient un peu de gaieté. Ils sont toujours là, mes motifs en orange et en vert pomme, mais on ne peut pas dire qu'ils me fassent honneur, avec toutes les fissures et les endroits écroûtés.

Remarquez, je pense que Mandy se fiche pas mal des moulures. En revanche, elle serait sûrement contente s'il y avait un moyen d'empêcher le vent d'entrer en sifflant par les interstices des fenêtres. À n'importe quel endroit de la pièce que vous vous trouviez, vous sentez les poils sur votre nuque qui se dressent sous l'effet d'un souffle glacé, bien plus fort qu'un simple courant d'air. Mais ce que je voudrais bien savoir, c'est pourquoi elle a attaché les rideaux en voilage. Ce n'est pas ainsi qu'ils arrêteront le vent, et rien ne me fera croire qu'Ethel est d'accord.

Ensuite, il y a les meubles. L'étonnant, c'est qu'ils tiennent encore debout. Vous n'allez pas me croire, mais la plupart m'appartenaient — jusqu'à ce que j'en sois débarrassé en même temps que de Doreen. J'ai refilé le tout à Ethel. Je n'avais qu'une envie, c'était de ne plus les voir. Déjà à cette époque, le canapé était dans un état catastrophique, ce qui n'avait rien de surprenant puisque nous l'avions depuis plus de vingt ans et qu'avant ça il était chez Tantine Freda, la tante de Doreen. Quand on le regarde maintenant, il y a de quoi se demander comment nous avons pu être si contents qu'elle nous le donne autrefois. Son principal avantage, c'était un petit levier qui permettait de rabattre le dossier pour en faire un lit à deux places. J'avoue que je n'ai jamais vraiment eu le coup pour le faire fonctionner, je ne sais pas pourquoi, mais Doreen savait très bien s'en servir. En tout cas, il est carrément à l'agonie, ce pauvre canapé. Le cuir est tellement vieux qu'il est tout râpé, et il y a même des trous par où on voit le crin du rembourrage.

Dire que Mandy passe ici tellement de temps alors qu'elle peut profiter à sa guise de mon salon à l'étage audessus ! Vrai, je trouve que ça tient du prodige.

Rien de neuf, donc — à tous les sens du terme. Pourtant, il y a bien une différence dans l'aspect de la pièce, mais il m'a fallu ces quelques premières secondes pour voir à quoi elle tient. C'est tout simplement qu'elle a déplacé les choses. Le canapé, la table, tout. Chaque objet se trouvait à sa place naturelle avant son arrivée, mais à présent tout est si bizarrement arrangé que j'en ai presque le tournis. Elle a poussé le canapé et les deux fauteuils tout près du feu, comme pour faire une petite pièce à l'intérieur de la pièce. Ça, en soi, ce n'est pas mal, mais le reste ? Un grand espace complètement vide en plein milieu, et rien à y mettre. Vous n'imaginez pas comme tout ça a l'air nu. Et ce n'est pas fini. Regardez d'un peu plus près, et vous remarquerez que les murs sont horriblement dénudés, eux aussi. Elle a enlevé tous les cadres, même les plus jolis, comme le petit garçon maigre avec des yeux qui avaient l'air presque plus grands que son visage.

Mais bon, je n'étais pas là pour inspecter le mobilier. Si j'étais entré, c'était pour chercher des indices. Dans l'espoir d'en trouver, je me suis dirigé vers la grande table, autrefois bien à sa place au fond de la pièce et maintenant poussée devant la fenêtre et jonchée de livres, de feuilles de papier, de notes griffonnées — mais surtout des livres et encore des livres, partout : bref, un épouvantable fouillis. Dieu seul sait ce que pense Ethel quand elle voit ça. Mais enfin, dans tout ce désordre, on pouvait espérer qu'il y aurait bien quelque chose pour me mettre sur la voie, si j'arrivais à ne pas laisser détourner mon attention par les trombones tordus, les élastiques de toutes les couleurs et les stylos-bille mâchonnés au bout. Et je dois dire que lorsque j'ai pris la première feuille de papier qui m'est tombée sous la main et que j'ai commencé à lire, j'ai cru que j'avais gagné la chasse au trésor. Ce que je tenais, c'était une page entièrement couverte d'une toute petite écriture (pas très différente de la mienne !) d'où certains mots semblaient me sauter au visage et venir me cogner spontanément en plein dans l'œil, comme Amour, ou Désir, et même un certain petit mot de quatre lettres commençant par un S et avec un X au milieu. Honnêtement, je ne savais bientôt plus où regarder. Et puis, peu à peu, la lumière s'est faite. Ce n'était pas sur elle qu'elle avait écrit, pas du tout, mais sur des personnages d'un livre qu'elle était en train de lire. Bon, j'étais soulagé, mais je dois dire que j'avais eu un drôle de choc, et il m'a fallu une minute ou deux pour me remettre.

J'étais encore un peu tremblant lorsque je me suis dirigé vers la cheminée. Sans plus de résultat, d'ailleurs. Les bibelots d'Ethel ont tous disparu. À leur place, des cartes postales, par dizaines, posées sans ordre apparent sur le manteau. Bien sûr, vous devinez facilement ce que j'ai pensé. Elle manque peut-être d'argent et d'autres choses, mais certainement pas d'amies pour lui envoyer de leurs nouvelles quand ils sont en vacances. À moins qu'il ne s'agisse d'une amie en particulier atteinte par le virus des voyages. Autrement dit, il y avait peut-être là des informations précieuses. Mais quand j'en ai pris une pour regarder ce qui était écrit au dos, puis une deuxième, puis plusieurs autres, j'ai constaté qu'elles étaient toutes vierges. Elle a dû les acheter elle-même et les avoir alignées là parce qu'elle les trouve décoratives. En fait, quand j'ai regardé plus attentivement ce qu'elles représentaient, je me suis rendu compte qu'il n'y avait pas la moindre plage ni le plus petit palmier. C'étaient toutes des reproductions de ce que certaines personnes appellent des « œuvres d'art », à savoir des taches de couleur, des formes biscornues et des guitares sciées en deux.

Autant le dire franchement, je me suis presque mis en colère à ce moment-là. De nouveau j'avais espéré, et de nouveau j'étais déçu. Je croyais que j'allais enfin apprendre des choses intéressantes, mais tout ce que je découvrais, c'était que Mandy était décidément une fille bizarre, du moins par certains côtés, et cela, j'aurais préféré ne pas le savoir.

En résumé, donc, je n'ai pas repéré dans ce living-room le moindre détail qui puisse m'aider si peu que ce soit. Dans ces conditions, pas d'autre solution que de continuer, par la cuisine. Et même là, j'ai eu encore une fois un choc. La dernière fois que j'y suis entré, c'était il y a seulement quatre jours, c'est-à-dire sûrement pas assez — ou du moins je l'aurais cru — pour installer tout ça. Quand je dis « tout ça », je parle de cette profusion de cartes postales. Parce que ici aussi il y en avait, mais encore plus affreuses, accrochées aux murs partout où les yeux se posaient. Comme une sorte de maladie de peau qui couvre peu à peu tout le corps. On ne pouvait même pas ouvrir la porte du frigo sans qu'une monstruosité produite par l'imagination d'un de ces fichus « artistes » vous morde pratiquement la main.

Alors, c'était à ça qu'un seul coup de téléphone avait pu

conduire cette pauvre gosse ? Je veux dire, à transformer du jour au lendemain sa cuisine en cabinet des horreurs ? Parce que toutes ces images épouvantables étaient forcément le signe d'un cerveau perturbé. Et quand une personne se met à accrocher des trucs pareils autour de son évier, alors il faut comprendre qu'elle a besoin d'aide, et vite.

Malheureusement, rien d'autre qui soit digne d'attention, dans cette pièce. Et si je vous dis que les placards étaient vides comme le garde-manger dans la maison du Petit Poucet, croyez-moi, c'est la pure vérité. Tout ce qu'elle avait, c'était des petits sacs de haricots, tout secs et franchement pas appétissants. On aurait dit ces calculs biliaires qu'on a retirés à Harry il y a quelques années et qu'il insiste depuis ce temps-là pour montrer à tout le monde. Sinon, pas même une boîte de sardines. Après tout, même des sardines auraient pu me mettre sur la voie de quelque chose, à condition de réfléchir assez longtemps.

Et voilà. Pour ne rien vous cacher, je redoutais d'en arriver là. Je veux dire, pendant tout le temps passé à inspecter le living-room et la cuisine, j'espérais tomber sur quelque chose, n'importe quoi, si bien que j'aurais pu m'en tenir à cela sans être obligé de chercher ailleurs. Seulement, que faire ? Dans l'une comme dans l'autre pièce, pas plus d'indices que sur le dos de ma main. Et si j'avais la moindre chance de découvrir quelque chose qui m'aiderait, il n'y avait en réalité qu'un endroit où chercher — et au fond, je le savais depuis le début.

Le problème, c'est que si je m'étais senti un peu gêné au moment d'entrer dans son living-room tout à l'heure, maintenant c'était dix fois pire. Ce que je veux dire, c'est qu'une chambre à coucher est un endroit intime. Dites que je suis trop délicat si vous voulez, mais la vérité est que jamais je n'aurais osé y mettre les pieds sans avoir bien réfléchi d'abord. À la fin, pourtant, il a bien fallu que je me secoue un peu, quitte à devoir m'infliger à moi-même des paroles sans complaisance. En fait, je les ai même prononcées à voix haute : « D'accord, ça ne se fait pas, mais tu dois quand même te rappeler que tout ça est pour son bien et pas pour autre chose. Alors, un peu de courage, mon vieux Larry. Ouvre cette porte. »

Et ça marche. Une seconde plus tard, je fais ce que j'aurais dû faire tout de suite. J'ouvre la porte.

Seulement, je suis à un cheveu de la refermer aussitôt.

J'ai dit tout à l'heure que Mandy était bizarre, pas vrai ? Eh bien, le mot est faible. Et si jamais vous en voulez la preuve, vous n'avez qu'à aller faire un tour dans sa chambre. Histoire de voir ce qu'elle en a fait. Ironiquement, c'était pourtant la seule pièce du premier qu'on pouvait presque qualifier d'agréable. Il y avait du papier peint avec des roses, un peu défraîchi bien sûr, mais joli quand même. En plus, comme il y avait aussi des roses sur les rideaux, on pouvait dire qu'en somme tout ça était assorti. La base du lit était ornée d'un contour en tulle plissé, la coiffeuse aussi. En somme, c'était une vraie chambre de jeune fille, et la dernière chose que j'aurais imaginée, c'est qu'on puisse vouloir y changer quoi que ce soit.

Mais je le répète, il faudrait que vous la voyiez maintenant. Vous vous souvenez des cadres sur les murs, le petit avec des chatons et le plus grand avec des chevaux dans un champ labouré sur fond de coucher de soleil ? Disparus. Mais si ce n'était que ça ! Plus moyen de voir les roses sur le papier peint. Elle a tout caché sous de grands pans de tissu qui couvrent presque entièrement la surface des murs, avec des motifs en zigzags et en zébrures, marron et noirs. Comme la couleur des gens qui les portent. Parce que je vais vous dire ce que c'est. Ce sont très exactement ces trucs dans lesquels les négresses sont toujours entortillées parce que les missionnaires n'ont jamais pu leur apprendre à porter des vêtements décents. Voilà ce qu'elle a choisi d'accrocher à ses murs, et comme si ça ne suffisait pas, elle en a aussi étalé sur son lit. Autrefois, c'était le lit de June, elle y dormait déjà quand elle était petite fille. Mais regardez-le maintenant, et vous aurez du mal à le reconnaître. Pourtant, c'est bien le même lit. Il suffit de le toucher, et le sommier se met à couiner et à trembler comme si ce n'était qu'un seul gros ressort rouillé et grinçant. D'ailleurs, puisque ma chambre est juste au-dessus de la sienne (et si on y réfléchit, on pourrait presque dire que nous dormons dans la même chambre, tous les deux !), c'est ce bruit que j'entends la nuit pour peu que Mandy se mette, je ne dirai pas à remuer, mais seulement à respirer profondément. Comment arrive-t-elle à s'endormir avec ces grincements, Dieu seul le sait.

En tout cas, j'imagine que vous pouvez comprendre mon état d'esprit. Ce n'est pas tous les jours qu'on se prend d'affection pour quelqu'un, puis qu'on découvre brusquement qu'en privé, ce quelqu'un est apparemment une personne complètement différente. Vrai, je suis à deux doigts de partir sans plus me poser de questions, à part celle-ci : comment Ethel peut-elle être assez snob pour tolérer tout ça ?

Mais voici ce qui me retient de partir. La seconde chose qui vous frappe lorsque vous entrez dans la pièce — mais il faut quelques instants pour en ressentir l'effet —, c'est l'odeur.

Une odeur délicieuse. C'est cela qui est si surprenant. Non, je vous assure. Une alliance d'essences, de savon et de talc, le tout mêlé, si j'ose dire, à la suie et aux gaz d'échappement du dehors. Parce que croyez-le ou non, cette petite sotte est partie en laissant la fenêtre ouverte. Comme s'il ne faisait pas déjà assez froid ici. N'empêche que l'odeur est quand même délicieuse. C'est celle d'une personne adulte, et en même temps fraîche comme du bain moussant pour bébés. Vous n'imaginez pas l'effet que peut produire une telle odeur, surtout si on la respire quand on s'y attend le moins. Et elle m'est familière, je m'en rends bien compte. Il a dû m'en arriver tous les jours de légères bouffées, depuis qu'elle habite la maison, mais si légères que je ne m'en suis jamais aperçu. À présent, j'en recevais comme des effluves en plein visage, et je ne pouvais pas m'y tromper. C'était Mandy qui m'entourait. Fermez les yeux, et vous pourrez presque imaginer qu'elle est là, regardant par-dessus votre épaule, si près que vous pourriez la toucher.

Bien sûr, c'est un peu farfelu de penser à Mandy comme si c'était une savonnette ou quelque chose du même genre.

Il serait plus juste de dire que cette sensation me vient de tout ce qu'elle a éparpillé sur la coiffeuse, de ce désordre de flacons et de petites boîtes couvrant le moindre centimètre carré ou presque. De quoi être perplexe une fois de plus si l'on pense à Ethel qui, apparemment, préfère fermer les yeux. Un vrai fouillis bien féminin, mais tout est là, sous mes yeux : tout ce qui fait que ma Mandy sent si bon. Fraîche, pure, capiteuse comme les fleurs d'un jardin sur les toits.

Bon, Larry, il est temps de se remettre à l'ouvrage.

Pendant tout ce temps, je n'ai pas fermé les yeux, même si j'en ai été sacrément tenté. J'étais entré dans cette chambre avec un but bien précis et je ne l'ai pas oublié un seul instant. Je voulais seulement dire qu'ils ont raison, ceux qui considèrent qu'il n'y a rien qui puisse avoir sur l'esprit d'une personne une influence plus puissante que les odeurs. Mais au bout de quelques secondes, j'avais repris mes esprits et j'étais prêt à passer la pièce au peigne fin. Comme je n'avais pas de meilleure idée, j'ai commencé par regarder sous le lit. Je me suis mis à quatre pattes et j'ai trouvé... rien du tout, excepté deux paires de chaussures presque sans talons et qui semblaient être des chaussures d'enfant. Pas de chance, encore une fois. Je suis alors passé à ce qui était posé sur la table de nuit, et de nouveau la même histoire : rien qu'une pile de livres, si haute qu'elle se serait probablement effondrée si jamais on l'avait fixée trop longtemps des yeux. Une fois de plus, Mandy faisait comme June : elle empilait tous ses livres parce qu'elle ne savait jamais lequel elle aurait envie de lire avant de s'endormir. Nous le lui disions tout le temps, à June, qu'elle allait s'abîmer les yeux, mais rien à faire pour qu'elle nous écoute. Et Mandy ? Pas plus raisonnable. Bon, il ne restait vraiment plus que la coiffeuse.

Maintenant, je peux vous dire précisément ce que je cherchais. Jusqu'à ce moment-là, je ne le savais pas. À présent, si, parce que je sentais l'influence de Mandy tout autour de moi, et en quelque sorte cela m'inspirait. Ce que je cherchais, c'était une photo. Voilà. Un instantané quelconque, même flou, même vieux, ça n'avait pas d'importance. Une photo de ses parents, peut-être, un petit souvenir du foyer familial. Le résultat serait que, même si je ne trouvais rien d'autre, je repartirais en ayant quand même appris quelque chose rien qu'en observant leurs visages et la façon dont ils souriaient à l'objectif. Et c'est alors que cela m'a frappé. Entre toutes les choses que j'avais trouvées bizarres depuis que j'étais entré, aucun doute, c'était la plus singulière : ni sur les tables, ni sur la cheminée, ni au milieu de tout ce fatras — les flacons, les boîtes, les fanfreluches, les bijoux de fantaisie — il n'y avait la moindre photographie.

J'en suis resté bouche bée, autant vous l'avouer. J'ai même refait le tour de la pièce au cas où quelque chose m'aurait échappé. Je savais qu'ils s'étaient disputés, oui, mais quand même on garde toujours une photo de sa famille, ne serait-ce que pour pouvoir la montrer. Et puis soudain, une autre idée m'a traversé l'esprit. Supposons que nous parlions de June. Quel serait le premier endroit où il faudrait chercher ? Dans le tiroir de la table de nuit, évidemment. Là, il se pourrait bien qu'elle garde une quantité de photos à portée de main, pour les moments où elle se sent un peu nostalgique. Elle n'aurait qu'à ouvrir le tiroir plus ou moins machinalement, et son papa et sa maman seraient là, sous ses yeux, lui souriant comme s'il ne s'était rien passé.

Bon, vous savez ce que c'est quand vous avez brusquement une bonne idée — je veux dire : la minute d'avant, vous ne saviez plus quoi penser, et tout à coup c'est comme si une lumière s'allumait dans votre cerveau. Dans ces cas-là, vous oubliez tout le reste. Et quand celle-ci me vient, moins d'une seconde plus tard je suis déjà penché sur la table de nuit et j'ouvre le tiroir pour m'assurer que j'ai raison. La seule chose que j'avais en tête, c'était les photos, la certitude qu'au moment où j'ouvrirais ce tiroir elles seraient là, sous mon nez, avec l'air de me regarder, comme cela devait arriver à Mandy. C'est seulement quand le tiroir a été ouvert et que j'ai eu sous les yeux non pas des photos mais seulement une lettre, posée là sans même une enveloppe pour la protéger, que j'ai pris conscience de ce que j'étais en train de faire. J'inspectais le contenu des tiroirs de quelqu'un. Jamais je n'avais imaginé que je ferais un jour une chose pareille, même si j'avais dû vivre encore cent ans. Les placards, oui, à la rigueur, mais le tiroir d'une table de nuit... Et pour couronner le tout, il y avait la déception. Parce que le tiroir ne contenait pas une seule photographie. Seulement cette lettre.

D'où la petite voix, celle qui ne se serait jamais fait entendre en d'autres circonstances, et qui me murmure à l'oreille : « Allez, mon vieux Larry. De toute façon, le plus grave est fait. Alors, autant aller jusqu'au bout. »

Mais c'est ici que les choses se compliquent. Car à peine ai-je pris la lettre que j'entends la porte de la chambre s'ouvrir derrière moi et quelqu'un entrer. C'est Mandy, me dis-je — et aussitôt, je sens que je panique.

Ce qui est stupide, ce qui est absolument ridicule, c'est que je n'avais aucune raison de paniquer. J'étais entré dans cette pièce avec des intentions parfaitement honorables, intentions que je n'aurais eu aucun mal à faire admettre à toute personne sachant quel genre d'homme je suis.

Oui, mais si Mandy ne me connaissait pas depuis assez longtemps ? Si en me voyant elle se faisait une idée complètement fausse de la vraie raison de ma présence ?

Je dis cela rétrospectivement, pour expliquer pourquoi j'ai fait ce que j'ai fait. Car ce qui se passait ne m'a pas empêché de penser. Tout ce que je savais, c'était que je devais replacer la lettre dans le tiroir et le refermer aussi vite qu'il était humainement possible. Mais mon erreur a été d'essayer de tout faire en même temps. J'ai fourré la lettre dans le tiroir, je l'ai refermé et j'ai fait un bond en arrière pour m'éloigner du lit, tout ça d'un seul mouvement, en souplesse. Et pourtant, ce qui s'est produit ensuite a été une vraie catastrophe. Au lieu de parvenir innocemment à l'autre bout de la pièce, je me retrouve de nouveau à quatre pattes, la tête sous le niveau du lit, toussant horriblement. Parce que dans ma hâte, j'avais refermé d'un grand coup ce satané tiroir et ma cravate était restée coincée à l'intérieur, si bien que j'étais tombé par terre à moitié étranglé. Il m'a donc fallu tout recommencer — rouvrir le tiroir, récupérer ma cravate, refermer le tiroir — rien que pour pouvoir me retourner.

Et tout ça pour me retrouver face à face avec Ethel Duck, plantée de l'autre côté du lit, qui m'observait d'un œil accusateur.

Mais cela aurait pu être pire. C'est ce que je me suis dit en rajustant ma cravate et en reprenant ma respiration. Évidemment, j'aurais préféré qu'Ethel ne me voie pas ramasser mon postiche et le remettre en place sur mon crâne, mais cela aurait pu être tellement pire. Si c'était Mandy qui était revenue, par exemple... Pas besoin de vous dire comment sont les jeunes. Ils croiraient plus volontiers au père Noël qu'à la vérité pour peu qu'elle leur soit expliquée par quelqu'un d'assez vieux pour savoir vraiment de quoi il parle. Alors oui, tout ça aurait pu être tellement, tellement pire !

Mais à la réflexion, en regardant Ethel à présent, je me suis dit : peut-être que non, en réalité. Vu la tête qu'elle me faisait, avec cette bouche rigide comme si elle était en béton, et toute prête à me poser exactement la même question que Mandy m'aurait posée à sa place, je n'étais plus si sûr d'avoir échappé au pire.

J'entends d'ici ce que vous me dites : *Eh bien, vas-y, Larry. Dis-lui donc la vérité. Au moins, elle, elle te connaît bien.* Seulement, vous auriez déjà dû comprendre qu'avec Ethel, ce n'est pas aussi simple que ça. Elle a une façon bien à elle de prendre les vérités les plus limpides et de les distordre pour en faire quelque chose de cent fois plus laid que pourraient l'être les pires mensonges. Je me rappelle certaines de ses remarques au sujet de Doreen et de moi, par exemple...

Mais ça ne servait à rien de penser au passé. Ce n'était pas ça qui allait résoudre le problème du moment, et ce problème, c'était qu'Ethel était debout en face de moi et se préparait, je le sentais, à m'en faire voir de toutes les couleurs. Ce dont j'avais besoin, et tout de suite, c'était d'une réponse à la question qu'elle n'avait pas encore formulée : à savoir ce que je faisais ici, en train de fourgonner dans les tiroirs de Mandy. Seulement, de réponse, il n'y en avait pas, du moins aucune qui puisse la satisfaire. Donc, la situation, pour l'instant, c'est qu'Ethel n'a pas encore ouvert la bouche et que moi, je fouille dans tous les recoins de mon cerveau pour trouver les mots, n'importe quels mots, qui la feront cesser de me fusiller du regard, tout en sachant fort bien que tout ce que je dirai aura autant d'effet qu'un emplâtre sur une jambe de bois.

Et puis, c'est arrivé. Un miracle. Une seconde auparavant, je fixais désespérément Ethel, impuissant, tremblant comme un condamné qui voit se lever la hache du bourreau, et tout à coup ce fut comme si quelqu'un avait allumé une ampoule de 1 000 watts à l'intérieur de ma tête. C'était tellement clair !

En un mot, je suis en train de vous décrire comment les choses vous apparaissent quand vous projetez sur elles la Lumière de la Vérité.

Ethel pouvait bien me demander ce que je faisais dans la chambre de Mandy, mais qu'est-ce qui m'empêchait de lui poser très exactement la même question ? Parce que la vérité, la vérité pure et absolue, c'était qu'elle n'avait pas plus que moi le droit de s'y trouver. En fait, elle en avait même beaucoup moins le droit. Pourquoi ? Parce que la seule intention dans laquelle elle était entrée dans cette chambre, c'était de fureter partout et de fourrer son nez dans ses affaires, comme une espionne, de tripoter des objets qui ne lui appartenaient pas et de les déplacer selon sa fantaisie. Tandis que moi, j'étais là pour une raison tout à fait différente. J'étais là pour venir en aide à Mandy, et uniquement pour cela. Et c'était *cela* qui me donnait le droit d'être entré chez elle.

L'effet est presque magique. Je me redresse et je la regarde droit dans les yeux, comme pour lui dire : « Vas-y, attaque, je suis prêt à riposter. »

Ethel en reste muette. Cela ne lui est jamais arrivé, que quelqu'un renverse la situation à son détriment. Impossible de dire ce qui se serait produit ensuite. Elle me lance un regard terrible, mais je ne flanche pas, pas une seconde. Mon sang est en ébullition et je suis prêt à n'importe quoi.

En bas, une porte vient de claquer.

Pas besoin d'en dire plus. Nous sommes sortis de cette chambre si vite que vous n'auriez pas eu le temps de dire ouf. Pas mal pour deux retraités. Quand même, il m'a fallu cinq bonnes minutes pour reprendre mon souffle, ensuite. Entre-temps, au rez-de-chaussée, j'entendais Ethel passer ses nerfs sur Gilbert sous prétexte qu'il s'était levé de sa chaise roulante sans lui présenter un certificat médical et qu'elle avait failli en avoir une crise cardiaque.

Bon. Tout bien pesé, vous pourriez dire que mes recherches se soldent par un échec sur toute la ligne. Et c'est là que vous auriez tort. Voyez-vous, quelque chose de très important est arrivé ce matin dans la chambre de Mandy. Aujourd'hui marque un tournant décisif. À l'avenir, certaines choses ne se passeront plus de la même façon dans cette maison. Car j'ai découvert un moyen d'aider Mandy bien plus qu'elle ne pourrait l'imaginer.

Vous comprenez, à partir d'aujourd'hui, il ne sera plus du tout aussi facile pour Ethel de venir se mêler de ce qui ne la regarde pas. Pourquoi ? Pour la simple raison que je vais surveiller ce qu'elle fait. À peine aura-t-elle fini sa ronde chez Mandy que je descendrai pour procéder à la mienne. Et tout ce qu'elle aura touché, tout ce qu'elle aura déplacé, Larry sera là pour le remettre exactement à sa place. J'aurai vite fait de connaître ces pièces comme ma poche et de me rappeler l'emplacement choisi par Mandy pour le plus petit objet. De cette façon, quand Mandy rentrera, elle ne saura même pas qu'Ethel est venue. Bien sûr, Ethel s'apercevra de ce qui se passe, mais que voulez-vous qu'elle dise ? Elle ne peut même pas fermer les portes à clef, parce que Larry possède son propre jeu depuis le temps où elle-même n'habitait pas encore ici. Et elle ne me les demandera jamais, ces clefs. Car s'il y a le feu et qu'une des portes est fermée, qui va se charger de la défoncer ? Gilbert ? Sûrement pas. Alors, qui sait ? Compte tenu de tout cela — et aussi, bien entendu, de notre petite rencontre de ce matin —, il se pourrait même qu'elle cesse complètement ses visites. Mais pas Larry. Il continuera à aller s'assurer que tout est en ordre, bien décidé à monter et descendre ces douze marches entre les deux étages aussi longtemps que ses vieilles jambes le porteront.

Le résultat ? Eh bien, Mandy pourra de nouveau se sentir complètement chez elle. Mais bien sûr, sans être au courant de rien. Parce que Larry fera son travail secrètement, sans espérer ni éloges ni remerciements, en se contentant d'agir comme doit agir un véritable ami.

*

Une chose encore : cette lettre, la cause de ma panique de tout à l'heure. Elle n'était pas très longue. Et même suffisamment brève, par chance — ou par malchance, cela dépend de quel point de vue on se place —, pour qu'on puisse la lire en un instant et s'en souvenir plus tard. Voici ce qu'elle disait :

Mademoiselle,

Nous regrettons que vous ayez à subir à votre adresse actuelle les désagréments dont vous nous faites part dans votre lettre, mais nous nous trouvons malheureusement dans l'impossibilité de vous offrir une solution de rechange. Compte tenu des difficultés que nous rencontrons pour loger nos étudiants, nous nous permettons de souligner que puisque vous disposez d'un domicile alors que beaucoup d'autres en cherchent un en vain, vous devriez vous considérer comme privilégiée.
Meilleures salutations,
(...)

Office du Logement étudiant
Université de Londres.

C'était ça, ou à peu près.

Bien sûr, le coup est plutôt rude. Comme vous voyez, elle a donc essayé de quitter cette maison. Pourtant, j'aurais juré qu'elle s'y sentait bien maintenant. Mais j'avais compté sans Ethel, pas vrai ? Il est évident qu'elle a rendu cette pauvre gosse à moitié maboule ! En tout cas, ils l'ont drôlement envoyée promener, à son université, avec cette façon de lui dire qu'elle doit s'estimer heureuse d'avoir un endroit où dormir. Ce qui est sûr, c'est que c'est moi qui vais mal dormir cette nuit, en sachant qu'elle n'est pas à cent pour cent heureuse. Parce que, forcément, je me dis que d'une manière ou d'une autre je ne me suis pas occupé d'elle comme j'aurais dû. Elle n'a pas encore compris à quel point elle est appréciée, c'est clair. Autrement, elle n'aurait jamais eu envie de partir.

Ça me fait vraiment du chagrin de penser à Mandy, juste au-dessous de chez moi, toute seule, et pas heureuse. Mandy toujours en train de guetter une occasion d'aller habiter ailleurs. Il est grand temps qu'elle comprenne de quel côté sont ses vrais amis. Heureusement, Larry est là et il fera tout ce qu'il faut pour l'aider à y voir clair.

7

MISSION ACCOMPLIE, comme dirait l'autre.

S'il y a une chose qu'on peut affirmer sans risque de se tromper au sujet de Larry Mann, c'est celle-ci : il suffit qu'il ait une idée, et il prendra aussitôt toutes les décisions qu'il faut pour la mettre en pratique. En d'autres termes, à peine avais-je tiré les conclusions qui s'imposaient de la petite épreuve de force avec Ethel dans la chambre de Mandy que j'étais déjà en train d'enfiler mon manteau. Sans oublier de prendre mon portefeuille, bien sûr. Pour gagner du temps, je me suis même passé de déjeuner.

J'ai dépensé de l'argent, c'est vrai. Mais pas pour n'importe quoi, pas pour le plaisir d'allonger des billets de banque. Larry savait exactement ce qu'il voulait avant même d'avoir mis un pied hors de la maison. Ensuite, il n'y avait plus qu'à trouver le meilleur endroit pour mon achat.

Heureusement pour moi — puisque je n'avais pas pris le temps de déjeuner —, je n'ai pas eu besoin d'aller loin. Jusqu'à la deuxième boutique après celle de Harry, pour être précis. Vous trouvez presque tout ce que vous voulez, dans le coin où Harry vend ses fruits et légumes. Il suffit de savoir où regarder. Le revers de la médaille, c'est que j'ai dû faire un grand détour pour éviter d'être aperçu par Harry, mais enfin ce n'était pas si grave si je pense au temps que j'aurais perdu autrement.

Vous comprenez, en dehors de ce dont j'ai déjà parlé, j'avais appris encore d'autres choses ce matin, même si le déclic ne s'était pas fait immédiatement dans ma tête. C'est plus tard, lorsque je suis rentré chez moi, qu'elles me sont apparues comme des évidences aveuglantes. Quelques découvertes au sujet de cette petite qui m'en disaient aussi long que tout ce qu'elle aurait pu m'expliquer en paroles. Entre autres, j'ai vu qu'elle avait rempli ses trois pièces avec un incroyable ramassis d'horreurs — les cartes postales, les vêtements de nègres, sans compter les livres dans tous les coins —, mais qu'à côté de ça il y avait certains objets usuels dont la plupart des gens n'envisageraient tout simplement jamais de se passer, et qui lui faisaient défaut.

Je vais vous donner un exemple. La moitié de la population serait parfaitement incapable de se lever le matin sans un bon vieux réveil pour lui faire vibrer les tympans et continuerait sans doute à dormir jusqu'à midi. Mais une fois réveillés, quelle est la première chose que font la plupart des gens, pour entendre un son un peu plus agréable ? Ils allument la radio, voilà ce qu'ils font ! Un peu de musique est une nécessité pour bien commencer la journée. Sans cela, ils n'auraient rien de plus pressé que de se tourner de l'autre côté et de se rendormir. En fait, je vous mets au défi de me montrer une personne qui ne possède ni réveil ni radio.

Moi, en tout cas, j'en ai trouvé une. Mandy. Incroyable, mais vrai. Et laissez-moi vous dire une chose : c'est ce qui explique pourquoi elle se lève tout le temps à des heures différentes — et pourquoi elle a toujours l'air d'avoir le cafard pendant le reste de la journée. Cette pauvre gosse n'a même pas les objets les plus indispensables pour la vie de tous les jours !

Donc, s'étant aperçu de cela, que fait ce vieux Larry, à votre avis ? Il se met en route et va lui acheter réveil et radio, les deux combinés. Autrement dit, un radio-réveil. Sérieusement, c'est un vrai petit bijou. Miniaturisé ? Et comment ! Vous n'avez jamais rien vu de pareil. Et pas cher, avec ça. C'est fabriqué au Japon, bien sûr, mais qu'est-ce qu'on y peut ? À notre époque, tout ce qui est électrique est importé de là-bas (mon orgue aussi, d'ailleurs), et après tout, ça ne suffit pas à enlever aux choses leur valeur. De toute façon, l'important, c'est qu'à le voir on *croirait* qu'il a coûté les yeux de la tête. Tout est dans l'esthétique, vous comprenez ? D'abord, choisissez un modèle noir et vous aurez gagné. Enfin, personnellement, je pense que c'est toujours mieux. Si vous avez envie que quelqu'un sache que vous l'appréciez, ça ne sert à rien de lui offrir un truc qui aura l'air d'avoir coûté trois sous. Il faut qu'un cadeau semble vraiment exceptionnel. Parce que c'est ce que je veux que Mandy sache : qu'elle est exceptionnelle, que l'amitié de Larry pour elle n'a pas de bornes.

Alors, qu'est-ce que vous en dites ? Croyez-vous qu'une fille comme Mandy pourra dédaigner un cadeau comme celui-là ? Non, évidemment. D'un seul coup, cette petite va comprendre de quel côté sont ses vrais amis, et une fois pour toutes.

Je l'avoue, cela m'a fait un peu tourner la tête de poser ces billets sur le comptoir et de sentir que j'en frissonnais de plaisir. C'était comme si l'argent me brûlait les doigts, après ça. Vraiment, c'était de la bêtise de me laisser aller à faire le tour des boutiques avoisinantes uniquement pour chercher une autre bonne raison de dépenser. Parce qu'ils vous voient venir, dans ces cas-là ! Au bout du compte, je me suis seulement arrêté un moment pour écouter les canaris — il y en avait bien cinquante ! — qui chantaient de tout leur petit cœur d'oiseau dans la volière du marchand d'animaux, et une demi-minute après, que croyez-vous que j'ai fait ? J'ai ressorti mon portefeuille. Ce qu'on peut sincèrement appeler un achat sur un coup de tête. Le vendeur m'a conseillé d'en prendre deux, pour qu'ils se tiennent compagnie. Mais je n'étais pas assez naïf pour me laisser embobiner, et d'ailleurs, s'il a besoin de compagnie, eh bien ! je serai là, et ma présence vaut bien celle d'un deuxième canari, il me semble. Remarquez, je n'avais pas vraiment calculé ce que me coûterait le reste, c'est-à-dire la cage, les graines, le petit miroir, etc. Ajouté à tout ça, le prix d'un autre oiseau n'aurait pas fait grande différence.

De toute façon, il faut bien s'accorder quelques petites

gâteries de temps en temps, et maintenant nous sommes à la maison, mon canari et moi. Joey (c'est son nom) est sur mon orgue, à coté des animaux en céramique, en train de s'habituer à son nouvel environnement. Le seul problème, c'est qu'il n'a pas l'air d'avoir tellement envie de chanter pour le moment.

Mais ça n'a pas grande importance. Ce qui compte, en revanche, c'est qu'à cette minute précise, il y a sur la table de la cuisine de Mandy un petit objet — pas si petit, en un sens — qui va tout changer désormais. Et si je pouvais faire un vœu maintenant, ce serait de voir la tête qu'elle va faire quand elle rentrera.

*

Mais, je pose la question encore une fois, quand les choses prennent-elles le tour auquel on s'attendait ? Si vous en croyez l'expérience de Larry Mann, la réponse est : jamais. Pourtant, moi qui suis celui qui la connaît le mieux dans cette maison, j'aurais dû m'en douter. Avec Mandy, il ne faut jamais s'attendre à ce qui semble le plus naturel.

Il y avait déjà quelque chose d'étrange dans le bruit qu'elle a fait en rentrant ce soir, quelque chose qui ne ressemblait pas du tout à la Mandy que nous avons appris maintenant à connaître. C'était cette façon de claquer la porte d'entrée derrière elle, puis de monter l'escalier en faisant un tel vacarme qu'on avait du mal à croire que c'était la discrète Mandy qui rentrait chez elle. C'était comme si elle voulait annoncer à tout le monde qu'elle était là, et que peu lui importait qu'on le sache. Et même si je sais que vous allez me traiter d'idiot, je vous avoue que pendant ces quelques secondes j'ai pensé que si ce soir était un soir comme les autres et s'il n'y avait rien qui l'attendait sur la table de sa cuisine, une fois de plus je ne la verrais pas montrer le bout de son nez.

Ce qui est très curieux, c'est qu'une fois arrivée sur son palier elle s'est arrêtée un moment, comme si elle hésitait ou tendait l'oreille. À croire qu'elle avait senti en elle-même qu'il y avait quelque chose d'inhabituel. Puis j'ai presque eu l'impression de l'entendre hausser les épaules, avant d'ouvrir la porte de sa cuisine et d'entrer.

Moi aussi j'étais dans ma cuisine à ce moment-là, et je peux dire honnêtement que pendant les trois ou quatre minutes qui ont suivi, je crois que je n'ai pas bougé le moindre muscle. Je restais debout, immobile, avec un torchon à la main, m'efforçant de percevoir le son le plus infime qui pourrait me parvenir depuis l'étage au-dessous, ne serait-ce qu'un tout petit cri. Ou, pourquoi pas, un grand cri. Mais non. Je n'entendais rien, rien du tout, même pas un murmure. À la fin je n'ai plus pu le supporter, et j'ai compris qu'il fallait que je fasse quelque chose, n'importe quoi, pour que cesse l'angoisse de l'attente.

Grâce à Dieu, j'ai exactement ce qu'il faut pour des cas comme celui-là, et ce qui était vraiment bête, c'était que je n'y aie pas pensé cinq minutes plus tôt. Je suis entré à grands pas dans le salon et j'ai posé Joey par terre. Une petite pression sur le bouton, et voilà ma petite merveille d'orgue électronique qui s'éveille à la vie. Des lumières brillent, et puis c'est un léger ronronnement, très bas, qui m'annonce qu'il est bien réveillé et prêt à chanter ce qu'on lui demandera. La question maintenant, c'est quelle mélodie je vais jouer pour elle, mais cela n'est pas difficile non plus. L'instant d'après, toute la pièce, toute la maison résonne de la seule chanson qui convienne pour Mandy, celle qui dit : « Si tu étais la seule fille au monde. »

L'effet est instantané, magique, follement romantique. Non que la situation ait quoi que ce soit d'une romance, naturellement. Je parle de la musique, c'est tout. Mais le fait est que j'en ai oublié ce que je m'étais efforcé d'entendre depuis un long moment, et que je me suis totalement abandonné à l'enchantement de la mélodie. Et quand j'ai terminé de jouer cette chanson, je me suis lancé dans une autre — ou plutôt non, dans un vrai pot-pourri, complètement improvisé, à partir de tous mes vieux airs préférés, *Moon River, Yesterday, Hello Dolly,* tandis que l'orgue ronronnait et faisait clignoter pour moi toutes ses lumières.

Et puis soudain, mon état d'esprit a changé, je ne sais pas pourquoi. Sans la moindre raison, j'ai eu la sensation que je n'étais pas seul. *Elle* se tenait debout à côté de moi, Dieu sait depuis combien de temps. J'étais tellement transporté par ma musique que je ne l'avais pas entendue. Et — ne riez pas — cela m'a vraiment secoué, parce que c'était exactement comme dans un film, une de ces scènes où quelqu'un joue et chante de tout son cœur en pensant à quelqu'un d'autre, sans du tout se rendre compte que la personne en question l'écoute depuis qu'il a commencé.

Et puis, j'ai vu son visage, et sans même savoir ce qui arrivait, je me suis armé de courage. Parce qu'il y avait quelque chose de mauvais augure dans son expression. Je m'étais représenté la manière dont les choses se passeraient, je l'avais imaginée jusque dans ses moindres détails, et dans mon esprit j'avais vu Mandy monter chez moi en courant, serrant le radio-réveil contre son cœur, le visage tout illuminé d'une joie enfantine. Or, elle était bien venue avec le radio-réveil, mais elle ne le serrait pas du tout contre son cœur. Elle l'avait posé sur la petite table entre nous, ostensiblement de mon côté. Et bien sûr, il y avait surtout cette expression sur son visage. Je ne la comprenais pas, mais une chose au moins était sûre : elle n'avait rien à voir avec de la joie enfantine.

Si seulement elle avait dit quelque chose, je me serais senti moins désorienté. Mais voilà, c'était bien tout le problème : elle ne disait pas un mot. Elle ne me regardait même pas, en tout cas pas à proprement parler. Si quelqu'un garde les yeux fixés au niveau du col de votre veston, vous n'avez pas l'impression d'être vraiment regardé. L'espace d'un instant, j'ai espéré que c'était tout simplement parce qu'il y avait une tache sur ma cravate, mais il m'a suffi d'un bref coup d'œil pour constater qu'il n'y avait rien. Mandy était Mandy, voilà tout, imprévisible comme d'habitude — mais cette fois, plus que d'habitude.

Et elle ne disait toujours rien. J'attendais, j'attendais, mais pas un son ne sortait de sa bouche. Sans doute fallait-il donc que je prenne l'initiative. L'ennui, c'est que je ne voulais pas parler le premier. Mais à la longue, j'ai compris qu'il n'y avait rien d'autre à faire. Sinon, nous risquions de rester là jusqu'à demain matin.

« Bonsoir, belle étrangère, ai-je dit. Qu'est-ce que c'est donc, cette petite chose que vous avez apportée ?

— Vous le savez très bien, Larry. »

Pas l'ombre d'un sourire. Elle ne lève même pas les yeux. Mon col est apparemment tout ce qui l'intéresse. Et c'est alors que je comprends : il y a quelque part un affreux malentendu, quelque chose — mais quoi ? — est en train de tourner horriblement mal. Mais vous savez ce que c'est quand vous sentez qu'une situation vous échappe. Vous continuez malgré tout sur votre lancée, parce que vous ne voyez pas d'autre solution. En faisant de votre mieux pour avoir l'air tout à fait normal, décontracté, alors que les autres se conduisent comme des étrangers. En quelque sorte, vous espérez que le seul fait de parvenir malgré tout à rester vous-même suffira pour que le problème se résolve tout seul...

Donc, je dis :

« Oh, vous parlez du radio-réveil, je suppose. »

Je tente même un petit rire.

« Alors, qu'en pensez-vous ? »

Voilà, je viens de lui fournir une dernière occasion de remettre la situation sur les bons rails. Parce que évidemment, cette question était un signal pour qu'elle me réponde : *« Oh, Larry, bien sûr que je parle du radio-réveil. Ce que j'en pense ? Je suis sans voix. Comment pourrai-je jamais vous remercier ? »* Et cela, à son tour, aurait été un signal pour que moi, je lui dise tout un tas de choses ensuite.

Mais à l'instant même où j'ai fini de prononcer ces mots, j'ai senti que tout ça n'allait pas s'arranger si facilement. D'ailleurs, elle n'essaie même pas de me répondre. Elle se contente de faire un pas en avant pour pousser le radio-réveil encore un peu plus loin dans ma direction.

J'ai eu l'impression que j'allais mourir. Mais j'ai malgré tout continué à faire mon possible pour calmer le jeu.

« Pourquoi faites-vous ça, petite Mandy ? Il est à vous. Vous n'aviez pas compris, peut-être ? »

Puis je me mets à rire pour bien montrer que je plaisante, et à mon tour je pousse le radio-réveil dans sa direction, en disant :

« Vous ne comptez pas me faire changer d'avis, j'espère ? »

Savez-vous ce qu'elle a fait en voyant ce petit bijou revenir vers elle ? Elle a fait un bond en arrière, précipitamment, comme s'il allait la mordre.

Ça, c'était le comble. Finalement, j'ai perdu mon sang-froid.

« Bon sang, Mandy, mais qu'est-ce qui vous prend à la fin ? Vous savez, vous allez me rendre malade si vous continuez. Quand quelqu'un ne sait pas ce qu'il doit penser, vous n'imaginez pas ce que ça peut provoquer chez lui. Vous ne savez pas les effets que peut avoir la tension nerveuse, quelquefois. Allez-vous vous décider à dire quelque chose, oui ou non ? »

Je serais incapable de vous dire si j'ai déjà entendu un silence comme celui qui a suivi. En tout cas, pour ma part, je n'avais plus rien à ajouter. J'étais trop accablé. Si Mandy s'obstinait à se taire, alors moi non plus je n'aurais plus prononcé un mot. Ça ne sert à rien d'insister quand la personne en face de vous refuse de vous répondre et que vous vous heurtez à un mur.

Pourtant, même Mandy ne pouvait pas en rester à ce silence, et à la fin des fins elle a daigné ouvrir la bouche.

« Vous êtes très gentil, Larry », l'ai-je entendue murmurer — à peine, tant elle parlait bas. Le son de sa voix donnait l'impression qu'elle avait besoin de se racler la gorge.

« Vous êtes très gentil, a-t-elle répété. Mais je vous le rends. Vous comprenez ? »

Évidemment non, je ne comprenais pas. Comment aurais-je pu comprendre, je vous le demande ? Dans un monde normal, si vous offrez à une personne le cadeau de ses rêves, sa réaction naturelle est de s'élancer vers vous avec des remerciements plein la bouche — ou du moins c'est ce qu'il me semble. Pas de repousser le cadeau comme si c'était la dernière chose qui pouvait lui faire envie.

« Mais cette radio est pour vous », ai-je répété.

C'était tout ce que je trouvais à dire.

« Et si elle est pour vous, ça signifie que vous devez la garder. »

J'avais l'impression de m'escrimer pour la vingtième fois à expliquer quelque chose à un enfant arriéré.

« Non, Larry », me dit-elle alors.

Sa voix est plus faible que jamais.

« Ça ne signifie pas forcément que je dois la garder. J'ai déjà essayé de vous le faire comprendre, mais ça n'a servi à rien. Et cette fois, c'est pire que tout ce qui a précédé. Vous me donnez le sentiment que je... Oh, comment vous expliquer ?

— Essayez toujours », dis-je.

Deux petits mots, et pourtant ça marche. Pour la première fois elle me regarde dans les yeux, elle voit l'expression de mon visage. Et c'est de Mandy que nous parlons, ne l'oubliez pas. Soudain, c'est comme si une digue craquait : une cascade de phrases, assez de mots pour une semaine. On pouvait se rendre compte que tout ça avait été préparé, mais qu'elle n'arrivait pas à s'exprimer comme elle aurait voulu. Pour commencer, elle bredouillait tellement que tout ce que je distinguais, c'était un grand bric-à-brac de paroles incompréhensibles. À peine si une phrase par-ci par-là semblait avoir un sens. Mais l'important, c'était que j'avais réussi à la faire parler.

C'est à ce moment-là précisément que j'ai commencé à me sentir mieux. Je préfère cent fois une Mandy qui bafouille et qui se perd dans un flot de paroles sans queue ni tête à la même Mandy plantée en face de moi sans dire un mot. C'est beaucoup moins angoissant, je vous assure. Parce que si elle se tait, vous n'avez aucune idée de ce qui se trame dans sa tête. Tandis que maintenant, elle est lancée, et qu'a-t-elle à dire de si grave ? Rien, justement. Tout ce que je vois, c'est une fille qui se met dans tous ses états, qui me raconte qu'il lui faut une impression d'espace vital et que sais-je encore — comme si j'y pouvais quelque chose, selon elle. Si elle trouve qu'elle n'a pas assez de place, c'est à Ethel qu'elle devrait s'adresser, non ? À la fin, j'ai fait ce qu'aurait fait n'importe qui : j'ai mis fin à son supplice. En l'interrompant avant qu'elle ne s'effondre en pleurant et que nous ne soyons tous les deux complètement à bout de nerfs.

« Allons, allons, reprenez-vous, mon petit, lui ai-je dit. Pourquoi faites-vous tout un drame à propos de rien ? C'est juste un petit cadeau de la part de votre vieux Larry, rien de plus. Et puisque c'est offert de bon cœur, acceptez-le de bon cœur. »

Des mots tout à fait inoffensifs, pensez-vous sans doute, mais vous auriez dû voir l'effet produit sur Mandy. Tout à coup, fini les bredouillements. Elle me regarde droit dans les yeux. Et elle hurle !

« Petit, gros, c'est la même chose ! Vous n'arrêtez pas de me faire cadeau de ceci ou de cela. Et ça me rend folle ! Vous ne vous rendez donc pas compte que ce n'est pas normal de vous conduire ainsi ? »

Une souris qui se met à rugir ! On peut dire que ça m'a pris par surprise, qu'elle pousse brusquement à fond le volume du son. Bien sûr, j'étais complètement pris au dépourvu, mais il fallait absolument qu'un de nous deux reste calme. J'ai donc gardé mon sang-froid, je lui ai rendu son regard et j'ai dit tranquillement, peut-être un peu tristement :

« J'ai de la peine à vous suivre, petite Mandy. Qu'est-ce que ce vieux Larry a donc fait de mal ? »

Franchement, il me semble que c'était ce qu'on peut appeler une question très sensée. Parce que en somme, comment pouvait-elle y répondre autrement qu'en me faisant une petite liste de tout ce que j'ai fait pour elle depuis le premier jour où elle s'est installée dans cette maison ? Quant à ma conduite qui n'est pas normale — eh bien, c'est sûr, je suis plus attentionné que ne l'est « normalement » un voisin. Mais rendez-vous compte ! Qu'est-ce que cela veut dire d'accuser un homme de gentillesse anormale ? Il faut être complètement fou — ou complètement pervers. Oh, je le sais bien qu'il y a des tas de gens capables de vous renvoyer vos bonnes actions à la figure en ricanant. J'ai été marié à quelqu'un comme ça. Mais pas Mandy. Pas ma petite Mandy.

Et comme prévu, elle se tait et me fixe avec des yeux

grands comme les proverbiales soucoupes. Et pendant qu'elle perd pied, qu'elle cherche désespérément quelque chose à dire, je la regarde et j'attends. J'attends, patient comme un ange, qu'elle réponde à cette simple question. Mais tout au fond de moi, là où personne ne peut l'entendre, j'ai le cœur qui recommence à chanter. Déjà, je franchis mentalement les quelques mètres qui me séparent du bar pour en revenir avec deux verres de sherry, avant que nous nous installions tranquillement pour la longue et délicieuse soirée qui se profile devant nous. Vous voyez, il y a déjà quelque chose dans son regard qui n'appartient qu'à la vraie Mandy.

Mais subitement, la voilà qui fait volte-face et sort en courant.

Comme ça.

Pendant quelques secondes, je suis resté comme pétrifié. J'étais incapable de faire autre chose que regarder fixement l'endroit où elle se trouvait l'instant d'avant, trop sous le choc pour avoir une seule pensée claire. Tellement c'était inattendu, vous comprenez : elle était là, face à moi, sur le point de redevenir la Mandy que je connais bien, prête à me remercier pour mon gentil cadeau, maintenant qu'elle avait bien réfléchi, et une seconde plus tard il n'y avait plus personne. Fin de l'acte, baissez le rideau.

Mais voilà, ce n'était pas seulement la fin d'un acte. À mesure que les minutes passaient, je m'en rendais compte avec de plus en plus de clarté. Toutes les amitiés ont des hauts et des bas, mais ce n'est jamais très grave. On s'explique franchement et ensuite, tout est oublié. Mais cette amitié-là n'avait même pas encore commencé, pas véritablement. La réalité, c'était que nous ne nous connaissions pas encore assez bien pour nous payer le luxe de nous disputer. Une dispute maintenant et tout serait fini, point à la ligne. Plus de Mandy, plus de soirées pour voir la vie en rose.

Et pourtant, nous étions *destinés* à être amis, Mandy et moi ! Nous avions trop en commun pour ne pas l'être...

Et c'est à ce moment-là que j'ai vraiment commencé à paniquer. Comment pourrait-on me le reprocher, d'ailleurs ? On ne peut pas prévoir l'imprévisible, les soudaines explosions qui réduisent en poussière tous vos espoirs et toutes vos attentes. L'unique chose dont j'étais sûr, c'était qu'ils me glissaient entre les doigts, cet avenir, cette amitié. Que tout ça était fichu.

À moins que je trouve quelque chose à faire pour l'empêcher.

Et la vérité vraie, c'est que même alors que ces idées noires m'occupaient l'esprit, que tout dans ma tête n'était que chaos et confusion, je trouvais quand même moyen d'écouter, de tendre l'oreille pour percevoir le moindre son pouvant m'indiquer dans quelle pièce elle se trouvait à présent. Une petite voix me disait que tout dépendait de cela. Parce que si elle était dans sa chambre, alors c'était la fin. Je ne pouvais décemment pas aller l'y rejoindre. Mais si elle était ailleurs, n'importe où, j'avais encore une chance.

C'est à ce moment qu'une chaise a grincé sur le linoléum. Elle était dans la cuisine. C'était le signe que j'attendais. J'ai pris le radio-réveil sur la table et je me suis presque jeté en bas de l'escalier.

Arrivé devant la porte de la cuisine, je me suis arrêté un instant, j'ai respiré très profondément, puis j'ai frappé, très doucement. Pas de réponse. J'ai frappé de nouveau, mais comme elle ne répondait toujours pas, tant pis, j'ai ouvert la porte. Elle était debout près de la fenêtre, me faisant face, aussi loin du seuil que possible, et — quelle petite sotte, vraiment ! — elle pleurait. Je suis resté où j'étais, dans l'encadrement de la porte, mais en lui faisant bien voir que j'avais apporté le radio-réveil.

« Je n'étais pas sûr que vous m'ayez entendu frapper, mon petit », ai-je dit.

Puis, très gentiment :

« Je ne comprends pas du tout pourquoi vous vous êtes mise dans tous vos états tout à l'heure, vraiment pas. Je veux que vous vous sentiez heureuse dans cette maison, rien d'autre. Dans ces conditions, qu'y a-t-il de mal à ce que ce vieux Larry vous fasse un petit cadeau de temps en temps ? J'essaie seulement de vous réconforter un peu si ça ne va pas. Après tout, les amis sont là pour ça, non ? »

Là-dessus, je l'ai regardée, et cette fois j'ai bien laissé paraître ce que je ressentais — à quel point j'étais peiné, déçu, bouleversé. Je n'ai rien essayé de lui cacher.

Les quelques secondes qui suivent sont à la limite de ce que je peux supporter... et puis, soudain, toute la tension se dissipe d'un coup. Mandy pousse un soupir, un si gros soupir qu'on croirait qu'elle expire la moindre particule d'air présente dans son corps. Mon impression, c'est que dans ce soupir elle fait sortir d'elle-même toutes les pensées moroses, tous les mauvais sentiments qui l'ont forcée — il n'y a pas d'autre mot — à se comporter comme elle l'a fait. Puis elle tend la main, rien qu'un peu, et la laisse retomber comme si elle était trop lourde pour elle.

Mais je n'avais besoin de rien d'autre comme réponse. Je fais deux pas dans la pièce, je pose le radio-réveil sur la table et je ressors aussitôt. Tout ça sur la pointe des pieds. Puis je referme la porte derrière moi.

Je pense que je ne vais pas me manifester pendant deux ou trois jours, pour lui laisser le temps de se reprendre, d'y voir plus clair. Je crois bien que la pauvre petite est en train de traverser un de ses « passages à vide », comme elle dit. Mais enfin, ce qui me fait fichtrement plaisir, c'est qu'elle a la radio maintenant. Et ne venez pas me dire que ça ne va pas lui remonter le moral.

8

JE VAIS VOUS DIRE en un mot comment les choses se passent depuis ce soir-là. C'est tout simplement merveilleux. Et je n'exagère pas. Mandy et moi, nous nous entendons comme larrons en foire.

Elle vient me rendre visite presque tous les soirs maintenant. Elle a pris ses petites habitudes, et tout et tout. D'abord elle dîne, puis elle se plonge un moment dans ses livres et ses cours, après quoi, enfin, c'est le moment de monter voir son vieux Larry — qui est depuis longtemps assis à l'attendre, en comptant les minutes. En fait, si Larry avait son mot à dire, elle monterait directement chez lui dès qu'elle est rentrée. Parce que ici, elle a tout ce qu'il faut à sa disposition : de la lumière, une bonne chaleur, une magnifique télé, tout. Elle pourrait manger un morceau avec moi, puis s'installer dans un coin pour travailler à la clarté du lustre. Seulement, essayez de lui suggérer ça et elle commencera à faire sa timide en invoquant toutes sortes de raisons. C'est qu'elle est encore un peu inconstante, notre Mandy.

Mais que personne ne s'avise de lui en faire reproche devant moi. La seule chose qui me dépasse, c'est qu'il y a des soirs où il fait froid comme au pôle Nord dehors et que je sais qu'elle est là, juste au-dessous de moi, recroquevillée à coté d'un radiateur à gaz qu'elle fait à peine marcher pour économiser le peu d'argent qu'elle a. C'est dans ces moments-là qu'elle devrait être ici avec Larry, bien au chaud comme un poussin dans sa couveuse. Et qui plus est, elle ne serait pas obligée de porter ces affreux gros chandails.

Mais enfin, c'est comme ça. Vous savez comment sont les jeunes filles, n'est-ce pas ? Elles ont leurs lubies, même les plus sympathiques. La plupart du temps, de toute façon, elle est absolument adorable. Un rêve. Elle entre, et la première chose qu'elle fait, c'est d'aller dire bonsoir à Joey dans sa cage. Par un heureux hasard, la toute première fois où il s'est décidé à chanter, c'était à un moment où elle le regardait avec de grands yeux derrière les barreaux de sa cage, et maintenant elle croit que tout le mérite lui en revient. Donc, les quelques premières minutes sont consacrées à leurs petits papotages, comme si elle comprenait parfaitement tout ce qu'il lui dit et réciproquement. Au fond, c'est une grande enfant. À la fin, je suis obligé de me montrer ferme et de recouvrir la cage, sinon ils continueraient comme ça toute la nuit sans qu'une certaine autre personne ait seulement la possibilité de placer un mot.

Mais c'est quand elle vient s'asseoir avec moi, chacun à un bout du canapé, que la soirée commence vraiment. J'aimerais que quelqu'un puisse nous voir à ces moments-là, dans la lueur rouge et tremblante du radiateur, avec la télé allumée, le son réglé plus ou moins fort selon le programme. Ce serait une image dont un homme comme Harry pourrait seulement rêver, je crois. Puis nous éteignons le poste et bavardons pendant des heures, sans souci du temps qui passe.

Je dis « nous », mais je parle surtout de moi, bien sûr, parce que c'est presque toujours moi qui parle. Il faut pourtant que vous compreniez que c'est ce qu'elle préfère. Que c'est son choix. Parce qu'elle sait très bien qu'il lui suffirait d'ouvrir la bouche, et Larry serait aussitôt tout ouïe. Mais ce n'est pas dans sa nature. Vous voyez, ma petite Mandy est une de ces créatures exceptionnelles : une femme qui n'est pas seulement sur terre pour jacasser à n'en plus finir. Naturellement, ça ne veut pas dire que moi, je suis du genre à ne jamais laisser les autres en placer une. La vérité, c'est qu'il y a tout un tas de choses dont je voudrais bien qu'elle me parle. Par exemple, comment elle est allée finir à Édimbourg, ce qu'elle fait de beau quand elle est chez elle avec son père et sa mère, qui était cette personne qui lui a téléphoné. J'ai très envie de lui poser ce genre de questions — autrement dit des questions tout à fait normales, banales. Et je me dis sans cesse que je vais les lui poser, vous pouvez me croire, mais voilà : c'est le temps qui me manque. Le temps joue toujours contre vous, comme vous savez. Je regarde l'horloge au-dessus de la cheminée, et patatras ! Une bonne heure s'est écoulée sans que je la voie passer, et déjà elle se lève pour partir.

Mais vous savez quoi ? J'ai l'impression que la vraie raison pour laquelle elle parle si peu n'a rien à voir avec moi ni avec le temps. Je crois que c'est surtout une question de caractère. Elle est tout le contraire de ce genre de filles qui s'arrangent toujours pour monopoliser la conversation. D'ailleurs, je trouve que c'est sage. Je veux dire, de quoi voulez-vous qu'elle puisse parler à son âge ? Elle doit avoir vingt et un ans, vingt-trois au maximum. Alors, bien sûr, elle est encore comme une page blanche, elle a tout gardé de son innocence naturelle. Et c'est cela, justement, qui la rend si différente des autres.

Ce qui est plus difficile à faire comprendre avec des mots, c'est la *manière* qu'elle a d'écouter. Prenez les femmes comme Ethel ou Doreen. Si elles daignent se taire pour un moment, c'est seulement quand elles savent qu'un homme va dire une bêtise et qu'elles veulent lui laisser tout le temps de se ridiculiser. Leur silence a une marque de fabrique bien spéciale, de celles dont on doit surtout apprendre à se méfier. Et à côté de ça, il y a Mandy avec sa façon bien à elle de rester silencieuse. Comment vous décrire ça ? C'est comme une invite, quelque chose qui vous pousse à sortir de vos retranchements, à vous laisser aller à des confidences que normalement vous n'oseriez faire à personne au monde. Et le résultat ? Eh bien, c'est que j'ai dit à cette petite des choses que je n'avais jamais formulées auparavant.

Pour la première fois en douze longues années, Larry explique enfin sa version de l'histoire. C'est son tour maintenant, et il a à peine commencé. Et je ne mâche pas mes mots, ça non ! Quand c'est d'une femme comme Doreen que l'on parle, ça n'a aucun sens de faire semblant d'être indulgent. Si le seul fait de penser à elle suffit à me retourner les sangs, pourquoi voudriez-vous que je le cache ? Mandy, cher petit ange, se contente d'écouter. Le seul son qu'elle profère parfois est le premier que j'ai entendu sortir de sa gorge, ce petit gémissement, à la limite du soupir, qui agit comme une pommade bienfaisante sur les oreilles.

Excepté une fois. Notre seul et unique malentendu.

Je crois que c'est arrivé il y a deux jours. Nous étions assis sur le canapé, à bavarder comme d'habitude, mais cette fois j'étais encore plus enclin à me confier que d'habitude, parce qu'un peu plus tôt elle avait enregistré une cassette de moi en train de jouer de l'orgue, alors — *ecco !* comme disent les Ritals — je pouvais parler et en même temps nous faire profiter d'un beau fond sonore.

Seulement, ce soir-là, il y avait une toute petite mouche dans la pommade. Le pauvre chat n'était pas dans son état normal, c'était clair. Comment vous expliquer ? Elle était très silencieuse, oui, seulement ce n'est pas le mot qui convient puisque de toute façon elle est toujours très silencieuse. Mais pas de doute, il y avait quelque chose. Cela se voyait surtout dans sa manière de se tenir, je crois. Elle gigotait sur les coussins, comme si elle n'arrivait pas à se relaxer. Et pas moyen de se concentrer sur ce qu'on dit, quand on parle avec quelqu'un qui a l'air incapable de rester tranquille assez longtemps pour vous écouter jusqu'à la fin. Au bout d'un moment, j'ai pensé qu'elle couvait tout bonnement quelque chose, un gros rhume probablement. Ça ne m'aurait pas surpris, vu le nombre de fois où je lui ai fait remarquer qu'elle ferait mieux de monter chez moi, bien au chaud, au lieu de rester à se geler au premier. Ce dont elle avait besoin, donc, c'était de quelque chose pour enrayer la maladie avant qu'elle ne se déclare. Et je savais ce que j'allais lui proposer, la phrase était déjà sur le bout de ma langue : *« Qu'est-ce que vous diriez d'un bon grog, petite Mandy ? »* Il fallait seulement que j'arrive d'abord au bout de ce que j'étais en train de lui dire. Seulement, voyez-vous, je n'ai jamais pu le lui proposer, ce grog, parce que cette fois l'imprévisible s'est produit. Soudain, voilà Mandy qui m'interrompt.

Maintenant, avant que vous me disiez quoi que ce soit, sachez-le : je suis très conscient qu'interrompre quelqu'un au beau milieu d'une phrase n'est pas un crime — en tout cas, pas selon mon code civil personnel. Mais ce n'est pas le fait qu'elle m'ait interrompu qui m'a choqué. C'est ce qu'elle a dit. Écoutez plutôt.

« Larry, pourquoi faut-il que vous l'appeliez toujours de cette façon ?

— Qui ? De quelle façon ? » ai-je demandé.

Comme vous voyez, je n'avais pas compris où elle voulait en venir, pas encore.

« Doreen, me répond-elle, froide comme un concombre. Vous m'avez dit plusieurs fois qu'elle est partie il y a douze ans. Et pourtant, chaque fois que vous parlez d'elle, c'est toujours "ma femme" ceci et "ma femme" cela. Je veux dire, vous êtes sûrement divorcés depuis le temps, alors pourquoi ne l'appelez-vous jamais par son nom ? Ça vous rendrait peut-être les choses plus faciles. Vous comprenez, ça pourrait vous aider à... à vous débarrasser un peu de toute cette rancœur. Et peut-être qu'alors, vous vous sentiriez mieux. »

Je vous laisse le soin d'imaginer l'effet produit. Pendant quelques secondes, je suis resté comme pétrifié, à la regarder fixement. Tellement j'étais abasourdi. De quoi s'imaginait-elle que je lui avais parlé soirée après soirée ? Franchement, j'aimerais bien le savoir. De quelqu'un qui m'avait marché sur les pieds dans l'autobus ? *Ce qu'avait été ma vie,* voilà ce que je lui avais raconté ! Les humiliations, les tourments endurés, aux côtés d'une femme qui avait joué les grandes dames pendant trente-cinq ans dans le seul but de me rabaisser toujours davantage, pour ne rien dire de sa trahison finale. Ce n'est pas quelque chose dont on se « débarrasse » comme on jette une photo d'un endroit qu'on n'aime pas. C'est ce que j'ai été à deux doigts de lui dire, et sans prendre de gants. Mais à ce moment-là, une pensée m'est tombée dessus comme un éclair glacé : Mandy et moi, nous ne parlions pas le même langage.

J'ai dû me lever d'un bond, tout prêt à lui montrer la porte — en même temps, peut-être, qu'un aspect de Larry ignoré d'elle auparavant. Et ça lui aurait donné à réfléchir. Mais ensuite j'ai regardé son visage, l'expression sur son visage. Et je veux dire par là, une expression qui était Mandy toute pure. Pas besoin pour elle de prononcer le moindre mot. Elle se mordait la lèvre, et elle aurait bien voulu se mordre la langue, j'en suis sûr. Bref, elle avait compris et elle regrettait, elle regrettait de tout son cœur.

Bon, autant le reconnaître, je n'ai pas voulu être dur. Je ne l'ai pas flanquée dehors. Je me suis rassis, j'ai pris quelques secondes pour me remettre et j'ai continué comme s'il ne s'était rien passé. Ce qui a bien arrangé les choses, parce que si c'est de Doreen que vous êtes en train de parler, alors tout le monde vous semblera angélique, même Mandy après son énorme gaffe. Et puis, il y a aussi une chose dont il faut que vous vous souveniez : ce n'est encore qu'une gosse, et qui plus est une gosse qui a un cœur d'or — du moins, presque toujours. D'autre part, le fait est que cela arrive à tout le monde de faire des erreurs, même aux gens les plus intelligents. Par conséquent, il faut un peu de tolérance et de compréhension. Autrement dit, savoir pardonner et passer l'éponge.

Et je dois lui rendre cette justice : depuis cet incident, elle a été sage comme une image. Adorable.

Donc, je n'ai pas le droit de me plaindre. N'empêche que j'aurais quelques petites suggestions à lui faire si elle a envie que je sois encore plus content d'elle. La première, c'est qu'elle pourrait sûrement passer moins de temps à moisir dans sa fichue université. Elle a beau me répéter qu'il y a des cours auxquels elle est forcée d'assister, ça ne veut pas dire qu'elle doit rester sur place toute la journée. En fait, rien ne l'empêche de revenir pour déjeuner, dans cette maison, là où est sa vraie place. Mademoiselle prétend qu'entre les cours, elle a besoin de préparer les sujets et de réviser — en d'autres termes, de faire ses devoirs, et pour autant que je sache, les devoirs, c'est à la maison qu'on les fait. Alors, je vous le demande, pourquoi faire ailleurs le travail prévu pour la maison ? D'autant plus que si vous me demandez mon avis, elle travaillerait bien mieux ici, dans un cadre familier, que dans cet endroit où il y a sûrement toute une racaille qui se balade du matin au soir et où elle est forcément beaucoup plus distraite.

Mais ce qui me préoccupe vraiment, c'est qu'elle s'obstine à rentrer à n'importe quelle heure.

Bien sûr, j'ai essayé de lui dire ce que j'en pensais. Elle sait que je me fais un sang d'encre lorsque je vois qu'il est neuf heures passées et qu'elle n'est toujours pas là. Mais pour le moment, ça ne change strictement rien. C'est son côté gamine, évidemment. Trop jeune pour comprendre pourquoi j'ai des raisons de m'inquiéter. Je pourrais lui parler jusqu'à en attraper une extinction de voix des dangers qui la guettent dehors après la tombée de la nuit, mais on voit très bien comment son cerveau fonctionne : il y a une petite voix qui lui murmure qu'à elle, il ne lui arrivera jamais rien.

Je vais vous dire une chose : un de ces jours, je vais retourner tous mes tiroirs, parce que je suis sûr d'avoir rangé quelque part certaines coupures de journaux de l'époque. Les deux fois. On ne sait jamais : si elle lit tout ça elle-même, si elle comprend quelle panique a saisi le quartier (Ethel, par exemple, qui n'arrêtait pas de répéter qu'on n'était même plus en sécurité dans son lit, comme si ces assassinats s'étaient passés ici même, dans sa maison !), alors, peut-être que le déclic se fera dans son esprit.

Mais enfin, toute chose a généralement son bon côté. Et le fait est que si elle était là plus souvent, moi, je ne pourrais pas faire la moitié de ce que je fais. Je fais allusion à mes activités de ces deux dernières semaines que j'avais gardées pour la fin, parce que c'est ce dont je suis le plus fier. Je veux dire, le travail que j'abats pour elle, pour Mandy.

Non pas que la petite soit au courant, bien sûr. C'est le genre de travail dont on parlait au catéchisme il y a bien longtemps, la main gauche qui ne sait pas ce que fait la main droite. Autrement dit, Mandy n'en sait strictement rien. Pas question qu'il en aille autrement, si on pense que ma Mandy est probablement la seule fille au monde qu'on puisse vraiment gêner en se montrant attentionné. Donc, je fais ce que j'ai à faire et j'évite de l'embarrasser.

Premier devoir de la journée, donc : bien tendre l'oreille

pour entendre la porte d'entrée se refermer, puis Ethel qui fait sa ronde. Après, c'est à moi de jouer. Je commence par la cuisine. Pour moi, c'est toujours la cuisine qui pose problème. Si Ethel a tout déplacé, il n'y a guère moyen de savoir comment tout remettre en place. Mais c'est seulement une de mes tâches. Le reste n'a rien à voir avec Ethel. D'abord, vérifier les prises et m'assurer que tout est bien éteint. La pire chose qui pourrait lui arriver, ce serait de causer un incendie : nous serions tous carbonisés et elle devrait vivre avec cette culpabilité pour le restant de ses jours. Ensuite, jeter un coup d'œil à la veilleuse au-dessus de l'évier, puis inspecter le contenu du frigo. Si elle manque de quelque chose, si elle n'a plus beaucoup de lait ou de beurre par exemple, alors je sais qu'il faudra que j'en achète plus pour le mettre en réserve dans mon propre frigo, au cas où.

Ensuite, je passe dans le living-room, pour vérifier là aussi les prises et surtout m'occuper de tous les petits détails, de choses infimes auxquelles Mandy ne penserait jamais, ne serait-ce que parce qu'elle n'a plus à y penser, maintenant. Mais un de ces jours, elle se demandera peut-être pourquoi elle n'a jamais besoin de se mettre à la recherche de pièces de monnaie, d'un stylo, d'un mouchoir égarés comme cela arrive pourtant à tout le monde. L'explication, bien sûr, c'est Larry, ce vieux Larry souvent à quatre pattes, qui va les récupérer sous les fauteuils ou entre les coussins, parce que sans lui ils seraient sans doute perdus pour toujours. De petites choses en soi, mais qui s'additionnent. Si je ne le faisais plus, elle ne tarderait pas à s'apercevoir du changement.

Quand j'en ai fini, il ne me reste plus que la chambre à coucher.

Je m'y mets toujours en dernier. Vous aurez peut-être du mal à me croire maintenant, si vous repensez au choc que j'ai eu la première fois, mais c'est la pièce que je préfère. Je me suis même habitué aux trucs nègres accrochés aux murs — enfin, presque. Et je n'ai plus la bêtise de me sentir intimidé avant de pousser la porte. J'entre et je sors aussi naturellement que chez l'épicier. Parce que je sais exactement ce qu'elle dirait, si elle savait. *« Merci, Larry, merci mille fois pour tout ce que vous faites. »*

Non pas qu'il y ait grand-chose à faire quand j'y entre. À part l'épouvantable fouillis sur sa coiffeuse, il n'y a rien à redire : le lit est toujours fait, les tiroirs fermés, les chaussures bien propres et bien rangées. En d'autres termes, dix sur dix. Je ressors en me disant : « C'est bien, petite Mandy. Continue comme ça. »

Malgré tout, je ne me dispense jamais de jeter un coup d'œil. Parce qu'un de ces quatre matins, elle sera si ensommeillée ou si pressée qu'elle risque de partir en oubliant de faire le lit. Ou bien elle laissera un sèche-cheveux branché, ou sa couverture électrique — si elle en a une. En somme, elle négligera quelque chose, avec pour résultat garanti qu'Ethel lui tombera dessus toutes griffes dehors. Mais c'est ce jour-là que Larry montrera de quoi il est capable, parce que grâce à lui tout sera en ordre avant que personne ait remarqué ce qui n'allait pas. Il aura sauvé la situation. En attendant, je me contente de faire du bon travail, un bon travail qui porte en lui-même sa récompense.

Mais quand je veux m'offrir un petit moment de jubilation, je m'arrange pour rencontrer « par hasard » Ethel sur le palier du premier. Je lui dis que je suis venu réparer une prise ou changer un fusible, et bien sûr elle ne peut strictement rien objecter. Elle continue ses tournées comme toujours, en faisant comme si elle restait la surveillante en chef, mais elle a beau faire, ça ne marche plus et ça ne marchera plus jamais. Pas tant qu'il y a Larry dans les parages, parce que Larry est un vivant rappel que ces pièces sont le territoire de quelqu'un d'autre, quelqu'un qui la paie pour ça.

Vous devez vous demander comment je fais pour trouver le temps, mais vous savez ce qu'on dit toujours : si vous voulez que quelque chose soit fait et bien fait, faites appel à un homme occupé. Et le résultat ? Je vais vous le dire. C'est que finalement, la petite a droit à son intimité dans cette maison. Personne ne pénètre dans ces pièces sans son accord, personne ne vient plus fouiner en catimini dans ses affaires. Bref, sa vie privée lui appartient.

Grâce à moi.

9

ET MAINTENANT, je parie que vous vous êtes en train de vous dire que ce vieux Larry est un pauvre idiot. Ma foi, riez tant que vous voudrez, mais permettez-moi de vous préciser clairement une chose. Toutes mes idées sur Mandy, sur le fait qu'elle n'était pas sortie d'un moule pareil aux autres... Eh bien, je n'ai jamais cru que tout ça serait durable, évidemment. Et c'est vous qui êtes encore plus bêtes que moi si vous avez pensé différemment. Vous n'aviez qu'à me poser la question et je vous aurais répondu. Larry en a trop vu dans sa vie pour ne pas avoir deviné que quelque chose allait forcément arriver un jour ou l'autre, et qu'à cause de ça tout serait gâché. Mais si j'ai effectivement l'air un peu abasourdi à cette minute précise, c'est à elle qu'il faut vous en prendre. Parce que avec la comédie qu'elle m'a jouée, elle a presque réussi à m'embobiner.

Ce que je veux que vous sachiez, c'est que je n'en ai peut-être rien dit jusqu'ici, mais qu'en réalité j'avais bel et bien des doutes, et depuis longtemps. Je parle très sérieusement. Pour commencer, il n'y a qu'à voir à quel genre de gens elle a été forcée de se mêler, dans son université à la noix. Et le fait qu'elle-même avait l'air d'une fille si comme il faut a rendu cette situation dix fois plus dangereuse. Le Mal essaie toujours de s'imposer au Bien. Que voulez-vous, le monde est ainsi fait.

C'est pour ça que je ne me suis jamais tracassé en voyant

qu'elle n'invitait jamais personne ici. Simplement, je préférais penser qu'elle ne se liait pas avec n'importe qui, qu'elle était difficile dans ses amitiés. J'ajoute que très franchement, c'était un soulagement de ne pas voir la maison constamment envahie par des étrangers, sans jamais savoir ce qu'ils risquaient d'emporter au fond de leurs poches en partant. Seulement, quand j'y repense à présent, je comprends que ça n'avait rien à voir avec le fait d'être difficile ou non. Cette fille est pauvre comme un rat d'église, et il faut de l'argent pour se faire des amis. Voilà le vrai nœud du problème.

Bien sûr, une fois ou deux, elle a voulu me faire croire que ça n'avait pas toujours été comme ça, elle m'a raconté je ne sais quoi au sujet d'un groupe de camarades qu'elle avait à Édimbourg, comme si lorsqu'elle y était toute la ville faisait la queue pour la connaître. Mais pour tout vous dire, je ne suis jamais vraiment arrivé à manifester beaucoup d'intérêt quand elle abordait ce sujet. Je veux dire, elle me parlait de gens qui vivaient à des centaines de kilomètres d'ici — et de toute façon elle m'avait, moi, pas vrai ? Par conséquent, elle n'avait besoin de personne d'autre. Non, c'étaient les influences des gens qu'elle fréquentait maintenant qui me faisaient perdre le sommeil.

Et j'avais raison, comme vous voyez. Parce qu'on subit partout des influences, même dans cette maison.

Mais je ferais mieux de commencer par le commencement. Et donc de revenir une semaine en arrière, c'est-à-dire juste après la période dont j'ai parlé en disant que tout allait pour le mieux dans le meilleur des mondes. Nous étions dans mon salon, comme d'habitude, et nous nous préparions à une agréable petite conversation avant d'aller nous coucher. La soirée a commencé très normalement. J'avais mis de l'ordre dans quelques tiroirs au cours de l'après-midi, et j'étais tombé sur une vieille photo dont je ne me souvenais même plus que je l'avais encore. Vous pouvez assez bien imaginer ce que j'avais fait de toutes les autres. Bref, cette photo est posée sur la petite table devant elle au moment où elle s'assied et — j'aurais dû m'y attendre — elle la prend pour la regarder.

« Qu'est-ce que c'est que cette photo, Larry ? demande-t-elle. Vous êtes dans le groupe ?

— Petite Mandy, lui dis-je, tout surpris, je ne l'avais pas posée là pour vous la montrer. Mais puisque vous me posez la question, oui, je suis bien dessus. Avec quelques camarades. Allez-y, voyons si vous devinez où je suis parmi tous ces types. »

Elle doit choisir entre une dizaine de jeunes hommes, tous en uniforme. Alors, cela lui prend un peu de temps. Mais finalement, elle désigne un visage de son index.

« Celui-là, c'est vous », dit-elle.

Et voilà Mandy. Elle a bel et bien vu juste. Avec cinquante ans de moins, elle reconnaît quand même son vieux Larry. Quelques secondes s'écoulent, puis elle commente :

« Vraiment, Larry, on peut dire que vous étiez bel homme.

— C'est ce que beaucoup de gens me disaient en ce temps-là, mon petit. Seulement, regardez où ça m'a mené. Si j'avais été un peu moins bel homme, alors peut-être qu'il n'y aurait pas eu de Doreen. Vous voyez ce que je veux dire ? »

Pas de réponse. Elle est déjà en train d'examiner le reste de la photo. Pour la capacité d'attention, elle n'est pas toujours très à la hauteur, notre Mandy.

« Et tous les autres, Larry ? Qu'est-ce qu'ils sont devenus ?

— Tous morts, mon ange », lui dis-je.

C'était plus simple comme ça. Autrement, elle m'aurait demandé de lui raconter leur vie à tous, et vous imaginez un peu le temps que ça aurait pris. Mais l'effet produit est exactement celui qu'on pouvait espérer et prévoir.

« Oh, Larry, je suis désolée. Ce doit être terrible pour vous d'être le seul survivant. Où ont-ils été tués ? En Afrique du Nord ? »

Pas vraiment. C'est le sable qui l'a mise sur une fausse piste. La vérité, c'est que cette photo a été prise sur la plage de Bridlington, et que nous étions responsables de la cantine. Mais quand la guerre a pris fin, nous n'avions pas encore été envoyés sur le terrain. De toute façon, pas question de dire un mot, parce qu'une certaine jeune demoiselle est encore en train de parler.

« Et tous si jeunes, Larry ! C'étaient de bons amis à vous ?

— Les meilleurs amis qu'un homme ait jamais eus, ma mignonne. »

En fait, Harry est aussi sur la photo, si on regarde d'assez près. Mais ça, elle ne doit pas le savoir. Et que croyez-vous qu'il arrive ensuite ? Elle tend sa main et la pose un instant sur la mienne. Comme ça.

Vraiment, on peut dire que ce geste m'a pris par surprise. J'étais en train de chercher une phrase polie, qui ne pourrait être mal prise, quand soudain est montée vers nous la Voix d'En-bas, comme pour tout gâcher.

« Amanda ! Téléphone ! »

Le téléphone ! Vous n'allez pas me croire, mais j'avais complètement oublié d'avertir Mandy que la dernière chose à faire était de dire aux gens de l'appeler ici. Ce coup-ci, Ethel allait lui passer un drôle de savon. Seulement, de nouveau, il était trop tard pour y penser. La petite avait disparu avant même que je puisse ouvrir la bouche.

Mais cette fois, je suis décidé à garder mon calme. Elle était descendue maintenant, mais sitôt qu'elle remonterait je me chargerais de la mettre en garde. Et puis, je me suis souvenu : la dernière fois qu'elle avait reçu un coup de téléphone, elle n'avait plus reparu pendant des jours et des jours — et moi, je m'étais fait tellement de mauvais sang que j'avais failli en tomber malade.

Eh bien, cette fois, ça ne se passera pas comme ça. J'ai décidé de faire ce que j'aurais dû faire la première fois si j'avais eu un peu de bon sens : autrement dit, de la suivre au rez-de-chaussée pour l'attendre dans le vestibule. De cette façon, quand elle aurait fini de subir la mauvaise humeur d'Ethel, je serais là pour lui tenir compagnie en remontant. Ensuite, nous pourrions prendre le thé que je me préparais justement à lui proposer. Et, plus important encore, je pourrais lui dire tout ce qu'il y avait à savoir sur Ethel et ce qu'elle pensait des gens qui profitaient de son téléphone.

Donc, c'est ce que j'ai fait. J'ai quitté mon salon bien chauffé et je suis descendu à pas pesants tout en bas de l'escalier pour me placer en sentinelle près de la petite table du vestibule. C'est ça, l'amitié. Je pourrais vous en citer des centaines qui seraient remontés à toute vitesse dès qu'ils auraient senti le premier souffle glacé de cet horrible courant d'air qui se glisse par les interstices de la porte d'entrée. Mais pas moi. Simplement — et là, je pense que vous me comprendrez sans peine —, j'espérais qu'elle ne passerait pas toute la soirée pendue au téléphone. Non seulement il y avait cette saleté de courant d'air, mais Ethel risquait de me tomber dessus, comme toujours. Si elle sortait de la cuisine alors que Mandy était au téléphone, j'aurais droit à un feu roulant de questions. Autant le dire très clairement, il n'y pas de limite à la curiosité de cette femme.

Évidemment, c'était bien normal que je garde l'œil anxieusement fixé sur ce qui se passait au bout du petit couloir qui mène à la cuisine, ne sachant pas si c'était Mandy qui allait apparaître d'une seconde à l'autre ou bien Ethel. Et c'est alors que j'ai remarqué que la porte était ouverte, que je pouvais voir l'intérieur de la pièce. Ça, pour commencer, c'était très inhabituel : Ethel a coutume de barricader sa cuisine comme si c'était Fort Knox. Seulement, pour le moment, elle n'était pas là. Elle devait être occupée dans la petite arrière-cuisine, et Mandy avait laissé la porte ouverte, laissant entrer tout l'air froid — ce qui lui vaudrait un autre mauvais point, bien sûr. Mandy elle-même était invisible. Les Duck ont un téléphone mural à côté de la porte, et c'est là qu'elle se trouvait en ce moment, causant à voix basse de l'autre côté du battant. Apparemment, elle ne manquait pas de choses à dire, pour une fois. La seule personne que je voyais — et je me serais bien passé de la voir —, c'était Gilbert, assis près du feu, juste en face de moi. Dans des circonstances normales il m'aurait aperçu aussi, même s'il se plaint toujours de sa vue basse. Mais pas aujourd'hui. Parce que aujourd'hui, il était trop occupé à faire semblant de lire. Franchement, c'en était risible : il tenait son livre — *Contes et Légendes de la mer de Chine* — tout droit devant son nez, mais ce qui m'étonnait, c'est qu'il ait fait attention à le tenir dans le bon sens. Comme vous voyez, je ne me suis pas laissé prendre une seule seconde. Et que croyez-vous qu'il faisait, en réalité ? Eh bien, il se remplissait les oreilles de la conversation, naturellement ! Il n'en perdait pas un seul mot, ça, j'en étais sûr.

Et voilà. Cette pauvre fille ne pouvait même pas parler tranquillement au téléphone sans que l'un ou l'autre des Duck en profite. Et ça, c'était déjà assez déplaisant, bien sûr. Seulement, laissez-moi vous dire que ce n'était rien comparé à ce qui allait suivre.

J'ai entendu le « ping » du téléphone qu'on raccrochait, ce qui voulait dire qu'elle avait enfin terminé, et comme prévu, une seconde plus tard, elle est apparue dans mon champ de vision. L'étonnant, c'est qu'elle avait l'air absolument radieuse. On ne s'y serait guère attendu de la part d'une personne qui venait d'avoir une conversation privée sans pouvoir empêcher qu'un vieux crétin tout ouïe sous sa couverture en laine écossaise écoute tout ce qu'elle disait. On aurait aussi pu penser qu'elle se dépêcherait de repartir avant qu'Ethel jaillisse de son arrière-cuisine pour lui demander des comptes. Eh bien, non. Voilà que cette petite sotte va tout droit vers Gilbert et reste plantée devant lui pendant une bonne minute, souriant et lui parlant comme à un papa-gâteau. Il a adoré ça, bien sûr. J'aurais voulu que vous le voyiez, ce vieux singe. Il buvait du petit lait. Et c'est ça, j'imagine — le fait qu'elle se soit montrée si aimable —, qui a dû lui donner des idées. Parce que juste au moment où elle se retourne pour quitter la pièce (d'ailleurs, je vous le dis franchement, si elle était restée une minute de plus, je serais allé la chercher par la peau du cou !), à ce moment-là, donc, le livre qu'il tenait glisse des mains de Gilbert et atterrit sur le sol. Exactement aux pieds de Mandy, c'est-à-dire à un endroit beaucoup trop commode pour qu'on puisse croire qu'il ne pas l'a fait exprès — et, vive comme l'éclair, Mandy, bien élevée comme elle est, se penche pour le ramasser.

Et c'est alors que la chose se produit. Ce dont je vous avais parlé.

Il fourre sa main sous sa jupe.

Si vous aviez ne serait-ce que cligné des yeux, vous n'auriez rien vu, tellement le geste a été rapide. L'instant d'avant, il était assis, enveloppé dans une couverture, avec des coussins de tous côtés pour le soutenir, et soudain, hop ! le voilà qui fourre sa main sous la jupe de Mandy. Si je vous dis que j'étais horrifié à un point que les mots ne suffiraient même pas à exprimer, je suis sûr que vous me comprendrez facilement, mais l'effet produit sur Mandy était presque trop douloureux à voir pour que je le décrive. Elle s'est relevée d'un coup, de façon telle que son regard s'est dirigé tout droit dans ma direction, mais elle était naturellement trop choquée pour remarquer quoi que ce soit. Tout ce que je voyais, moi, c'était son visage en ce moment, avec sa bouche en forme de O parfait et ses deux joues écarlates qui s'enflammaient comme des allumettes. L'espace d'un instant, très court, j'ai bien cru qu'elle allait hurler, s'évanouir, appeler au secours — bref, faire arriver Ethel à toute allure depuis son arrière-cuisine, et avec elle la catastrophe.

À ce moment-là, j'ai su qu'il fallait absolument la mettre en garde, lui crier de se taire, lui faire comprendre qu'au moindre bruit Ethel la mettrait à la porte si vite qu'elle n'aurait même pas le temps de faire ses valises. Mais pour une raison ou pour une autre, il n'est pas sorti un seul mot de ma bouche. Le choc avait été trop violent.

Et puis, soudain, j'ai compris que mes avertissements étaient inutiles. Mandy a refermé la bouche, snap ! Comme ça. Se tenant très droite, elle a tendu son livre à Gilbert, d'un geste parfaitement poli, et pourtant sans le moindre mot ni le moindre regard. Puis, lentement, elle lui a tourné le dos, et elle a marché vers la porte et vers moi. Pour ma part, je m'étais déjà reculé pour n'être pas vu de Gilbert, et je me tenais plaqué contre le mur, dans la pénombre. N'empêche que même dans ces conditions, j'ai eu d'abord du mal à comprendre comment elle avait pu marcher tout droit devant moi sans m'adresser la parole. Mais la vérité vraie, c'est qu'elle ne m'avait même pas vu. Pourquoi ? C'est parce qu'elle riait trop, voilà pourquoi. Elle riait tellement — et en même temps elle faisait un si gros effort pour ne pas être entendue — que tout son corps en tremblait et que des larmes lui coulaient sur les joues. Et elle a ri jusqu'au bout du couloir, dans le vestibule, et elle a continué jusqu'en haut de l'escalier. Moi, pendant tout ce temps, j'étais deux pas derrière elle, la regardant, trop ahuri pour dire quoi que ce soit. Avant que j'aie retrouvé ne serait-ce qu'un semblant d'usage de la parole, elle avait disparu dans sa cuisine et refermé la porte derrière elle, me laissant planté comme un piquet sur le palier, à me demander si le monde entier était devenu fou.

Bien sûr, j'ai pensé que ce n'était rien d'autre qu'une réaction nerveuse de sa part. C'est incroyable ce que font parfois les gens, quand ils sont en état de choc. Surtout les âmes innocentes. Vous voyez ce que je vous disais tout à l'heure, au sujet du Mal qui essaie toujours de s'imposer au Bien, de le corrompre ? Au point de faire rire comme une folle une innocente jeune fille parce qu'on s'en est pris à elle de la manière la plus indécente ? Et dans cette maison, par-dessus le marché ! J'ai toujours su que Gilbert était un ignoble individu et j'aurais pu vous le dire depuis le début — mais ignoble à ce point, non, je ne le savais pas.

Vous ne serez pas surpris d'apprendre que Mandy n'est pas remontée, après ça. Moi-même, je ne l'attendais pas. Mais il faut bien l'avouer, le comportement de Gilbert m'avait mis dans un état épouvantable. Je n'arrivais pas à chasser cette image de mon esprit, sa main disparaissant sous les plis de sa jupe. Sans hésiter, tout droit entre ses... non, pas la peine d'essayer, je n'arriverai pas à le dire. Mais j'ai eu beau faire tout ce que je pouvais pour essayer de l'oublier, elle est restée dans ma tête toute la soirée, cette image. Et vous savez ce qui rendait mon tourment dix fois pire ? C'était l'idée de cette pauvre petite toute seule dans sa chambre, avec Dieu sait quelles pensées qui lui traversaient l'esprit, et personne à qui se confier. Finalement, vers onze heures, j'ai entendu le bruit de ses pas sur le palier, et je n'ai pas pu tenir un instant de plus. Même s'il n'y avait rien d'autre à faire cette nuit, il fallait que je rappelle à cette gosse qu'il restait quand même quelques individus dignes d'estime sur cette terre.

Le résultat, c'est que j'ai bien failli me cogner contre elle sur le palier. Elle sortait de sa cuisine, vêtue seulement d'un peignoir, une serviette sur le bras.

« Excusez-moi, Larry, mais mon bain va être prêt dans une seconde », a-t-elle dit tandis que nous faisions chacun un pas en arrière.

Et là-dessus, elle a fait mine de passer devant moi pour se diriger vers la salle de bains comme s'il n'était strictement rien arrivé. J'aurais voulu que vous voyiez de quelle façon elle a souri, pourtant. C'était à vous briser le cœur. Il était facile de deviner qu'elle essayait de toutes ses forces de faire bonne contenance malgré tout, qu'elle luttait pour ne rien laisser paraître de ce qu'elle ressentait vraiment. Raison de plus, m'a-t-il semblé, pour ne pas en rester là. Donc, au lieu de la laisser passer, je me suis en quelque sorte mis en travers du palier, seulement pour l'obliger à ralentir un peu et pour que nous ayons tous deux une chance de parler.

« Alors tout va bien, petite Mandy ? » ai-je demandé d'un air aussi dégagé que j'ai pu.

Et pourtant, si la lumière avait seulement été un peu plus forte, elle aurait pu voir l'anxiété inscrite sur mon visage.

« Très bien, merci », a-t-elle répondu.

Si je lui avais demandé des nouvelles du temps, elle ne se serait pas trahie davantage. Et là-dessus, elle a de nouveau essayé de passer devant moi.

Bon, il fallait que je fasse quelque chose. Je l'ai saisie par le bras, je l'ai regardée droit dans les yeux, et j'ai dit :

« Allons, arrêtez-vous un instant, petite Mandy. Écoutez donc votre vieux Larry une minute. Vous êtes sûre que vous ne me cachez rien ? Il ne s'est rien passé qui a pu vous... vous contrarier tout à l'heure ? »

Les questions directes sont toujours les meilleures. Celle-ci a aussitôt effacé le sourire sur son visage. Et pourtant, elle a continué de ne rien dire, regardant seulement son bras à l'endroit où je le tenais, comme si le contact de ma main l'avait rendu différent. Puis son visage s'est éclairé, et une seconde après elle était de nouveau tout sourire.

« Oh, je vois. Vous parlez de ce coup de téléphone. Vous avez cru que c'étaient de mauvaises nouvelles ? Sincèrement, je ne comprends pas pourquoi il faut toujours que vous vous inquiétiez, Larry. C'étaient de bonnes nouvelles au contraire, les meilleures que j'aie reçues depuis très longtemps. Vous vous souvenez de ce groupe de camarades dont je vous ai parlé une fois ? D'une personne en particulier, que je voyais tout le temps à Édimbourg ? »

Elle ne m'a même pas laissé le temps de faire un signe affirmatif de la tête — ou négatif, d'ailleurs.

« Eh bien, le week-end prochain, j'aurai de la visite. Dans quatre jours seulement. Je sais que ce n'est pas long, mais si vous saviez comme je suis impatiente !

— Ah oui ? » ai-je dit.

Après ça, je n'ai plus trouvé la moindre chose à dire. Excepté, au bout d'un instant :

« Mais... un si long voyage rien que pour la journée ? »

Je n'avais pas cherché à faire une plaisanterie, donc je ne vois pas pourquoi elle avait besoin de rire comme ça. Et pourtant, elle riait.

« Six cents kilomètres rien que pour la journée ? Oh, Larry, bien sûr que non ! Qu'est-ce qui a pu vous faire croire ça ? Ce sera pour tout le week-end, de vendredi à dimanche. Ça n'en vaudrait pas la peine autrement, vous ne trouvez pas ?

— Non, ai-je répondu d'une voix faible. Non, naturellement. »

Et c'est alors que mon cœur s'est mis à saigner pour la pauvre petite, quand bien même elle riait.

« Mandy, mon petit, ai-je fini par dire, je suis terriblement désolé de devoir vous expliquer ça, mais vous savez, Ethel n'acceptera jamais. En tout cas, pas si votre amie a l'intention de dormir ici. Elle trouve que c'est contre les règles, voilà tout. Et si vous ne l'aviez pas deviné, eh bien, cela montre que vous avez encore beaucoup à apprendre. Je me souviens que... »

Elle ne me laisse même pas finir.

« Ne vous tracassez pas, Larry. Vous savez, j'en ai déjà touché un mot à Mr. Duck. Il dit qu'il n'y aura aucun problème. Il va en parler à Mrs. Duck. Mais il m'a assuré qu'elle n'y verrait aucun inconvénient. Vous voyez, il n'y a aucune raison de s'en faire. »

Et là-dessus, elle dégage son bras d'une petite secousse et me passe devant pour entrer dans la salle de bains. Puis elle referme la porte derrière elle. Quelques secondes plus tard, on entend le chauffe-eau exploser avec ce genre de fracas qui aurait fait fuir toutes les précédentes locataires. Mais pas Mandy.

En résumé, elle m'avait envoyé promener. Elle m'avait jeté en pleine figure toute ma compassion et mon inquiétude. Et pourtant, croyez-le ou ne le croyez pas, même à ce moment-là je n'ai pas pu cesser de me faire du souci pour elle. Et l'instant d'après, j'étais devant la porte de la salle de bains, le visage pressé contre le verre dépoli, tentant de me faire entendre par-dessus les vrombissements et les chuintements provenant de l'intérieur.

« Mandy, mon petit, faites bien attention avec ce chauffe-eau, ai-je dit. Si jamais il vous joue des tours, appelez-moi. Ou si vous voulez, je peux même attendre ici... »

Mais pas de réponse. Je suppose qu'il y avait trop de bruit dans la salle de bains pour qu'elle se rende compte que je n'étais pas parti. Mais au rez-de-chaussée, la porte de la cuisine s'est ouverte, et j'ai perçu cet étrange silence qui se met à régner sur la maison quand Ethel est là, qui rôde, désireuse de savoir tout ce qui se passe. Maintenant que j'y pense, j'aurais pu lui apprendre une chose ou deux.

*

Et si vous pensez que j'en avais déjà suffisamment pris pour mon grade, eh bien ! détrompez-vous et attendez la suite. Parce que c'est ensuite que la gangrène s'est vraiment installée. Car après, rien n'a plus jamais été pareil entre nous. Et ce n'est pas seulement de ce vieux dégoûtant de Gilbert que je parle.

Non, le problème, c'était elle. Mandy. Pas la peine de tourner autour du pot. C'est elle qui m'a fait faire un sang d'encre. Seulement, comment arriverai-je à expliquer ce que personne d'autre ne pourrait comprendre ? Il aurait fallu que vous la connaissiez comme je la connais. Parce qu'à la voir dans les jours qui ont suivi — les yeux brillants, tout sourires pour tout le monde, sans jamais un seul signe de mauvaise humeur... Vous devez penser que cela aurait dû faire chaud au cœur de la voir si gaie. Mais ce qu'il faut que vous compreniez, c'est qu'il y a une différence entre la gaieté contrôlée et l'état dans lequel moi, je la voyais. Ça n'était pas naturel. Elle ne pouvait pas rester tranquille plus de cinq minutes. Si je la faisais asseoir, elle se relevait presque tout de suite en cherchant une excuse pour s'en aller. Mercredi soir par exemple, je me demande vraiment pourquoi elle a pris la peine de venir. Elle venait juste d'entrer qu'elle était déjà repartie, en marmonnant je ne sais quoi au sujet de tout le travail qu'elle avait l'intention d'abattre pour être libre pendant le week-end.

Bien sûr, la raison de tout cela, c'était Le Week-End. Si vous aviez vu comme elle se comportait, vous auriez eu l'impression que Noël et son anniversaire s'étaient donné rendez-vous le même jour. Et je n'ai pas tardé à y penser tout le temps moi aussi, mais pas de la même façon. Dès le début, j'aurais voulu que ce fichu week-end n'arrive jamais. Je souffrais pour une moitié de voir la petite se conduire d'une façon qui n'était pas normale, et pour l'autre moitié d'inquiétude. Vous comprenez, elle n'a pas encore vécu assez longtemps pour savoir ce que Larry a découvert il y a un demi-siècle : à savoir que plus on s'emballe à la perspective de quelque chose, plus dure est la déception qui vous attend.

Et puis, je n'ai pas pu empêcher une autre pensée de me traverser l'esprit en la voyant rentrer hier soir — jeudi — et monter péniblement l'escalier avec dans chaque main un gros sac bourré de choses qu'elle avait achetées : elle ne s'était jamais donné tout ce mal pour personne d'autre. Il y avait même une certaine personne de ma connaissance à qui elle n'avait jamais offert ne serait-ce qu'un biscuit. Or, voilà que cette amie qui débarquait allait être traitée comme une princesse, à ce qu'il semblait.

Mais c'était surtout à elle que je pensais. Mon souci permanent, c'était que l'amie en question pouvait se décommander au dernier moment, et ce qu'il faudrait que je fasse pour la consoler si cela se produisait. Mais ce matin, vendredi, j'ai compris qu'il fallait considérer les choses autrement. Maintenant que le grand jour était arrivé et que visiblement rien n'avait été annulé, j'ai estimé qu'il était peut-être temps d'accorder à cette amie le bénéfice du doute. En d'autres termes, qu'il fallait maintenant penser que nous serions trois et non plus deux. Ensuite, ça ne m'a demandé qu'un petit effort de regarder le bon côté de la situation. Si cette amie — qui après tout était une amie de Mandy — se révélait ne serait-ce qu'à moitié aussi charmante que Mandy elle-même, il y avait de bonnes chances pour que nous nous entendions comme larrons en foire, tous les trois.

C'est pourquoi, juste avant le déjeuner, je suis sorti et j'ai fait quelques courses pour nous trois. Au cas où.

*

Seulement, que dit le proverbe ? *Il n'y a pas plus fou qu'un vieux fou,* c'est bien ça ?

En rentrant, je crois que j'étais encore plus chargé que Mandy hier soir. Mon cabas était tellement rempli que je n'aurais pas pu y glisser une boîte d'allumettes. Bourré de tout ce qui plaît à ces gamines : de l'Angel Delight (plusieurs parfums), des Gypsy Creams, des French Fancies, des Viennese Whirls[1]... Enfin, de tout. Ce n'est pas que Mandy soit facile à tenter quand elle est toute seule : en fait, j'ai souvent du mal à lui faire accepter une simple tasse de thé. Mais j'ai pensé que dès qu'elle verrait son amie se régaler, il y avait toutes les chances pour qu'elle ait envie d'en faire autant.

Donc, j'avais fait ce que j'avais à faire, jusqu'à un certain point. Mais je n'avais pas eu le temps de descendre pour ma petite tournée d'inspection ce matin, alors

1. Noms de diverses friandises qu'on trouve en Grande-Bretagne et qui sont surtout appréciées des enfants *(N.d.T.)*.

qu'Ethel avait dû venir fouiner, évidemment. Aussi, je suis descendu tout de suite au premier pour voir s'il y avait des choses à remettre en place comme d'habitude. Et immédiatement j'ai été frappé. Il y avait des fleurs partout, des brassées de fleurs, arrangées dans des cruches et des potiches présentes dans toutes les pièces. Ne me demandez pas combien, ni quelle sorte de fleurs ; mais demandez-vous plutôt combien de fois elle aurait pu prendre le bus jusqu'à son université avec l'argent qu'elle avait dû dépenser.

Ce que je sais en tout cas, c'est que dès l'instant où je les ai vues, tandis qu'une bouffée de leur parfum m'a sauté au visage, j'ai commencé à me sentir mal à l'aise. C'était... Comment dire ? Cela ressemblait si peu à Mandy !

Mais il n'y avait pas que les fleurs. Les étagères dans le placard de la cuisine croulaient sous la nourriture, y compris un tas de choses que je ne me souvenais même pas d'avoir vues dans les magasins. Des anchois, par exemple ! Que voulez-vous que deux filles de cet âge fassent avec des anchois ?

Ensuite, j'ai eu l'impression que la journée ne finirait jamais. Je ne me souviens pas d'avoir vécu une journée pareille. Et comme si ça ne suffisait pas, Mandy semblait avoir oublié de rentrer. Tout ce que je pouvais faire, c'était rester assis à regarder la pendule, en attendant que quelque chose se passe.

Finalement, à dix heures pile, j'ai entendu le bruit de la porte d'entrée qu'on refermait. Du reste, ç'aurait été difficile de ne pas l'entendre. Une grande rafale de vent a dû arracher la poignée de la main de celle des deux qui l'ouvrait et la reclaquer ensuite, avec un fracas qui a ébranlé toute la maison. Non pas que cela m'ait gêné : j'étais trop heureux de les pardonner de m'avoir fait sursauter, maintenant que la longue attente était terminée.

Et puis il y a eu la voix de Mandy dans le vestibule, mais on ne pouvait pas dire qu'elle parlait : elle jacassait comme une pie, prononçant une demi-douzaine de mots à la seconde, et pourtant chacun de ces mots était clairement perceptible deux étages au-dessus. Et c'est la première chose qui m'a frappé. La Mandy qui venait de rentrer n'était pas celle que je connais, celle qui passe d'une pièce à l'autre sur la pointe des pieds comme si elle avait peur de déranger les souris. C'était une Mandy absolument différente.

Il aurait fallu que vous l'entendiez : alors, vous auriez compris pourquoi j'ai été tellement ahuri que je n'ai pas pu faire un mouvement, pourquoi je suis resté assis sur ma chaise de cuisine en me cramponnant au bord de l'évier, à me demander comment il fallait que je réagisse. Voyez-vous, mon intention avait été de descendre dès que je les entendrais, l'air de rien, de me présenter sur le palier et d'épargner à Mandy l'embarras de devoir s'en charger. Mais brusquement, je sentais bien que je ne pouvais plus le faire — pas avec une Mandy que je ne connaissais pas.

Et puis, soulagement bienheureux, elle a cessé son bavardage. Peut-être qu'elle était à bout de souffle, ou peut-être même — et là, c'était une pensée qui avait de quoi me réjouir plus que je ne puis dire ! — la crise était-elle finie. Elle s'était calmée. Terminée, la surexcitation. Auquel cas, je pouvais descendre et saluer la visiteuse, les inviter toutes les deux à profiter de mon salon bien chaud, ou même leur offrir une tasse de chocolat puisqu'il était tard et que la nuit était froide...

Et c'est alors que c'est arrivé.

Une autre voix a répondu à celle de Mandy au bout d'un instant. Une voix qui n'a pas prononcé grand-chose, cinq ou six mots peut-être. Mais c'était assez pour mettre le monde sens dessus dessous.

Vous comprenez, c'était une voix *d'homme* !

Cela ne valait pas la peine d'essayer de réfléchir. Réfléchir était bien la dernière chose dont j'étais capable.

« Mandy ! ai-je crié. Mandy, mon petit, c'est vous qui êtes là ? Vous n'avez pas de mal ? »

Les mots étaient sortis de ma bouche avant que j'aie eu le temps de les réprimer. À l'étage au-dessous, tout est alors devenu silencieux. Puis la voix de Mandy s'est élevée vers moi, comme flottante, mal à l'aise comme vous pouvez l'imaginer, si basse qu'elle en était à peine audible, et pourtant claire comme le cristal.

« Bien sûr, Larry, c'est moi qui suis là. Qui croyiez-vous que c'était ? »

Et même ces simples mots m'ont causé un petit choc. Parce que, voyez-vous, c'était exactement ce que Doreen avait coutume de faire : répondre à une question par une autre question. Vous renvoyer vos paroles à la figure. À ce jeu-là, pas moyen de gagner.

Et elle le sait bien. Une seconde plus tard sa voix s'élève de nouveau, mais plus forte cette fois.

« Larry, mon ami dont je vous ai parlé est arrivé. Avez-vous envie de descendre pour que je vous présente ? »

Si j'en avais « envie » ? La réponse à cela était bien sûr un « non » absolu, clair et définitif. Larry s'était préparé à faire la connaissance d'une jeune fille, il avait attendu toute la journée le moment de lui souhaiter la bienvenue pour faire plaisir à Mandy. Une fille, pas un homme ! Pas un seul instant je n'avais pensé à un homme.

Mais que pouvais-je faire ? Je me suis agrippé à la rampe, j'ai dit adieu au bon vieux temps et, me sentant tout à coup épuisé, je suis descendu lentement au premier.

10

D'ABORD, tout ce que je vois, c'est Mandy. Pour la simple raison qu'il m'est impossible d'en détacher mes yeux. J'avais déjà eu l'occasion de constater chez elle certains changements d'humeur — des éclairs de colère qui lui enflammaient les joues, et les mêmes rougissements lorsqu'elle était très excitée —, mais cela ne durait jamais. Un mot bien choisi, et cette rougeur contre-nature disparaissait : elle redevenait la douce, pâle Mandy. Mais pas cette fois-ci. Même dans cette maigre lumière, on pouvait voir que cette couleur n'était pas momentanément sur ses joues. La peau de son visage était rose vif comme celle d'un enfant qui revient de l'école après avoir couru tout le long du chemin — exactement de la même couleur que la figure de Doreen lorsqu'elle avait passé la soirée dehors, me racontant au retour qu'elle était allée voir sa cousine (l'ennui, c'est que la cousine n'en savait rien !). Et il y a quelque chose de tout aussi déplaisant dans ses yeux, encore tout brillants à cause du froid du dehors et des gaz d'échappement, mais aussi d'autre chose. Pour la première fois, vous auriez pu vous représenter des hommes l'observant dans la rue. Seulement, je sais bien ce que je leur dirais à ces hommes. Je leur dirais : passez votre chemin. Parce que je sais bien ce qui se cache derrière des yeux comme ceux-là, un visage enflammé comme celui-là. Je sais en particulier que justement, il vaut beaucoup mieux ne pas regarder. Et pourtant, en ce moment, il faut bien que je regarde, moi, au cas où elle serait encore là, quelque part, Mandy, ma douce enfant au teint pâle.

Et puis elle me sourit, et je comprends aussitôt que non, elle n'est plus là. Ma Mandy à moi n'a jamais l'air moqueur quand elle sourit.

Voilà pourquoi c'est presque un soulagement de regarder ce qui se passe derrière elle, de voir qui est là. Comme si un étranger pouvait être plus étranger que la fille qui se tient debout à l'endroit où devrait se trouver Mandy. D'autre part, il ne faut pas oublier qu'il ne s'était guère écoulé plus d'une minute depuis que le monde avait commencé à tourner la tête en bas, et pourtant j'étais déjà presque arrivé à me faire à cette idée. Je savais à quoi m'attendre : un garçon de son âge, un gamin comme elle.

Ce n'était qu'une faible certitude — je ne me l'étais même pas formulée en mots — mais d'une certaine façon c'était réconfortant. Je veux dire, le seul fait de savoir à quoi s'attendre au milieu de tout ce chaos. Et au moins, je savais où elle avait déniché tous ces gros chandails.

En fait, cette certitude n'a servi qu'à rendre les choses encore plus pénibles quand j'ai vu qui était vraiment là.

Ce n'était pas un gamin comme elle. Debout, un peu en retrait, se tenait un homme — j'ai bien dit *un homme.* Ce que j'entends par là, c'est qu'il avait au bas mot quarante ans, probablement plus.

« Larry, je vous présente Francis, a dit Mandy. Francis, voici Larry. »

Je ne lui ai pas tendu la main. Je n'avais pas de raison de le faire, il me semble. D'ailleurs, lui non plus n'a pas fait un mouvement dans ma direction. Et de toute façon j'étais trop occupé à l'examiner. À me faire de lui une idée exacte. Mais je ne perçois que ce qui est absolument évident : qu'il est grand et brun, avec beaucoup de cheveux. Ses vrais cheveux.

Pourtant, j'ai quand même des oreilles pour entendre. Et dans une situation de crise, elles peuvent souvent vous en apprendre plus que les yeux. Donc, rien ne m'échappe lorsqu'il lance un regard vers moi et prononce :

« Ah ! Vous êtes donc le célèbre Larry. Amanda m'a beaucoup parlé de vous. »

Il me fait l'impression d'un type qui vient de soulever une grosse pierre et de découvrir des insectes bizarres en dessous. Et pour accentuer cette impression, il y a sa voix. Un drôle d'accent, genre officier de carrière. Même s'il est facile de deviner qu'il ne sait pas ce que c'est que l'armée.

Je présume que Mandy attend que je dise quelque chose, mais elle peut attendre longtemps. Je suis toujours trop concentré sur cette voix, à essayer de saisir ce qu'il y a derrière, et derrière ce qui peut — c'est du moins ce que je suppose — passer pour un physique avantageux : en somme, de comprendre à qui j'ai affaire. Et petit à petit, ça vient. Je commence à assembler des éléments, à le cerner. Ses yeux sont trop rapprochés, son nez trop long. Quand j'ai dit qu'il était brun, j'étais en dessous de la vérité. Il se pourrait même qu'il ait du sang étranger dans les veines. De plus, la veste en tweed qu'il a sur le dos met peut-être habilement ses épaules en valeur, mais je me rends compte qu'il n'a pas une once de vrais muscles. Et ce que je peux déjà vous dire, c'est que Doreen n'aurait pas du tout été séduite, en tout cas sûrement pas après la première impression.

Mais ce qu'on ne peut pas ne pas remarquer, c'est à quel point il est sûr de lui. L'air de ne douter de rien. Ils sont tous comme ça, les types comme lui. Il sait très bien que je suis en train de l'observer, mais il s'en contrefiche. Il m'a salué, et maintenant il fait exactement comme si je n'étais pas là — ce que font toujours les gens de sa catégorie. Je veux dire, les gens de la haute. Et si c'était quelqu'un comme vous et moi, vous diriez qu'il m'ignore purement et simplement. Quoi qu'il en soit, il ne peut pas s'en aller tant que je suis là et que je lui barre le passage, sans broncher en même temps que je le regarde, que je le regarde tant et plus, bien décidé à ne pas cesser de le scruter avant d'avoir repéré quelque chose de précis à son sujet.

Cela prend un certain temps, bien sûr. À côté de moi, Mandy toussote et a l'air de se demander quand je vais m'écarter pour les laisser passer. Mais ça ne sert à rien, parce que je sens que je suis sur le point de trouver ce que je cherche.

Et brusquement, j'y suis. En fait, c'était quelque chose qui me crevait les yeux depuis le début : il suffisait de voir ses épaulettes impeccables et sa chemise parfaitement repassée.

Il est marié.

Rien n'aurait pu m'apporter une satisfaction plus grande. Soudain, j'ai la sensation que je pourrais presque lui rire au nez, parce que cela le rabaisse à sa juste place. C'est assez pour que je me sente tout ragaillardi. Ensuite, c'est presque un plaisir de faire un pas en arrière pour lui laisser le passage, car maintenant je sais très bien à quel genre d'individu j'ai affaire. Et qui plus est, je suis presque sûr qu'il s'en est rendu compte : à peine me suis-je écarté qu'il se jette vers la porte du living-room, poussant Mandy devant lui. Et moi, je les laisse faire, totalement réconforté à présent que je peux le juger à sa juste mesure. Mais la porte se referme, et cette intense satisfaction d'un instant se dissipe aussitôt. Parce que s'il est marié, que doit-on penser de Mandy ?

Un quart d'heure passe, et je les entends redescendre l'escalier. Impossible de ne pas reconnaître le bruit de leurs pas. Il l'emmenait quelque part pour dîner — à une heure pareille ! Mais il est clair qu'un type comme lui est du genre à empêcher les restaurateurs de fermer à l'heure normale. Et on peut parfaitement imaginer le style d'endroit où ils allaient. Quelque part où les serveurs vous regardent de haut en bas et vous demandent de goûter le vin, juste pour voir la figure que vous ferez. Mais pas avec lui. Ils seraient aux petits soins pour lui. Parce que c'est le genre de client qu'on chouchoute.

Oh, oui, il était facile de s'imaginer comment les choses se passeraient. Des « bonsoir monsieur » à n'en plus finir, et puis les apéritifs, les hors-d'œuvre, un grand vin, un rôti saignant, un dessert français, chocolats à la menthe et Cointreau pour finir. Et une fois bue la dernière petite goutte, un taxi pour rentrer, et ensuite... Eh bien, ensuite, quoi, à votre avis ?

De ma fenêtre, je les ai regardés marcher un moment sur le trottoir. D'ici, dans l'obscurité, elle ressemblait de nouveau à la Mandy que je connaissais, à une fillette sortant au bras de son père pour une petite promenade du soir. Puis, brusquement, au bout de la rue, elle s'est arrêtée et elle lui a lancé ses bras autour du cou, et leurs visages se sont rencontrés, mélangés presque. Plus question alors d'imaginer qu'elle était avec son père. Les pères se font arrêter par la police pour moins que ça.

*

Vous n'allez pas me croire, mais après tout cela je ne les ai même pas entendus rentrer. Je dormais. Oh, bien sûr, j'avais l'intention de guetter leur retour, et quand j'ai fini par me mettre au lit, l'idée de chercher le sommeil était bien la dernière qui m'aurait traversé l'esprit. Parce qu'il y avait un fait bien précis dont je tenais absolument à avoir la confirmation, et je savais que je ne l'aurais que si je restais éveillé. Mais peut-être que cela se passe toujours ainsi quand on veut savoir quelque chose d'une telle importance : votre cerveau vous joue des tours et vous précipite dans le sommeil avant que vous ayez le temps de vous en apercevoir. Sans oublier, bien sûr, que les événements de la soirée m'avaient terriblement secoué. On est forcément épuisé après de tels chocs.

Résultat : je m'endors comme une bûche au bout de quelques minutes, et qui voilà ? Doreen. Elle est debout devant un miroir en train de nouer un foulard autour de son cou. Du rouge à lèvres orange, et une bouche qui répète : *Je te l'avais dit, je te l'avais dit.* Ah, les femmes et leur bouche ! Il y a des choses qui ne changent jamais, quoi que vous fassiez. En tout cas, elle aurait dû au moins me préparer à mon réveil, m'avertir comme d'habitude de tous les désagréments qui m'attendaient. Mais non. Il est vrai que rien ni personne n'aurait pu me préparer à ça.

D'abord, j'ai cru que je rêvais encore, ou que je m'étais réveillé dans un endroit inconnu. Deux voix me parvenaient qui se parlaient bruyamment. Sa voix à elle, sa voix à lui, et sans le moindre effort pour baisser le volume du son, sans vous laisser échapper ne serait-ce qu'une seconde à cette réalité : il y avait un étranger dans la maison. Non, deux étrangers. Et ce n'était pas du tout un rêve.

Qui plus est, comme je m'étais endormi, je n'avais pas eu la réponse à ma question.

La vérité vraie, c'est que maintenant, douze heures plus tard, mon état de choc ne s'était pas dissipé. Il m'a fallu attendre qu'ils ressortent — clamant qu'ils allaient visiter une galerie de peinture à l'autre bout de la ville, comme si ça pouvait nous intéresser — pour que des émotions plus définies m'envahissent. Le chagrin, la colère, la désillusion. En un mot, la déception. On pouvait envisager ce qui était arrivé de toutes les façons, rien n'y changeait : la réalité était aveuglante quel que soit l'angle sous lequel on la regardait. Mandy avait menti. Ni plus, ni moins. Elle m'avait mené en bateau, elle nous avait tous menés en bateau pendant des jours et des jours en nous parlant sans fin de son « amie », mais en oubliant de préciser que l'amie en question était un homme. Cela ne changeait rien qu'elle n'ait pas non plus prétendu le contraire : on peut mentir par omission tout aussi bien que par d'autres moyens. Demandez à n'importe quelle femme ! Et c'est ce qu'elle avait fait. Elle avait menti. Menti à son vieux Larry.

En somme, s'il n'y avait pas eu cette seule question à laquelle je n'avais toujours pas de réponse, tout aurait été simple. J'aurais pu me dire qu'elle avait menti, oui, mais parce qu'on l'y avait poussée et qu'au fond elle était toujours la même Mandy. Et qu'on pouvait faire confiance à ce vieux Larry pour s'en assurer.

Seulement, une fois de plus, j'avais oublié comment certaines autres personnes seraient enclines à réagir. Et lorsque cette réalité-là m'a été rappelée, cela m'a fait l'effet d'une autre explosion, moins violente, mais plus proche.

« Mr. Mann ? Ouh-ouh, Mr. Mann, vous êtes là ? »

Ethel. Oui, c'est la vérité, dans toute cette histoire j'avais complètement oublié Ethel. Je sens au-dessus de mon estomac mon cœur qui se soulève dans un grand bond. Qui aurait pu croire que le seul son de la voix d'Ethel était capable de brusquement apporter à un homme un si grand réconfort ? C'est pourtant ce qui s'est passé, parce que tout s'en est trouvé changé. Comme si Ethel était susceptible d'admettre la présence d'un homme dans cette maison, ne serait-ce que pour une heure ! Alors, une nuit entière ? Cette seule idée était tout simplement risible. Je ne pouvais pas douter une seconde de la raison pour laquelle elle m'appelait : elle voulait le flanquer dehors, et tout de suite. Seulement, elle avait besoin de quelqu'un pour l'aider — au cas où les choses tourneraient mal. Le moment était venu de prendre les mesures nécessaires, peut-être même de faire venir la police, par simple précaution...

« Je suis à vous dans deux minutes, Mrs. Duck », ai-je répondu en élevant très fort la voix.

Il fallait qu'elle sache qu'il y avait quelqu'un sur qui elle pouvait compter. Elle en avait pleinement le droit. Pour la première fois de sa vie peut-être, il n'y avait absolument rien à redire dans sa manière d'agir. Et pour la première fois de la matinée, il devait y avoir quelque chose qui ressemblait à un sourire sur mon visage.

C'est pendant que je descendais l'escalier que j'ai pris conscience du véritable enjeu. Le flanquer à la porte, lui ? Parfait, et le plus tôt serait le mieux. *Mais Mandy ?* C'était elle qui était à l'origine de tout, elle qui avait enfreint la Loi suprême d'Ethel Duck et de toutes les logeuses de la vieille école. Jamais d'Homme dans la Maison. En aucune circonstance et sous aucun prétexte.

Seulement, cet homme-là ne constituait pas un problème, pas vraiment. Tout ce qu'il lui suffisait de faire était de verrouiller la porte d'entrée, et il ne pourrait plus mettre un pied dans la maison. Non : si elle avait besoin de mon aide, c'était pour autre chose. L'âge avait finalement eu raison de ses forces. Il était fini, le bon vieux temps où elle pouvait transporter toute seule une valise après l'autre et les abandonner sur le trottoir. Elle avait besoin d'aide pour y parvenir. En d'autres termes, c'était Mandy qu'elle voulait flanquer dehors.

Et c'est alors — comme pour embrouiller encore la situation — que quelque chose me traverse l'esprit. Moins une pensée qu'un visage : celui de Mandy, tel qu'il est habituellement, quand *lui* n'est pas là. Le visage de Mandy tourné vers votre serviteur, de Mandy attentive à chaque mot. Je connais désormais ce visage aussi bien que le mien, comme je connais la personne qui me le montre. Brusquement, il n'en faut pas plus — l'image, le temps d'un éclair, de ces traits si doux — pour que j'y voie clair à nouveau. Il se peut que ma Mandy ne soit pas toujours très sage, qu'elle raconte de petits mensonges en s'imaginant que tout le monde s'y laisse prendre, mais ce n'est pas le genre de fille capable de ramener un homme chez elle dans le but de faire... ce qu'Ethel s'était mis en tête qu'elle avait fait. Évidemment non. Pas ma petite Mandy.

Non, pas ma petite Mandy.

Alors, il n'était que normal de lui donner une seconde chance. De faire preuve d'indulgence. Oh, pas question d'envisager qu'elle s'en tire comme s'il ne s'était rien passé, bien sûr. Mais enfin, quelques mots bien sentis seraient suffisants — quitte à lui tirer quelques larmes, peut-être, ce qui prouverait qu'elle aurait compris la gravité de sa faute. Mais après ça, on pourrait passer l'éponge et tout pourrait repartir de zéro.

Seulement, il fallait quelqu'un pour en convaincre Ethel.

Ethel. Il fallait toujours qu'elle soit au cœur du problème. Ce n'est pas une mince affaire que tâcher de persuader une femme comme Ethel Duck de modifier les réflexes de toute une vie. Parce que les femmes sont comme ça : elles se complaisent à penser pis que pendre de leurs pareilles. Et neuf fois sur dix, on s'aperçoit qu'elles ont raison — sauf dans le cas de ma mère, pour qui on peut dire que c'était dix fois sur dix. Elle a été tout de suite capable de lire en Doreen comme dans un livre, et il faut remercier la Providence qu'elle n'ait pas vécu assez longtemps pour voir ses prévisions se réaliser. Mais c'est Ethel qu'il s'agit d'affronter maintenant. Cette seule pensée suffirait à faire remonter l'escalier quatre à quatre à n'importe quel homme. Mais pas à Larry. Surtout pas quand le visage de Mandy est là, devant lui, pour éclairer chaque pas de son chemin.

En bas de l'escalier, Ethel sourit.

Dans cette circonstance, je trouve ça plutôt bizarre, mais pas question de me laisser distraire par des détails, alors que je dois préparer soigneusement ce que je vais dire. Je dois former dans ma tête les phrases à prononcer, prévoir leur succession, les peaufiner pour qu'elles soient toutes prêtes à être lancées à l'assaut de la forteresse, aussi nourri que soit le feu ennemi. Et — le plus important — choisir le bon moment pour déclencher l'attaque.

Dans la cuisine, Gilbert agite la main (et nous savons vous et moi où elle est allée se promener, cette main), tandis qu'Ethel croise les bras sur son tablier. Pendant quelques secondes, nul ne prononce une parole. La tentation, bien sûr, c'est de laisser tomber toute prudence et de lancer tout de suite une pluie d'obus.

« ... C'est seulement parce qu'elle est jeune, Mrs. Duck. Il ne faut pas chercher plus loin. Tout ce qu'il lui faut maintenant, c'est qu'on lui donne une seconde chance... Nous avons tous fait nos petites incartades à cet âge... »

Mais c'est quand même la volonté qui a le dessus, et j'arrive à me retenir d'ouvrir le feu. Finalement, c'est Ethel qui parle la première.

« Nous avons besoin de quelques minutes de votre temps, Mr. Mann... »

Je hoche la tête en signe d'accord. Mais les mots continuent à s'attrouper dans ma tête, et je sens qu'ils menacent de partir dans toutes les directions si jamais j'ouvre la bouche.

« Une simple erreur de gamine. Ça ne fait pas de doute. Tout ce dont elle aurait besoin, c'est d'une main maternelle pour la guider...

— Vous comprenez facilement qu'à nos âges, nous avons de temps en temps besoin d'une autre paire de bras pour faire certaines choses.

— *Bien sûr, vous avez raison. Il vous faut de l'aide. Et ce qu'elle a fait n'est pas bien, cela, je ne vais pas le nier...*

— Regardez seulement. C'est surtout à cause du cadre. Il est tellement lourd !

— *Mais je lui parlerai. Sans mâcher mes mots, vous*

pouvez compter sur moi. Comme ça, d'ici une semaine, nous pourrons considérer que tout est oublié.

— Évidemment, pas moyen que nous y arrivions tout seuls, surtout avec Mr. Duck dans son état. Mais comme vous voyez vous-même, il faut absolument le décrocher. Il y a trop longtemps qu'il n'a pas bougé de là, et avec toute la poussière qui rentre...

— *Une âme sage doit savoir pardonner...*

— Donc, ce qu'il nous faut, c'est quelqu'un d'assez fort pour s'en charger à notre place. Voilà pourquoi je vous ai demandé de descendre, Mr. Mann. Vous voulez bien ? Vous serez assez gentil pour nous rendre ce petit service ? »

Elle attend une réponse. Ce qui veut dire, forcément, qu'il n'y a plus une minute à perdre. Le moment est venu de prendre le taureau par les cornes.

Je la regarde dans les yeux, et je lui dis :

« Allons, Mrs. Duck, vous n'aurez pas le cœur de la mettre dehors comme ça. Pour commencer, où pourrait-elle aller se réfugier ? »

Silence de mort. Ethel me fixe avec des yeux effarés comme si brusquement je m'étais mis à lui parler turc, puis elle tourne un instant la tête vers Gilbert, qui la regarde. Et qui, avec un terrible effort (pas comme l'autre jour !), se redresse sur sa chaise et fait tourner autour de sa tempe la pointe de son index décharné. C'est alors que pour la première fois, je me rends compte qu'il n'a été fait aucune allusion à Mandy, ou à son godelureau, ou à quoi que ce soit clairement en rapport avec ce sujet. Le seul indice de ce qui se passe vraiment, c'est l'attitude d'Ethel qui a la main levée depuis tout à l'heure et qui a oublié de la baisser, désignant quelque chose — et ce quelque chose, c'est le tableau suspendu au mur au-dessus du radiateur. Un grand tableau d'un mètre de long, représentant un paysage de montagne, complet avec son lac bleu ciel et son soleil couchant. Étant donné la situation, ce geste ne fait qu'ajouter à la confusion générale.

« Ah, dis-je. Vous parlez du tableau, je suppose ? »

Ethel me scrute avec de tout petits yeux. Évidemment, elle doit s'imaginer que je suis en train d'essayer de m'amuser à ses dépens. Pourtant elle me répond, très lentement, comme si elle s'adressait à un idiot moribond avant qu'il ne sombre dans l'inconscience.

« Oui, du tableau, Mr. Mann. Il a besoin d'être nettoyé. Voilà pourquoi il faut le décrocher du mur. Mr. Duck n'en a pas la force. Donc, nous vous demandons de bien vouloir vous en charger. »

Ce qui suit, c'est un effort désespéré pour accorder mes propos à ce dont il est question.

« Besoin d'être nettoyé ? répété-je. Je ne sais pas quoi vous dire. Pour moi, il a exactement l'aspect qu'il a toujours eu. »

Et je suis bien placé pour le savoir, étant donné que c'est moi qui ai dû me le coltiner à sa demande depuis chez Woolworths jusqu'à la maison, il y a de cela des années.

« Ah ! C'est là que vous vous trompez, Mr. Mann. Nous en parlions avec Francis quand il est venu tout à l'heure. Je lui ai dit que les couleurs s'étaient beaucoup ternies, et il a répondu que pour qu'elles redeviennent comme par le passé il suffirait de frotter doucement la surface avec un peu de white-spirit. Qu'en cinq minutes, il serait comme neuf... »

La suite m'a paru sombrer dans la plus totale absurdité. Et j'ai eu beau écouter avec concentration, cela n'a fait qu'empirer les choses.

« ... et il a expliqué que dans quelques années, un tableau comme celui-ci serait une vraie pièce de collection, et que donc j'avais bien raison de vouloir en prendre soin. Sans compter qu'il change tout à fait l'atmosphère générale de la pièce. Il nous a dit qu'il avait l'impression de sentir le vent des Alpes dans ses cheveux rien qu'à le regarder. Il a vraiment une façon charmante de dire les choses. Je suppose qu'Amanda n'a pas encore eu le temps de vous le présenter ? »

Elle me posait une question, et une question grave, qui plus est : à qui, d'elle ou de moi, elle l'avait présenté le premier. Mais ça ne valait pas la peine d'essayer de répondre. Les mots ne seraient pas sortis. Tout ce dont j'étais capable, c'était de les regarder tantôt l'un, tantôt l'autre, mais sans vraiment les voir. Finalement, j'ai posé une question à mon tour.

« Mrs. Duck, je vous en prie, soyez claire. Sommes-nous en train de parler de la même personne ? Je veux dire... Est-ce que vous avez vraiment rencontré cet individu, ce prétendu ami ? Parlé avec lui ? »

Ethel se redresse très légèrement, ce qui est toujours le signe qu'on doit s'attendre au pire.

« Mais bien sûr. La première chose qu'a faite Amanda ce matin, c'est de descendre nous le présenter, exactement comme elle nous l'avait annoncé. Et puisque nous en parlons, permettez-moi de vous dire que vraiment, je ne vois aucune raison d'employer des mots désagréables à ce sujet, et surtout pas lorsqu'on a affaire à un homme de cette classe... »

C'en était trop.

« Mais, Mrs. Duck, cet homme a passé la nuit ici, dans cette maison ! Vous ne le savez donc pas ? »

J'en étais arrivé à crier maintenant, une chose inconcevable dans les territoires sur lesquels régnait Ethel. Et l'effet produit sur elle est effrayant. Elle a une façon qui n'appartient qu'à elle de gonfler littéralement sous vos yeux, comme une grosse chatte qui hérisse sa fourrure et qui, brusquement, cesse d'être un tranquille animal de compagnie pour se transformer en fauve montrant les dents et toutes griffes dehors.

« Mr. Mann ! »

Le son de sa voix est comme le sifflement d'un serpent quelque part dans les broussailles, le genre de son qui vous avertit de ne surtout pas faire un pas de plus.

« Mr. Mann, j'ose espérer que vous n'êtes pas en train d'insinuer qu'il a pu se passer quelque chose d'*immoral* dans cette maison ! »

Si je vous disais que toute la pièce avait soudain rétréci autour de nous, ça n'aurait rien d'un mensonge. Même Gilbert était tout rapetissé et disparaissait au fond de son fauteuil. Pourtant, je n'ai pas battu en retraite. Je suis resté debout et j'ai attendu la suite.

« Vous êtes dans une maison respectable, Mr. Mann, et je

vous serai reconnaissante de toujours vous en souvenir. Il ne s'est jamais rien produit de cette nature sous mon toit, en aucune circonstance. Vous m'avez bien compris, j'espère. Il n'y a eu qu'une seule fois où j'ai eu à me soucier d'un incident de cet ordre. Une seule et unique fois, et il y a de cela bien des années. Mais naturellement, vous êtes mieux placé que personne pour vous rappeler l'incident en question. Est-ce que je me tromperais, par hasard ? »

Et soudain, tout se calme. Ethel — dont on aurait pu s'attendre à ce qu'elle continue maintenant qu'elle était engagée dans une si bonne voie — fait un pas en arrière et croise les bras. L'instant d'avant, il semblait qu'elle allait me lancer au visage assez de phrases fielleuses pour en remplir un livre, mais maintenant elle semble satisfaite de s'en tenir là. Tout ce qui lui reste à faire, c'est s'asseoir et attendre que ce qu'elle a dit produise son effet. Même chose pour Gilbert. Tous les deux me regardent sans bouger, avec la même expression de contentement sur le visage. Un air de suffisance, c'est le seul mot qui convienne. L'air de deux personnes qui savent quelque chose que vous ne savez pas. Et tout à coup, le déclic se fait. C'est quelque chose qui s'est passé ici, quelque chose que j'aurais dû savoir depuis toujours...

De manière tout à fait imprévisible, je suis de nouveau parcouru par cette ancienne sensation de froid, cette sensation qui jadis m'étreignait puis disparaissait, mais restait le plus souvent. Doreen. A-t-elle vraiment fait ça, un jour, ici, avec lui ? Le type de Waltham Abbey ? Et même, peut-être pas seulement avec lui... Et Gilbert ? Il était beaucoup plus vigoureux à l'époque. Or, j'ai eu l'occasion de voir le genre de choses qui intéressent tout particulièrement Gilbert. Soudain, il faut que je m'asseye.

Dieu seul sait où tout cela nous aurait menés si Ethel n'avait pas repris la parole, gâchant son propre triomphe pour ainsi dire. Étonnamment, c'était pour revenir au sujet initial, comme si elle n'avait rien dit de spécial quelques secondes plus tôt. Qui plus est, il n'y avait plus aucune trace de méchanceté dans sa voix, en tout cas plus aucune trace décelable.

« Ce que je voulais dire, Mr. Mann, c'est que vous auriez tort d'imaginer des choses choquantes. Ça n'est pas à votre honneur. Mais enfin, si Amanda ne vous a rien dit, vous ne pouvez pas savoir. Ce jeune monsieur de ses amis ne pourrait pas être plus respectable, même s'il était le propre cousin germain de la reine. C'est un docteur. Un chirurgien. Comme son père. »

Alors là, c'était le bouquet ! Un docteur. Bien sûr, j'aurais dû y penser. Qu'est-ce qui aurait pu davantage impressionner Ethel ? Il s'était sûrement présenté à sa porte avec ses diplômes accrochés autour du cou, et Ethel s'était empressée de lui dérouler le tapis rouge.

Quant à moi, je retrouvais ce sentiment que je connaissais si bien : celui d'être le dernier être humain sur cette terre à posséder un peu de sens moral, le seul homme droit, le seul juste, le seul à se soucier de la différence entre le Bien et le Mal. Et à qui la faute ? Au « docteur », bien sûr. Il arrive, et voilà qu'en une seule petite nuit la maison se retrouve à l'envers, et ceux qui l'habitent ont la tête en bas et les pieds en l'air.

Je n'avais aucune raison de m'attarder, aucune raison de prononcer même une seule parole. J'ai décroché le tableau du mur et je suis remonté chez moi. Mais je n'ai pas connu un instant de paix de toute la journée. Comment l'aurais-je pu, avec un type comme ça dans la maison ? Mais en réalité, il m'aurait presque été possible de ne plus penser à lui, parce que, au fond, tout revenait toujours à Mandy. Ce qu'on pouvait se dire de plus rassurant à son sujet, c'était qu'elle s'était laissé embobiner, comme Ethel et Gilbert. Mais ce qu'on pouvait se dire de *moins* rassurant ? Ce n'est pas très difficile de trouver les mots pour l'exprimer. C'était qu'elle s'était engagée dans le chemin que prennent toutes les femmes, et que Larry avait toujours eu raison de penser ce qu'il pensait.

Mais il restait une chose à vérifier avant de se convaincre du pire, avant d'élever la voix pour la dénoncer comme une créature aussi pourrie jusqu'à la moelle que toutes les autres femmes, avant d'aller dire à Ethel que j'étais prêt à descendre toutes les valises qu'elle voudrait pour les abandonner sur le trottoir.

Et c'est pour cette raison qu'en ce moment je suis couché dans mon lit, en train de faire ce que j'aurais dû faire la nuit dernière si je n'avais eu la faiblesse de m'endormir. J'écoute.

Vous vous souvenez de ce que j'ai dit au sujet du lit de June ? Celui qu'il suffit de toucher pour l'entendre couiner et grincer comme les roues d'un train sur les rails au moment où il freine ? Certaines nuits, il m'est arrivé de rester des heures adossé à mes oreillers, comptant combien de fois Mandy se tournait et se retournait dans son lit. Si elle se retourne ce soir, si quelqu'un se retourne, je suis sûr de l'entendre. C'est aussi simple que ça.

Ils sont rentrés il y a une heure et demie à peu près, juste au moment où je me glissais entre mes draps. Ils ont fait beaucoup moins de bruit qu'en sortant, mais je les ai quand même parfaitement entendus piétiner sur le palier comme si on était en plein milieu de la journée, puis avoir une longue conversation murmurée dans le living-room. Mais à présent tout est silencieux. Il y a eu pour finir le bruit de deux portes qui se refermaient pour la dernière fois — cela fait déjà presque une heure —, puis plus rien. Pas le moindre grincement. Le seul son qui me parvient, ce sont les camions au loin, sur Holloway Road, qui emportent vers le nord des cargaisons de déchets.

Deux heures et demie : c'est ce qu'indique mon radio-réveil (digital, comme celui que je lui ai acheté, mais sur le mien les chiffres sont verts et, au lieu de rester immobiles, tressautent toute la nuit). En somme, tout cela vous montre bien que peu importe ce que peuvent penser les autres : il ne faut jamais s'imaginer de vilaines choses sur les gens sans savoir.

11

N'EMPÊCHE qu'en me réveillant ce matin, tout semblait se passer exactement comme hier. Le même vacarme, la conversation à plein volume, et des bruits de portes qui claquent à réveiller les morts. Pourtant, au lieu de sauter du lit et de m'énerver, je suis resté couché à somnoler et je les ai laissés faire leur tapage. Rien d'étonnant à ça : n'oubliez pas qu'il devait être plus de quatre heures quand j'ai fini par m'endormir. Vous êtes peut-être choqués, mais que voulez-vous : il y a des choses qui méritent qu'on repousse le sommeil à plus tard.

Donc, c'était une bonne raison de me sentir mieux ce matin, mais il y en avait une autre. C'est dimanche, et le Prince Charmant va devoir s'en aller pour retrouver sa femme. Et ses enfants. Voilà ce dont je me suis fait une certitude cette nuit, pendant toutes ces heures où je n'avais rien d'autre à faire qu'à réfléchir. Il a forcément des enfants. Après tout, c'est un homme qui a quarante ans bien sonnés, et ne serait-ce que pour des raisons statistiques il a forcément des enfants. Et s'efforcer de croire le contraire ne rendra pas les choses plus faciles pour Mandy.

Deux enfants, donc. Des garçons. Dix ans et douze ans. Pauvres gosses.

Je suis certain aussi que Mandy ne sait rien de leur existence, ni de la femme ni des enfants. Il suffit d'y songer calmement deux minutes. Impensable qu'une fille avec ses qualités accepte de s'afficher avec un homme dont elle sait qu'il est marié, même si elle se comporte tout à fait différemment quand il lui tourne autour. Ce qu'il y a de tragique, c'est que ça ne pourra pas durer toujours. Un jour ou l'autre, elle découvrira qu'il a femme et enfants, c'est inévitable. Et ce jour-là nous verrons une Mandy bien triste, mais sûrement plus sage.

En attendant, pendant que je faisais la grasse matinée avec tout ce chahut au-dessous, il m'a semblé que la façon la moins désagréable d'arriver à la fin de la journée serait de m'arranger pour les voir aussi peu que possible. Lui surtout. Inutile que je les aie tout le temps dans les jambes.

Et une fois de plus, ç'a été une bonne chose que tout se passe autrement que prévu. Sans quoi, je n'aurais pas connu le seul bon moment du week-end.

En entendant claquer la porte d'entrée, j'ai naturellement pensé qu'ils étaient sortis, et que je pouvais en profiter pour descendre prendre un peu l'air et acheter mon journal. Mais j'étais presque arrivé dans le vestibule quand soudain, voilà que la porte d'entrée s'ouvre toute grande et qu'il apparaît, entrant à grandes enjambées avec sous le bras un bon quintal de journaux. Apparemment, certaines personnes ne peuvent pas se contenter d'un simple et unique exemplaire du bon vieux *Sunday Express*. Il faut qu'ils emportent tout ce qu'il y a dans le kiosque.

Mais figurez-vous qu'ensuite il se met à monter l'escalier sans ralentir l'allure et me croise sans même dire bonjour. Alors, traitez-moi de vieux jeu si vous voulez, mais moi, j'estime que ce n'est pas le genre de comportement auquel il est normal de s'attendre quand on est dans sa propre maison. C'est ce que j'appellerais une insulte directe aggravée d'une muflerie générale. Et puis, une fois dehors, dans la rue, une pensée m'est venue. Si Mandy lui avait parlé de nous deux et de toutes les bonnes soirées que nous passons ensemble quand nous sommes seuls ? Qui sait si, depuis qu'il est arrivé, ça n'a pas été Larry ceci et Larry cela, jusqu'à ce qu'il en ait par-dessus la tête ? Cela veut dire qu'on peut comprendre maintenant pourquoi il fait tout ce qu'il peut pour me rabaisser — en d'autres termes, pourquoi il choisit de m'ignorer comme il vient de le faire. Cet homme est dévoré de jalousie, voilà.

Donc, vous voyez bien. Si je ne l'avais pas croisé, comment aurais-je pu le deviner, et comment aurais-je pu imaginer sa figure pendant que Mandy lui parle à n'en plus finir de son vieux Larry ?

Ce qui m'amène à vous entretenir du meilleur moment de la journée, c'est-à-dire ce soir. Il y a une demi-heure, j'ai entendu Mandy rentrer, mais seule cette fois. Et à pas si légers qu'elle n'a pas dû soulever ne serait-ce qu'un grain de poussière sur le palier. Voilà comment j'ai compris que Son Altesse était rentrée chez lui, laissant derrière lui la véritable Mandy.

Déjà, il règne une atmosphère différente dans la maison. Du moins en partie. Ce n'est pas ce qu'on pourrait appeler un parfait silence, avec tout le bruit qui me parvient de la chambre au-dessous. C'est Mandy, bien sûr. Elle est en train de pleurer à gros sanglots, cette petite idiote. Apparemment, il ne lui est pas venu à l'esprit que des gens essaient de dormir dans cette maison, des gens qui pourraient même être tentés de descendre un étage pour lui faire observer qu'un peu plus d'égards pour le sommeil d'autrui ne serait pas pour leur déplaire — mais voilà, Larry n'est pas comme ça. La manière dont je vois les choses, c'est que les jeunes filles sont les jeunes filles, et qu'il n'y a pas de quoi se mettre à rouspéter simplement parce qu'elles se comportent de temps en temps comme de petites bécasses.

*

Quand même, je ne sais pas pendant combien de temps encore je pourrai continuer à lui trouver des excuses. Écoutez seulement : trois jours ont passé maintenant — lundi, mardi, mercredi — et mademoiselle a-t-elle daigné donner signe de vie ? Pensez donc ! Et pourtant, elle était ici : je l'ai entendue passer à pas feutrés d'une pièce à l'autre comme elle fait toujours. S'activant beaucoup, même — et donc, elle ne pourrait même pas invoquer l'excuse d'avoir été malade.

Vous comprenez ce qui se passe, bien sûr. C'est à cause de lui, de Son Altesse. Il faut absolument qu'il l'éloigne de son vieux Larry, sinon elle recommencera à passer trop d'excellentes soirées et elle ne se souciera plus de lui. Vous pouvez l'imaginer comme moi, en train de chercher dans sa tête tous les moyens possibles et imaginables de nous séparer. Donc, au fond, tout ce qu'on peut lui reprocher, c'est de se plier exactement à ce qu'on lui a dit.

Seulement, ça ne suffit pas. La simple correction devrait la pousser à se rappeler où sont ses véritables amis. Et ils pourraient être raides morts au-dessus de sa tête sans qu'elle en sache rien.

À cela s'ajoute que je ne peux pas supporter le gaspillage. J'ai encore dans mon placard la moitié des friandises que j'avais achetées quand je croyais encore, à cause de ses mensonges, que c'était *une* amie qu'elle attendait, une autre fille. Mais tout ça ne se gardera pas très longtemps. D'ailleurs, elle a déjà laissé passer sa chance de se régaler avec mes Viennese whirls. J'ai vidé la boîte hier soir. Et croyez-vous que j'en ai eu des remords ? Eh bien, pas du tout.

Pour dire les choses simplement, j'ai commencé à en avoir assez de me faire marcher dessus. Il y a des limites à tout. Et après un certain nombre de vexations, on finit par avoir envie de rendre la pareille. Si elle veut battre froid à ce vieux Larry, eh bien, croyez-moi, il est tout à fait capable de lui en faire autant et d'être, aussi bien qu'elle, glacial comme une banquise. D'accord, cette froideur n'est pas dans ma nature, et on n'a pas envie en temps normal de se conduire comme ça avec ses amis, mais c'est aussi parfois le rôle d'un ami de vous faire comprendre que vous vous conduisez mal.

Donc, à partir de demain, Mandy va connaître un autre aspect de Larry, un aspect dont j'oserai dire qu'elle n'a jamais imaginé l'existence. Fini les sourires, fini de lui demander comment s'est passée sa journée, fini de lui offrir du sherry. Et elle aura du mal à comprendre ce qui lui tombe brusquement sur la tête. Je serai poli, mais distant. Et digne. Et je me comporterai de cette façon pendant des jours et des jours s'il le faut, jusqu'à ce qu'elle ne puisse plus le supporter, qu'elle explose et qu'elle me supplie de lui dire ce qui ne va pas. Alors, je le lui dirai. Du début jusqu'à la fin. Et je ne me montrerai pas tendre, je lui dirai tout simplement la vérité, pleine et entière.

Je me doute bien que nous aurons besoin de quelques Kleenex à portée de main à ce moment-là. Une pleine boîte, peut-être. De toutes les couleurs de l'arc-en-ciel. Parce que c'est une chose à laquelle on n'échappe pas. Quelquefois, la vérité fait mal.

*

Maintenant, voulez-vous que je vous raconte ce qui s'est passé en réalité ?

D'abord, je n'avais pas aussi bien dormi depuis longtemps. Ensuite j'ai passé toute la matinée à réfléchir à la manière dont je lui dirais ceci, puis cela, si bien qu'à l'heure du déjeuner c'était comme si elle était debout à côté de moi, des larmes lui coulant sur les joues, et sa petite voix se brisant tandis qu'elle articulait avec peine : *« Larry, je vous en prie, oh, je vous en prie, Pardonnez-moi, Je me suis Tellement Mal Conduite ! »* et ainsi de suite. Mais c'est après le déjeuner que nous en sommes vraiment arrivés au cœur du problème : à savoir, que fallait-il penser d'une jeune fille comme il faut s'affichant avec un homme ayant le double de son âge, et qui plus est Ne Savait-Elle Pas Qu'Il Était Marié ? J'étais chez le boucher à ce moment-là, en train de m'offrir une petite gâterie — un bon tournedos — et c'est alors, au moment où je rangeais soigneusement la viande dans mon cabas, qu'à la réflexion je me suis demandé s'il ne valait pas mieux laisser de côté cette dernière question.

Le problème était le suivant : je pouvais me la représenter en train de s'excuser pour tout le reste, tout le bruit et l'agitation, tous les mensonges et les manques d'égards, et même pour n'avoir pas pris la peine de venir dire bonsoir à son vieux copain Larry, mais j'avais beau essayer, je n'arrivais pas à me figurer comment elle réagirait à cette dernière phrase, sur le fait qu'il était marié. Si ç'avait été Doreen, la réponse aurait été facile à deviner : elle aurait simplement ri, ce qui suffit à vous montrer le genre de femme que c'était, un parfait exemple de cette sale engeance. Mais Mandy ? Ce serait un tel choc qu'il pourrait la tuer.

Mieux valait s'en tenir à l'essentiel dans ce cas, lui faire avaler les bonnes vieilles pilules bien amères — et quand j'en aurais fini, redevenir aussitôt le Larry qu'elle avait toujours connu et aimé, sans qu'il reste entre nous un gramme de rancune.

Voilà, vous savez tout. J'avais tout prévu et préparé à la perfection.

Arrivons-en donc à la soirée. Représentez-vous d'abord votre serviteur debout dans sa cuisine, devant le fourneau. Le tournedos est en train de griller dans la poêle avec un grésillement des plus appétissants, les frites commencent à prendre la bonne couleur dorée et tout ce qu'il me reste à faire cuire maintenant, ce sont les petits pois. C'est alors que j'entends sur le mur un petit toc-toc que je connais bien.

C'est un miracle que je l'aie entendu, d'ailleurs, tellement j'étais occupé. Ajoutons que je ne m'attendais pas du tout à sa visite, pas après tous ces jours où elle avait fait comme si je n'existais pas — ce qui, d'ailleurs, était en partie la raison pour laquelle je m'offrais ce petit festin, comme une sorte de consolation. Le résultat, c'est qu'en l'entendant tout à coup alors que je ne me doutais pas qu'elle allait venir, j'ai éprouvé un véritable choc, ce qu'il importe de savoir pour mieux comprendre ce qui s'est produit ensuite. Sans même réfléchir à ce que je faisais, ou pourquoi, j'ai aussitôt saisi tout ce qui se trouvait sur le fourneau et je l'ai caché dans le four. J'étais encore en train de tourner les boutons lorsqu'elle est apparue sur le seuil, me souriant du bien-aimé sourire de la vraie Mandy que je n'avais pas vue depuis tant de jours.

Et moi, comment croyez-vous que j'ai réagi ? En lui faisant un signe de tête et en continuant à faire ce que j'avais à faire comme si elle n'était pas là ? En lui disant sèchement bonsoir du bout de lèvres et en commençant à lui dire tout ce que j'avais sur le cœur — toutes ces phrases que j'avais préparées et répétées dans ma tête depuis le moment où j'avais ouvert l'œil (à part le morceau sur les hommes mariés), ou bien en l'envoyant tout simplement au diable, sans plus de façons ? Croyez-vous que je lui aie ménagé un accueil de ce genre ?

« Bonsoir, belle étrangère. Voulez-vous une bonne tasse de thé ? »

Voilà ce que j'ai dit.

Pour deux raisons. La première, c'est que le seul fait de la voir apparaître à l'improviste sur mon seuil a suffi à me faire oublier tous les reproches que j'avais à lui faire. La seconde, c'est qu'elle avait entre les mains un gros gâteau tout blanc, glacé, décoré de cerises confites tout autour, comme si elle l'avait copié sur une bande dessinée pour enfants. Et pas besoin de demander à qui il était destiné.

Ce n'est pas souvent que Larry est pris au dépourvu, mais là, je vous l'avoue, j'ai failli en tomber à la renverse.

« Eh bien, eh bien, petite Mandy... »

Voilà tout ce que je suis parvenu à dire, d'abord. Bientôt suivi par :

« Mais qu'est-ce que vous apportez là ? »

Pour toute réponse, elle me regarde, mais d'une telle façon que je serais complètement incapable de la décrire avec des mots. Qu'il me suffise de dire que c'était une chose strictement entre elle et moi, un regard qui en disait plus que cent personnes parlant toutes ensemble. C'était un regard qui disait : « Je regrette. »

Après cela, les mots qu'elle a effectivement prononcés au bout d'un moment n'avaient aucune importance :

« Un gâteau, Larry, a-t-elle dit de sa petite voix douce. Je l'ai fait pour vous. »

Je suppose que j'ai dû hocher la tête, mais pour vous dire la vérité je n'écoutais pas vraiment. C'était plus le ton sur lequel elle me parlait qui captait mon attention. Triste, repentant. Franchement, elle aurait mieux fait de s'en tenir là, en me laissant cette impression toute fraîche dans l'esprit, au lieu de se croire obligée d'ajouter :

« Voyez-vous, en repensant à tout ce que vous avez fait pour moi depuis que je suis arrivée, j'ai pensé qu'il était grand temps que je vous rende la politesse.

— En m'apportant un gâteau, ai-je dit. Comme c'est gentil à vous, mon petit. »

En même temps commençait déjà à défiler dans ma tête toute une liste de choses que *moi* je lui avais offertes. Des corbeilles de fruits, des cigarettes, des assiettes de viande froide, un radio-réveil. Et en retour, cet unique gâteau.

Mais voilà, comme je le dis toujours, c'est l'intention qui compte, et qui plus est ce gâteau avait dû lui demander pas mal de travail. À moins qu'elle ait triché en utilisant une préparation toute faite, en paquet. Mais pour le moment, je préférais ne rien dire de désobligeant. D'autant plus que je me doutais de ce qui allait suivre, et en effet, comme pour confirmer mes prédictions, la voilà qui se dépêche de poser bruyamment le gâteau sur la petite table, exactement là où se seraient trouvés mon tournedos et mes frites si elle n'était pas arrivée à la minute où ils finissaient de cuire, qui me dit : « Maintenant, il faut que je vous laisse, Larry », et qui se dirige vers la porte. Mais j'étais prêt à l'intercepter. Ma main doucement posée sur son bras : c'est tout ce qu'il a fallu pour l'arrêter.

« Ne courez donc pas si vite, lui ai-je dit. Vous n'allez pas partir comme ça, j'espère. Et ce gâteau ? Je ne vais pas le manger entier à moi tout seul !

— Mais, Larry, je ne peux pas rester, répond-elle. De toute façon, vous étiez justement sur le point de dîner. »

En prononçant ces mots, elle agite une main dans l'air où flotte effectivement toujours une odeur de viande grillée et de frites, si forte qu'elle prend presque à la gorge.

Et c'est à ce moment que déferle sur moi le plus étrange sentiment que je me souvienne d'avoir éprouvé. S'il fallait lui donner un nom, je dirais que c'est la Joie. La Joie à l'état pur.

« Mandy, mon petit, lui dis-je lentement, savourant chacun de mes mots, regardez donc autour de vous. Voyez-vous la moindre trace d'un dîner en préparation dans cette cuisine ? »

Elle me regarde, puis jette un coup d'œil tout autour d'elle, observant partout, et, comme vous l'imaginez, elle ne voit rien. Simplement des meubles de cuisine, et pas la moindre nourriture, même pas un petit pois surgelé.

Et ce sentiment qui m'a envahi ? Je vais vous dire d'où il vient. Il vient de ce que j'ai la certitude, plus forte que je ne l'ai jamais eue, que pas une âme au monde ne connaît ma Mandy aussi bien que je la connais, y compris elle-même. Ce n'est pas le choc de la surprise qui m'a fait cacher mon dîner dans le four : si je l'ai fait, c'est parce que en réalité je pensais par anticipation pour nous deux. Cette vilaine fille avait attendu l'heure exacte où je dîne, attendu le moment où elle pourrait pratiquement humer l'odeur de mon repas depuis chez elle, et c'est alors seulement qu'elle était montée. De cette façon, elle avait pensé qu'elle pourrait poser son gâteau sur ma table et filer. Seulement, moi, je pouvais lire dans ses pensées, et sans même réfléchir à ce que je faisais, je m'étais débarrassé des preuves et par là même de l'excuse qu'elle pourrait invoquer.

Ma joie vient de ce que je me sens si intimement proche d'elle, de la perception de m'être comme glissé sous sa peau.

Donc, que peut-elle faire sinon m'obéir lorsque je lui donne une petite tape sur l'épaule pour la pousser en direction du salon, où je la suis avec couverts et assiettes à gâteau à la main ?

Le gâteau n'était pas mal du tout, seulement un peu trop sucré pour mon goût — et d'ailleurs je le lui ai dit, non pour la critiquer mais pour qu'elle le sache à l'avenir. Elle a essayé de se justifier en m'expliquant qu'elle avait dû mesurer le sucre en cuillers à soupe parce qu'elle n'avait pas de balance de cuisine ni de verre gradué, à quoi j'ai répondu qu'elle pouvait parfaitement venir et utiliser tous mes ustensiles, chaque jour si elle voulait : je ne serais que trop content de sa compagnie.

Quoi qu'il en soit, j'ai laissé une bonne moitié de ma portion sur mon assiette, en lui disant que j'étais désolé, mais que je n'avais pas beaucoup d'appétit depuis quelques jours. C'était une incitation évidente à me demander pour quelle raison, mais elle n'en a rien fait. Au lieu de cela, elle a commencé à me parler des multiples cours qu'elle avait à réviser, et j'ai compris que ce changement de sujet était le signe absolument clair qu'elle avait mauvaise conscience.

La voyant adopter cette attitude, j'ai pensé qu'après tout ça ne lui ferait pas de mal d'entendre un peu ce que je m'étais préparé à lui dire. C'était cela ou la laisser partir avec l'idée qu'elle pouvait me traiter de nouveau comme elle l'avait fait dès qu'il lui en prendrait envie. Ajoutons que le gâteau m'avait rappelé que j'avais faim et qu'il y avait un excellent tournedos et des frites bien dorées en train de refroidir dans le four.

J'ai commencé par soupirer :

« Petite Mandy, vous me connaissez, je suis la dernière personne au monde à me plaindre, mais enfin je vous le demande : pourquoi, pourquoi n'êtes-vous pas montée me voir depuis si longtemps ? Si vous saviez comme je me suis senti seul ici ! »

Je dois le dire à sa décharge, elle a rougi très fort, comme une écolière prise en faute. Mais des excuses ? Pas la moindre. Seulement quelques mots bredouillés à propos de tout le travail qu'elle avait. Cela va peut-être vous étonner, mais je n'en ai pas ressenti de déception. Vraiment pas. Vous comprenez, d'une curieuse façon, c'était comme si je faisais un saut en arrière dans le temps, et qu'au lieu de Mandy c'était June qui était assise en facc de moi — June encore toute gamine, avec de petites joues rondes devenant plus rouges de minute en minute. June en vilaine petite fille.

Je sais qu'il y a des gens qui affirment : pour apprendre à un enfant ce qu'il doit faire ou ne pas faire, rien de tel qu'une bonne paire de claques. Ma foi, je leur souhaite bien du plaisir. Chacun a droit à son opinion. Mais moi, je n'ai jamais levé le petit doigt sur June. Pour la bonne raison qu'une gifle fait autant d'effet à un gosse que de l'eau sur les plumes d'un canard. Ce sont les mots qui sont efficaces. Une paire de taloches n'a jamais empêché un enfant de dormir. Quelques phrases bien choisies, si. C'est d'ailleurs ce qu'il y a de plus remarquable chez les enfants : ils croient tout ce que vous leur dites, pour peu que vous le leur répétiez assez souvent.

Vous savez comment j'ai appris ça ? Comme tout le monde apprend tout : de la bouche de ma mère. Elle non plus n'a jamais levé le petit doigt sur nous. Ça n'était pas nécessaire. *« Tout ce que nous faisons est sous le regard de Dieu » :* c'est ce qu'elle avait coutume de dire, et nous croyions ce qu'elle nous disait. Après ça, on n'est pas tenté de faire des choses vraiment vilaines — pas quand on sait qu'il y a Quelqu'un là-haut qui vous regarde tout le temps.

Elle aurait souri, ma mère, si elle avait pu voir June quelquefois, le visage tout chiffonné, en train d'essayer de se convaincre mordicus que c'était elle qui avait raison et non pas moi. Ce qui, vous pensez bien, était généralement le moment où Doreen faisait son entrée fracassante et flanquait tout par terre. Une claque aussi sonore que sans conviction, et June s'en allait impunie sans avoir rien compris.

(Pourtant, je m'interroge : comment se fait-il, alors que je n'ai jamais levé la main sur June, qu'à la fin elle ait choisi de se ranger du côté de sa mère ?)

Mais ce que je veux dire maintenant, c'est qu'avec Mandy assise en face de moi, j'avais l'impression qu'une sorte de seconde chance m'était donnée. L'enjeu était le même : la persuader — doucement — qu'il fallait qu'elle soit sage à l'avenir. Et cette fois, il n'y aurait pas de Doreen pour venir tout gâcher au moment crucial. C'est l'angle d'attaque qui compte. Vous comprenez, Mandy s'attendait certainement à ce que je lui passe un bon savon, et elle y était toute préparée. Mais ce n'était pas dans mes intentions. Pas du tout.

« Vous savez, lui ai-je dit, vous n'avez pas à vous croire obligée de faire quoi que ce soit pour rester dans les bonnes grâces de Larry, lui apporter des gâteaux ou autre chose. Parce que peu importe ce que vous ferez, il sera toujours là, tout prêt, à vous attendre, chaque fois que vous songerez que vous pourriez peut-être lui consacrer quelques minutes.

— Larry...

— Bien sûr, je ne peux pas promettre que je serai toujours le boute-en-train que j'étais autrefois. J'ai vu trop de choses laides dans ma vie, et quand on est si souvent seul, impossible de ne pas repenser au passé.

— Oh, Larry...

— Mais ce que je veux que vous sachiez, c'est que Larry peut tout comprendre. Il sait que vous avez besoin de vivre votre vie, et qu'on ne peut pas demander à une fille de votre âge de s'inquiéter trop souvent de son vieil ami privé des seuls petits moments de compagnie qu'il soit en droit d'espérer. En fait, tout ce que je veux dire, c'est ceci : ne vous en faites pas pour moi. Joey et moi, nous pouvons bien survivre tout seuls.

— Mais, Larry...

— Il n'y a pas de mais, petite Mandy. Le principal, c'est que vous profitiez de la vie tant que vous êtes jeune. Certaines personnes n'ont jamais cette chance. »

Si seulement vous aviez pu avoir une photo de son visage à ce moment-là ! Les yeux tout brillants des larmes qu'elle réprimait, la lèvre inférieure toute tremblante. Je le savais bien, que ce moment arriverait — mais je ne pensais pas qu'il viendrait si vite. Vous voyez comment elle est en réalité, ma petite Mandy : tellement sensée, tellement sensible. Du moins, c'est ce qu'il m'a semblé.

« Larry... », a-t-elle dit.

Et cette fois, j'ai senti qu'il était juste de la laisser parler sans l'interrompre. Après tout, je savais déjà au moins la moitié de ce qu'elle allait dire : *« Larry, si vous saviez comme je regrette, si vous saviez comme je suis profondément désolée... »*

En fait, j'en étais tellement sûr qu'il m'a fallu quelques secondes pour comprendre ce qu'elle disait réellement, et même quand j'ai finalement compris, j'ai eu du mal à y croire.

« Larry, je vous remercie, disait-elle. J'aurais dû écouter Francis, et Ethel aussi. Vous savez, tous les deux m'ont dit que je montais vous voir trop souvent. Que vous n'aviez pas besoin de moi. Seulement moi, sotte que je suis, je ne les croyais pas. Quant au gâteau... Eh bien, c'est une idée de Francis. Il m'a dit qu'il ne fallait rien d'autre qu'un petit geste. Un geste qui vous montrerait que j'ai vraiment de l'affection pour vous, que je pense vraiment à vous. Et qu'alors, vous comprendriez très bien que je prenne plus de temps pour tout le reste, pour me faire des amis surtout. Après tout, vous me connaissez. Ce ne sera jamais une chose facile pour moi. Vous vous souvenez sûrement que je vous ai un peu parlé de ce qui s'est passé quand j'étais à Édimbourg. Je pourrais très facilement me retrouver dans le même état. Seulement, j'ai eu si peur de vous faire de la peine ! Parce que je sais ce que c'est. Nous le savons tous les deux, n'est-ce pas, Larry ? Oh, mais ce n'est pas la peine que j'explique. Vous venez de me dire que vous comprenez. Par bonheur, vous comprenez. »

Et là-dessus, croyez-le ou non, la voilà qui se penche en avant et me plante un baiser sur la joue.

Un baiser de Judas. Parce que nous savons bien vous et moi qui lui a mis ces idées dans la tête. C'est lui, et probablement Ethel aussi. Maintenant, ce qu'elle attend de moi, c'est que je mange mon gâteau en la regardant s'en aller. Ensuite, si elle en a le temps et si j'ai un peu de chance, je la verrai cinq minutes un jour de la semaine prochaine.

Un lavage de cerveau : voilà exactement ce qu'elle a subi.

Seulement, une situation de ce genre s'est déjà présentée une ou deux fois, pas vrai ? La Mandy qui parlait, parlait, parlait et l'autre Mandy qui, tout au fond d'elle-même, lui disait que ce qu'elle était en train de faire n'était pas bien. La vraie Mandy, celle que je connais mieux qu'elle ne se connaît elle-même. Et elle respire encore, tout juste. La mauvaise Mandy me sourit, et le regard qu'elle a dans les yeux me dit qu'elle se sent déjà comme si elle était hors de cet appartement. Seulement, regardez de très près et vous verrez qu'il y a là aussi quelqu'un d'autre, qui n'en est pas aussi sûr.

Et c'est à ce quelqu'un d'autre que je m'adresse.

« Eh bien, mon petit, il faut tirer son chapeau devant votre ami Francis. Il en connaît un bout sur les gens âgés. Où a-t-il appris tout ça ? D'un pauvre vieux ou d'une pauvre vieille abandonnée quelque part au fond d'un hospice ? Sa mère, je suppose. Parce qu'il sait tout sur les "petits gestes", comme vous dites. J'imagine qu'il vous a raconté que ce sont les petites choses qui comptent, etc. Et il a raison, bien sûr. Vous ne verrez jamais une vieille personne en train de se plaindre. Elle n'oserait pas. Parce que mieux vaut une "petite chose" de temps en temps que rien du tout. C'est bien ça, Mandy ?

— Larry... »

Mais je n'en ai pas fini, loin de là.

« Voyez-vous, mon petit, il y a pourtant quelque chose d'étrange. Après le choc, on n'arrive jamais à s'habituer.

— Le choc, Larry ? »

Elle avait sûrement une phrase toute prête pour prendre congé il y a un instant, mais elle l'a oubliée. Maintenant, elle a l'air de quelqu'un qui a besoin d'éternuer ou de tousser.

« Oui, mon petit, le choc. Le coup de poing qu'on prend en pleine figure quand on a lutté pendant des dizaines d'années pour se conduire du mieux qu'on pouvait avec les autres et qu'on se réveille un matin en s'apercevant qu'on est tout seul. Que tout le monde sur cette terre se fiche pas mal de vous. Et que tout ce que vous pouvez encore espérer, ce sont *les petites choses.* »

Alors, je me tais. Pas besoin d'en dire plus. Il suffit de la regarder. Regardez-la donc ! Tout est en train de remonter d'un coup à la surface. Voyez ses yeux. Je n'ai plus qu'à attendre quelques instants à présent. Je respire profondément, je compte les secondes et...

« Larry, oh, Larry ! Pardonnez-moi. Je parlais sans réfléchir. Je ne savais pas. »

Et enfin, enfin, voilà les larmes qui jaillissent de ses yeux, qui coulent le long de ses joues. Les larmes de la honte, mais aussi les larmes d'autre chose, ou je me trompe fort. Mais surtout de la honte. Elle n'arrive pas à parler, même pas à prononcer un seul mot. Les phrases sont bien au-dessus de ses forces. Elle est affreusement bouleversée, ma Mandy...

Je peux la laisser partir maintenant, et aller vérifier si mon dîner est encore mangeable. Elle reviendra me voir dès demain, comme d'habitude, et le jour suivant aussi, ça ne fait pas le moindre doute. Vous voyez bien comment elle est, ma petite Mandy !

Et maintenant, dites-moi un peu : qui de nous deux la connaît le mieux — lui ou moi ?

12

ENSUITE, que voulez-vous que je vous dise sur les trois semaines qui viennent de s'écouler que vous n'ayez déjà deviné ? Que nous n'avons plus jamais regardé en arrière ? Que nous nous entendons comme deux tourtereaux ? Que nous sommes heureux comme deux poissons dans l'eau ? Oui, tout ça est vrai. Mais je vais vous dire ce qui se passe vraiment. C'est que pour la première fois de sa vie, Larry sent qu'il a tout ce qu'il peut désirer sur cette terre. Quand Mandy est assise dans mon salon et que je suis à côté d'elle, vous pourriez m'offrir la lune et les étoiles que je n'en voudrais pas. Parce que j'ai tout ce qu'il me faut. Ici, dans ce salon, mon monde est complet. J'ai même pensé l'autre jour à cette assiette en porcelaine des Royal Doultons avec la fille en longue jupe flottante, et je n'ai pas pu m'empêcher de sourire. Je n'en ai plus besoin. On ne peut rien ajouter à la perfection.

Et Mandy est heureuse, on le voit tout de suite. Maintenant, elle ne dit presque plus jamais rien qui vaille la peine d'être mentionné. Ce qu'elle aime, c'est rester assise sur le canapé à côté de moi et m'écouter parler, parler sans fin. Elle ne semble même plus s'intéresser à Joey, ce qui le met très en colère. Il se plante sur son perchoir en criant presque pour qu'elle vienne lui parler, si bien qu'à la fin je suis obligé de recouvrir la cage pour le faire taire. Bien fait pour lui : ça l'apprendra à essayer d'intervenir dans des conversations qui n'ont rien à voir avec lui. Si elle vient, c'est pour voir son vieux Larry, pas un oiseau.

Bien sûr, il y a une autre raison. Il y a toujours une autre raison, même avec les gens les plus désintéressés. Elle vient pour oublier certaines choses qui lui pèsent. Comme le fait que depuis son départ, elle n'a pas reçu ne serait-ce qu'une carte postale de Son Altesse. Je sais bien qu'elle pense à lui, que pendant qu'elle est avec moi il y a sans cesse une toute petite partie d'elle-même qui tend l'oreille au cas où Ethel l'appellerait en bas de l'escalier pour lui dire qu'on la demande au téléphone. Mais on ne la demande jamais. Ou presque jamais.

Donc, une nouvelle Mandy : ponctuelle, fiable, encore plus silencieuse que par le passé, si c'est possible, et prête à écouter toute la nuit si on le lui demandait. Mais ce n'est pas tout. Il y a un autre changement. Ces petites friandises que je prépare toujours à son intention, mais auxquelles elle ne touche jamais quand elle est ici, figurez-vous qu'il y en a maintenant plein son placard. Et ne me regardez pas comme ça. C'est elle qui les achète. Des paquets de biscuits fourrés à la figue, des Battenberg[1], des chocolats à la menthe, en veux-tu en voilà, qui apparaissent et disparaissent à une vitesse qu'on n'aurait jamais imaginée. Ce que je n'arrive pas à comprendre, c'est pourquoi elle ne peut pas admettre franchement qu'elle y a pris goût. Parce que après tout, rendons à César ce qui est à César : il n'y aurait aucun de ces petits délices dans son placard si Larry ne lui avait pas donné ces bonnes idées. Vous devez penser qu'elle doit commencer à être un peu moins menue, mais non, on ne remarque rien — en tout cas pas encore.

Ce qui m'amène à vous parler d'une certaine soirée de cette semaine, et du seul petit accroc que nous ayons eu. Mais avant de vous exclamer « Je vous l'avais bien dit », attendez d'avoir entendu l'histoire en entier. Parce que tout finit pour le mieux.

Donc, mardi soir, nous avons enfin eu ce coup de téléphone que nous attendions depuis si longtemps. Que voulez-

1. Petits gâteaux à la crème très sucrés *(N.d.T.)*.

vous y faire ? Voilà Mandy qui sort et dévale l'escalier plus vite que s'il y avait quelqu'un en train de distribuer des billets de banque devant la porte. Et — vous l'avez deviné — elle n'a plus montré le bout de son nez de tout le reste de la soirée.

Quant au lendemain soir, mieux vaut n'en pas parler. Son esprit était complètement ailleurs. Et cette fois, compte tenu des circonstances, je n'étais pas disposé à me montrer particulièrement indulgent. Qui plus est, elle n'a même pas pris la peine de me confier qu'elle attendait une visite. Elle est restée assise avec un vague sourire niais, comme si cela suffisait pour tout expliquer. Jeudi matin, j'ai jeté un coup d'œil dans son placard. Plus aucune trace de Battenberg. À la place, rien que des choses pour hommes — Gentleman's relish[1], Stilton[2], avec toutes sortes d'amuse-gueule grand genre, des trucs importés et très épicés.

Pas la peine de vous dire les pensées qui me passaient par la tête. Vendredi matin, si j'avais pu m'endormir et ne pas me réveiller jusqu'à lundi j'aurais été enchanté de l'aubaine. Et quand je me suis trouvé nez à nez avec Ethel dans le vestibule, j'ai eu l'impression que c'était la goutte d'eau qui allait faire déborder le vase.

Nous ne nous parlons pas beaucoup ces temps-ci, sauf quand elle a un service à me demander. Mais, quelquefois, il arrive qu'elle ait désespérément envie d'un brin de causette — et qui n'en aurait pas envie, si on n'a pour toute compagnie que le Squelette vivant ? Et dans ces cas-là — comme cette fois-ci — elle a toujours quelque chose derrière la tête qu'elle tient à me faire savoir. Elle devait faire le guet depuis sa cuisine, car à l'instant même où mon pied se pose sur la dernière marche, voilà qu'elle est brusquement à côté de moi, avec ses petits yeux de pigeon tout brillants à l'idée de ce qu'elle va me raconter.

« Mr. Mann, me dit-elle, je suis dans un état ! Vous ne pouvez pas imaginer. »

1. Condiment très épicé *(N.d.T.)*.
2. Fromage très fort, assez voisin du roquefort *(N.d.T.)*.

Ça, c'est elle qui le dit. Parce qu'il faudrait être aveugle pour ne pas voir qu'elle est toute tremblante de surexcitation — et qu'elle s'en régale.

« C'est parce qu'il y a de mauvaises nouvelles pour Amanda. Je ne sais vraiment pas comment les lui annoncer. »

Vous pouvez imaginer l'effet produit sur moi. Des nouvelles pour Mandy, et de Mauvaises Nouvelles en plus. Avant même de m'en rendre compte, j'ouvrais la bouche pour demander plus de détails, mais j'avais oublié quelque chose : Ethel avait quelques comptes à régler avec moi, et c'était l'occasion rêvée. Sans ajouter un mot, elle me passe devant et monte l'escalier jusqu'au palier du premier, comme si elle me défiait d'oser la suivre cette fois-ci. Il se trouve que j'ai quelques courses importantes à faire, donc je la laisse monter en silence, mais — à quoi bon le nier ? — elle m'a mis dans tous mes états, exactement comme elle le désirait.

De mauvaises nouvelles pour Mandy. Que diable pouvait-elle entendre par là ? Les possibilités étaient infinies. Des problèmes de famille ? C'est toujours à ça qu'on pense en premier, mais peut-être que non s'il s'agit de Mandy et de moi. Le fait est que des foules d'hypothèses se présentent à l'esprit, et qu'il est inutile d'essayer de deviner.

« Ne vous inquiétez pas, petite Mandy. (J'ai bel et bien prononcé cette phrase à voix haute.) Larry est là. Quels que soient vos ennuis, ils ne feront que nous rapprocher encore davantage. Ensuite, nous serons plus heureux que jamais, vous verrez. »

Là-dessus, tout ce que je pouvais faire était d'attendre qu'Ethel daigne me mettre dans le secret.

Le moins qu'on puisse dire est qu'elle a pris son temps. À la fin, nous nous sommes de nouveau croisés — presque comme si nous en étions convenus — à trois heures de l'après-midi, cette fois encore dans le vestibule, mais je dois reconnaître qu'entre-temps j'avais passé la porte d'entrée au moins cinq fois dans un sens puis dans l'autre.

C'est moi qui ai donné le coup d'envoi :

« Dites-moi, qu'est-ce que c'est que ces mauvaises nouvelles pour Mandy ? Rien de trop grave, j'espère ?

— Qui sait, Mr. Mann ? Les filles de son âge ont tendance à tout prendre au tragique, vous le savez bien. Et je n'ai aucune idée de la façon dont elle va réagir. »

Ensuite, une brève bataille pour transformer l'essai. Qu'elle a perdue.

« C'est Francis, a-t-elle fini par dire — et alors, elle a tout balancé d'un coup. Elle attendait sa visite ce soir. Mais il a téléphoné en début de matinée, alors qu'elle venait juste de partir pour l'université. Il a laissé un message, pour lui faire savoir qu'en fin de compte il ne pourrait pas venir. Il a dit qu'il rappellerait pour lui expliquer. »

Vous savez ce qu'on ressent quand on entend de bonnes nouvelles alors qu'on en attendait de mauvaises. Il faut une minute ou deux pour que vous soyez pleinement conscient de ce qui se passe. J'ai dû avoir une expression complètement vide, jusqu'au moment où j'ai senti un grand sourire se dessiner lentement sur mon visage. En fait, je devais avoir l'air complètement idiot, ce qui ne pouvait pas manquer de faire monter Ethel sur ses grands chevaux.

« Vraiment, Mr. Mann ! Je n'aurais jamais cru que vous pourriez y trouver matière à rire, avec Mr. Duck qui était si impatient de revoir ce jeune homme, et Amanda... »

Impossible de me souvenir de la suite. Je ne sais même plus si je suis resté assez longtemps pour l'entendre. Je n'aurais pas pu espérer de meilleures nouvelles. C'était triste pour Mandy, bien sûr, mais si cela pouvait l'aider à comprendre à quel genre d'homme elle a affaire — autrement dit, un homme sur qui on ne peut pas compter, à qui on ne peut pas faire confiance — alors je n'avais que des raisons de me réjouir.

Et de fait, c'est dans une humeur toute réjouie que j'ai remonté l'escalier jusqu'à ma cuisine. Je me suis même servi un petit porto, et j'ai levé mon verre à ce type qui était si loin et ne voulait pas prendre la peine de faire le voyage.

Ce n'est pas tout. Vous devez me croire si je vous dis que je ne souhaitais pas cette déception à Mandy, mais vous vous souvenez de la dernière fois, quand elle n'est pas rentrée avant qu'il soit arrivé ? Eh bien, il s'est passé la même chose aujourd'hui. Elle a dû rester à l'université jusqu'au moment d'aller à la gare attendre son train. Ce qui veut dire qu'elle n'a pas eu connaissance du message. Elle a dû attendre aussi le train suivant, puis un troisième, parce qu'il était plus de onze heures lorsque j'ai finalement entendu ses petits pas sur le palier. Elle se déplaçait très, très lentement, comme si elle était à bout de forces. Elle a refermé la porte de sa cuisine derrière elle si doucement que je l'ai à peine entendue. Et à cette heure-là, Ethel était couchée, bien sûr.

À propos d'Ethel, quelque chose me revient en mémoire. Lorsque j'ai dit que je suis remonté chez moi aussitôt après avoir appris la nouvelle, ce n'était pas tout à fait exact. Parce que maintenant que j'y réfléchis, est-ce que je ne lui ai pas parlé d'une petite note que je comptais laisser sur la table de cuisine de la petite, à tout hasard ? Si, j'en suis sûr à présent, seulement je vous jure que ça m'est complètement sorti de la tête.

Mais inutile d'aller la déranger maintenant. Elle est dans sa chambre, en train de sangloter à propos de Dieu sait quoi. Si vous voulez mon avis, elle doit avoir un de ses fameux « passages à vide ». Ce qui veut dire qu'il vaut mieux lui parler du message demain matin, quand elle sera de nouveau elle-même.

*

Mais vous savez ce que c'est : vous passez une journée entière avec l'intention de faire quelque chose, et au bout du compte la nuit tombe sans que vous l'ayez fait. C'est exactement ce qui m'est arrivé aujourd'hui. Je ne sais pas combien de fois j'ai pensé à elle, toute seule à l'étage au-dessous, en me rappelant que j'avais quelque chose à lui dire. Mais j'ai eu l'impression de ne jamais trouver un moment pour descendre lui parler. Et d'ailleurs, qu'est-ce qui empêchait Ethel de le faire ? Elle aurait pu lui transmettre directement le message. Seulement, j'avais oublié, voyez-vous. Oublié que ce samedi était le jour du mois où elle a l'habitude d'aller à Greenwich voir sa sœur.

Donc, je m'en suis voulu, mais en même temps je ne peux pas tout faire pour elle, pas vrai ? Parce que l'une des raisons pour lesquelles j'ai été si occupé, c'est que j'ai passé la moitié de la journée à faire en sorte de pouvoir lui ménager ce soir la bonne surprise de lui servir un thé accompagné de toutes les meilleures friandises imaginables. Je pensais qu'elle arrêterait de pleurnicher dès l'instant où elle poserait les yeux sur le plateau que j'aurais préparé pour elle, avec tout ce dont je sais qu'elle raffole : les biscuits fourrés à la figue, les Battenberg, les gypsy creams. Et si elle ne voulait pas y toucher, je me disais que cette fois, peut-être, je lui demanderais pourquoi, puisque j'ai constaté qu'elle dévorait exactement les mêmes choses en catimini.

À sept heures, donc, tout était préparé pour sa visite. Thé et sympathie. Et quand je l'ai entendue frapper, je me suis dit qu'elle était sûrement déjà un peu plus en forme, parce qu'elle frappait plus fort que d'habitude, et ses pas dans l'escalier faisaient aussi plus de bruit. Probablement, le seul fait de penser à son vieux Larry qui l'attendait lui avait rendu toute sa bonne humeur.

Mais que croyez-vous qu'il s'est passé ensuite ? Je me retourne, et je découvre que ce n'est pas Mandy qui se tient sur le seuil de ma porte, mais Harry ! Harry qui était resté affalé sur le canapé comme un gros tas lorsque je lui avais dit, il y a déjà plusieurs semaines : « Si nous laissions un peu tomber les visites pendant quelque temps ? »

« C'est Ethel qui m'a ouvert », dit-il, comme si tout s'expliquait par ces mots. Et, au cas où ça ne suffirait pas, le voilà qui me passe devant, entre tout droit au salon et s'assied comme si c'était un jour de la semaine tout à fait ordinaire. Puis il commence à lorgner le gâteau et les assiettes de biscuits disposés sur la petite table devant lui. Évidemment, ce que j'aurais dû faire aussitôt, c'eût été de lui faire remarquer qu'on n'entre pas ici comme dans un moulin. Mais l'ennui, lorsque vous êtes confronté à un tel sans-gêne, c'est que les mots ont la fâcheuse habitude de vous faire défaut.

Si bien qu'au lieu de l'envoyer promener, ma méthode

pour me sortir de cette situation est de lui dire très poliment que j'attends une visiteuse d'une minute à l'autre. À quoi il répond par un hochement de tête et reste assis sans bouger. Ensuite, je n'ai plus prononcé une parole, en pensant que s'il me voyait muet comme une carpe il comprendrait le message. Mais c'est depuis toujours le gros problème avec Harry : rester assis en silence ne l'a jamais gêné le moins du monde. Et tout ce que j'obtiens comme réaction, c'est qu'au bout de cinq bonnes minutes il se penche un peu en avant, prend un gypsy cream et me demande :

« Alors, où est-elle ?

— Qui ? ai-je rétorqué, l'esprit trop occupé à chercher une façon de me débarrasser de lui pour penser à ce que je disais.

— Ta visiteuse. Celle que tu prétends attendre. Où est-elle ? »

Maintenant, je savais ce qu'il pensait. Les gens comme Harry se régalent des situations où ils s'imaginent vous avoir pris en flagrant délit.

« Elle va arriver », ai-je répondu. Sans rien ajouter. Vous comprenez, je croyais qu'elle allait arriver, je le croyais vraiment. Mais, quelques minutes plus tard, après qu'il eut enfourné deux autres gypsy creams, je n'ai pu m'empêcher de dire :

« Elle ne s'attend pas à ce que j'aie d'autres visiteurs qu'elle, tu sais. »

Aucune réponse.

Uniquement pour le faire penser à autre chose, j'ai allumé la télé, je me suis assis à mon tour et nous l'avons regardée. Pendant deux heures. À la fin, je n'ai pas eu besoin de dire quoi que ce soit. Il s'est levé de lui-même, en chassant avec la main les miettes de biscuit tombées sur son gros ventre et en marmonnant :

« Eh bien, on dirait qu'elle ne viendra pas. »

Comme vous pouvez imaginer, j'ai ouvert la bouche pour lui demander de qui c'était la faute, à son avis. Mais c'est alors que j'ai vu l'expression de son visage.

Vous voulez vraiment en entendre davantage ? En ce qui me concerne, rien n'aurait pu me persuader de gaspiller encore de la salive avec Harry. Tout ce que je peux dire, c'est ceci : pour qui se prend-il ? Sa vie est un ratage complet, sa femme est morte, il tient une boutique de primeurs alors qu'il a horreur des fruits. Sans compter qu'il paraît dix ans de plus que son âge. Et pourtant, il croit pouvoir se permettre de me lancer un regard apitoyé comme celui qu'il m'a lancé ce soir. À moi. C'est plutôt lui qu'il devrait plaindre ! Un point c'est tout.

Après son départ — je ne l'ai pas retenu longtemps, comme vous pouvez imaginer —, j'ai pris tout ce qui était sur la table et l'ai jeté à la poubelle. De toute façon, il avait tout démoli. Mais ce n'était pas la vraie raison. La raison, c'est que pour la première fois j'étais en colère, absolument hors de moi. Et pas seulement contre Harry. C'était surtout à cause de Mandy. Curieusement, c'était le plus vilain tour qu'elle m'ait jamais joué, de ne pas monter alors que je l'attendais. Parce que enfin, considérez un peu le résultat. Elle me laisse avec un minable comme Harry, et à cause d'elle il s'en repart en pensant que le sort de Larry Mann n'est pas plus enviable que le sien. De la façon dont je voyais à présent les choses, ce qu'elle méritait, c'était tout sauf thé et sympathie. Elle pouvait bien continuer à se lamenter tant qu'elle voudrait, ça m'était égal. Et j'ai monté le son de la télé, pour pouvoir faire comme si je n'avais pas entendu au cas où elle se déciderait à frapper.

Mais elle ne l'a pas fait. Je ne l'ai même pas entendue sortir de sa cuisine.

*

En plein milieu de la nuit je me réveille, l'esprit clair comme le cristal. La pauvre petite se sent tout simplement abandonnée. D'abord Son Altesse qui se décommande, puis son vieil ami de l'étage au-dessus qui trouve moyen de se rendre indisponible toute la soirée. Pas étonnant qu'elle soit restée chez elle sans bouger, trop malheureuse pour se montrer. Vue sous cet angle, la situation vous donne une seule envie : celle de sauter du lit et de descendre lui rendre son sourire.

*

Et c'est ce que j'ai fait. Ce matin, dès que j'ai considéré que nous devions être tous les deux visibles, j'ai frappé à la porte de sa cuisine et je l'ai ouverte, rien qu'un petit peu. J'ai dû la faire sursauter, parce qu'elle s'est retournée, les yeux écarquillés, la bouche toute pleine de je ne sais quoi. De toute évidence, je l'avais surprise juste au moment où elle était en train de manger un petit quelque chose sur le pouce. Du moins, c'est moi qui appelle ça un petit quelque chose, mais je doute qu'une autre personne emploierait ce terme. Partout gisaient toutes sortes d'emballages, de papiers et d'autres choses encore. Apparemment, elle venait de s'offrir un vrai festin. Mais enfin, je n'ai rien dit. C'était agréable de voir qu'elle se faisait un peu plaisir. Et en tout cas, elle n'avait certainement pas besoin de prendre cet air coupable pour si peu ; donc, je me suis borné à quelques mots :

« Bonjour, mignonne. Vous m'avez manqué hier soir. »

Rien de plus. Mais c'était suffisant pour lui faire comprendre qu'on avait de l'affection pour elle, que lorsqu'elle n'était pas là il y avait des gens qui s'en apercevaient et qui le regrettaient. Et comme on pouvait s'y attendre, vers sept heures elle est montée rendre visite à son vieux Larry. Au sujet de Son Altesse, elle n'a pas soufflé mot. Je l'ai donc imitée en évitant soigneusement toute allusion. Il n'y avait pas de raison de la chagriner, pauvre gosse, et puis nous avions des tas d'autres sujets sur lesquels nous pouvions parler.

Au cas où vous m'auriez demandé si à mon avis quelque chose n'allait pas, je vous aurais tout simplement ri au nez.

13

D'AILLEURS, pendant les quelques jours qui ont suivi ce fameux week-end où il n'est pas venu, tout s'est passé le mieux du monde. Mandy était égale à elle-même, adorable et silencieuse — un peu tristounette peut-être, mais cela ne me dérangeait pas. On ne peut pas attendre de quelqu'un qu'il soit d'une humeur de boute-en-train en permanence, pas vrai ? Et de toute façon, elle savait très bien à qui elle avait des raisons d'en vouloir. J'ai jeté un petit coup d'œil dans son placard le lundi, et vous n'allez pas me croire, mais tout ce qu'elle avait acheté en prévision de sa visite avait disparu. Même plus un seul petit biscuit aux épices bizarres. C'est comme je vous disais lorsque je vous parlais des Battenberg : vous n'auriez jamais imaginé qu'une seule personne puisse en dévorer si vite une telle quantité. La Demoiselle au Grand Appétit Secret, voilà comment je devrais l'appeler. Remarquez, ça ne lui a guère réussi. L'autre nuit, je l'ai entendue au petit coin : elle vomissait tripes et boyaux, pauvre chérie. J'avais presque envie d'aller l'attendre pour lui dire quand elle sortirait qu'elle ferait bien de modérer un peu sa gourmandise à l'avenir.

Mais enfin, peut-être que c'est comme pour moi avec les Viennese whirls. Elle a tout mangé parce qu'elle ne voulait pas qu'il lui en reste, puisqu'il ne prenait pas la peine de venir après s'être annoncé. C'est drôle, vous ne trouvez pas, de penser que nous réagissons tous les deux de la même manière quand le reste du monde nous traite mal. Il doit exister un moule avec lequel on fabrique des gens comme elle et moi. Nous sommes les deux faces d'une même pièce de monnaie. Une jolie idée, non ?

Seulement, ça ne compense pas ce qui s'est produit ensuite.

Je devrais commencer à avoir peur des milieux de semaine. Je vous assure. C'est toujours en milieu de semaine que le ver semble entrer dans le fruit. Cette fois, c'était mercredi, et comme d'habitude c'est Ethel et le téléphone qui ont déclenché les ennuis. Ensuite, j'entends Mandy sur le palier du premier, en train de chanter. Oui, de chanter ! Et à neuf heures et demie du soir. Comme si ça ne suffisait pas, il faut que j'attende le lendemain matin pour savoir ce qui se passe, et de la bouche d'Ethel. Pour la simple raison qu'elle s'est mis dans la tête que c'est *moi* qui suis dans tous mes états dès qu'il est question de lui. Elle devrait plutôt voir l'effet produit sur Mandy. Enfin, bref, la « bonne » nouvelle, c'est qu'il vient vendredi, exactement comme il était censé le faire la semaine dernière.

J'ai beaucoup réfléchi avant de faire ce que j'ai fait ensuite. Je savais que ça ne lui ferait pas plaisir, mais tout bien considéré je n'avais pas d'autre choix. Il était nécessaire que quelqu'un lui parle. Donc, par précaution (on était jeudi et il exerçait peut-être déjà son effet sur elle), je lui ai laissé un mot sur la table de sa cuisine. « Mandy, passez me voir dès que possible. C'est important. Amitiés, Larry. »

Elle ne m'a pas fait attendre, je dois lui rendre cette justice. Elle est montée chez moi aussitôt qu'elle est rentrée. Je lui ai dit bonsoir comme d'habitude, mais sans beaucoup sourire. Après tout, il était normal qu'elle voie que ce que je m'apprêtais à faire m'était difficile. Curieusement, elle était d'humeur bavarde ce soir, entrant dans toutes sortes de détails pour me raconter comment s'était passée sa journée à l'université. C'est étrange, mais elle peut parfois se montrer un peu inattentive et avoir envie de me parler d'elle alors qu'il est tout à fait visible que j'ai en tête quelque chose de sérieux. Ordinairement, je suis alors plutôt enclin à la laisser jacasser, mais pas aujourd'hui. Je l'ai donc interrompue, doucement. Et je l'ai invitée à s'asseoir parce que j'avais à lui parler de quelque chose.

J'ai commencé par lui dire combien j'avais d'affection pour elle, combien la vie était plus gaie depuis son arrivée. Je lui ai dit aussi qu'il était terriblement difficile pour un homme tel que moi de venir mettre son nez dans les affaires d'autrui. La vie de chacun lui appartient, ai-je insisté, et personne n'a le droit de lui dicter sa conduite. Mais malgré tout...

Voici les mots que j'ai employés :

« Il arrive un moment, petite Mandy, où l'on est obligé de dire ce qu'on pense. »

Je crois que c'est à ce moment-là qu'elle a saisi de quoi j'allais lui parler, parce qu'elle m'a lancé un petit regard méfiant que je n'avais jamais vu auparavant. En tout cas, que je ne *lui* avais jamais vu. Si je n'avais pas été aussi sûr du bien-fondé de ce que j'avais à dire, j'aurais peut-être préféré m'arrêter là, avant que sa méfiance n'empire. Mais Larry Mann n'est pas du genre à faire machine arrière, pas quand il sait qu'il a raison.

« Voyez-vous, Ethel m'a dit que vous attendiez de nouveau la visite de cet ami à vous pour le week-end...

— Mais elle n'y voit pas d'inconvénient, Larry. Je le lui ai demandé...

— Je n'en suis pas aussi sûr que vous, mon petit. Elle a une drôle de façon d'exprimer ce qu'elle pense, quelquefois. De toute façon, ce n'est pas Ethel qui m'inquiète. C'est vous.

— Moi ?

— Oui, vous, mon petit. Vous savez, je ne savais vraiment pas quoi faire la semaine dernière, en vous voyant si malheureuse et sans savoir quand je pourrais ramener un sourire sur votre petit visage. Et tout ça pour quoi ? Parce que ce dénommé Francis vous avait annoncé sa visite et qu'ensuite il ne s'est pas donné la peine de venir.

— S'il n'est pas venu, c'est parce qu'il avait une bonne raison, Larry.

— Oh, je n'en doute pas ! Et il aura probablement une autre bonne raison cette semaine et toutes les... »

J'aurais voulu que vous voyiez son visage à cet instant. Parlez-moi du docteur Jekyll et de Mr. Hyde ! Le joli dessin si doux de ses traits m'a donné l'impression de s'effacer sous mes yeux, et soudain ce n'était plus Mandy que j'avais en face de moi. Mandy avait disparu, et devant moi, me regardant d'un air de défi, il y avait toutes les autres femmes du monde. Méchantes, haineuses. Avec une voix assortie au reste.

« La raison pour laquelle il n'est pas venu la semaine dernière, Larry, c'était qu'il avait des vies à sauver. Il y a eu un gigantesque carambolage sur l'autoroute à la sortie d'Édimbourg. Vous avez dû voir ça à la télévision. Tous les médecins de la région ont été sur la brèche en permanence pendant le week-end. »

Soudain, je me suis senti prêt à défaillir. Parce que vraiment, ç'aurait très bien pu être Doreen qui se tenait face à moi, se servant de sa voix comme seules les femmes savent le faire, vous enfonçant chaque mot dans la chair comme une lame.

Ne me demandez pas comment j'ai fait pour garder mon sang-froid, alors qu'il y a des femmes qui ont été étranglées pour moins que ça, et à juste titre. Mais le fait est que je l'ai gardé.

« Là n'est pas la question, mon petit... », ai-je commencé doucement, trop doucement, parce qu'elle m'a aussitôt bondi dessus.

« Non, vous avez raison. Là n'est pas la question. Ce qui compte davantage, c'est que j'aurais certainement été beaucoup moins malheureuse si *quelqu'un* m'avait simplement transmis le message qu'il avait laissé pour moi...

— Ah ! ai-je dit. Ethel...

— Non, pas Ethel, Larry. J'ai parlé avec elle. Elle m'a dit ce que vous aviez promis de le faire. Vous aviez promis de me laisser un mot sur ma table, et vous ne l'avez pas fait. »

À cela, j'avais une réponse, mais — vous n'allez pas me croire — elle ne m'a même pas laissé le temps de la formuler. Avant que je puisse seulement ouvrir la bouche, elle s'est levée et elle a quitté la pièce.

Alors dites-moi, maintenant : comment qualifieriez-vous un comportement pareil ?

Le plus curieux, c'est qu'au moment où elle est partie je n'ai même pas pensé à en prendre ombrage. Si seulement elle m'avait laissé finir, elle aurait compris ce que j'essayais de lui dire. À savoir, tout simplement ceci : n'avait-elle pas un peu de fierté ? Cela tombe sous le sens : quand quelqu'un vous fait faux bond, la dernière chose à faire est de lui dire qu'il est toujours le bienvenu, comme pour lui donner l'occasion de recommencer. Au contraire, il faut lui dire que votre porte lui est fermée. C'est le seul moyen de ne pas être déçu. C'est tout ce que je voulais lui dire. Seulement, elle n'a pas pris le temps de m'écouter.

Voilà, vous savez tout : nous nous sommes disputés et elle est partie en se sentant personnellement accusée. Et pourtant, quelqu'un saurait-il m'expliquer ce que j'ai bien pu dire qui l'a vexée ?

*

Quoi qu'il en soit, je savais qu'il allait venir. Mandy n'allait pas changer d'avis, et il n'y aurait pas de coup de téléphone comme celui de la semaine dernière. Les gens comme lui sont nés aussi rusés que des renards. Ils savent qu'ils ne peuvent pas risquer le même coup deux fois — en tout cas, pas deux semaines d'affilée.

Donc, c'est la première idée qui est venue me frapper en pleine figure au moment où je me suis réveillé. Mais il y a eu pire ensuite. En milieu de matinée, j'en entendu Ethel dans les pièces du premier, et au bruit il était clair qu'elle passait un sacré bon moment à fouinarder partout, et même — ne me croyez pas si vous voulez — à déplacer les meubles. Bien sûr, un jour normal, je serais descendu avant que vous ayez eu le temps de vous retourner, mais pour une fois j'ai décidé de ne pas lever le petit doigt. Le moins qu'on puisse dire, c'est que je ne pouvais guère m'attendre à des remerciements si j'intervenais. J'entends par là que si Mandy tenait tant à l'intimité de son chez-elle, elle ne laisserait pas ce type y passer tout le week-end.

Pourtant, arrive l'après-midi et je n'ai guère pu résister. Il fallait que je voie ce qu'Ethel avait bien pu fabriquer. Si c'était quelque chose de vraiment choquant, quelque chose qui risquait de bouleverser Mandy, peut-être qu'alors je pourrais arranger les choses avant même qu'elle s'aperçoive de quoi que ce soit.

Et ce que j'ai vu était une preuve supplémentaire, s'il en était besoin, que de toutes les représentantes de l'engeance féminine vivant sur cette terre, Ethel est assurément la plus bizarre. Une locataire ramène un homme dormir chez elle, non pas une fois, mais deux, et que fait Ethel ? Tout son possible pour rendre l'endroit plus élégant. Le vieux tapis devant le radiateur était bien assez pour nous, et plus tard bien assez pour les Indiennes. Mais il ne l'est plus pour une certaine demoiselle effrontée et son godelureau. Le tapis qui a rendu de bons et loyaux services depuis douze ans a été enlevé et remplacé. Je sais même d'où vient le nouveau, parce que je les ai vus me sauter à la figure, ces roses et ces verts, dans le grand carton plein de bric-à-brac d'occasion au bazar du coin. Mais l'important, c'est qu'il a l'air tout neuf comparé à l'ancien — et pour Ethel, faire un achat comme celui-là signifie qu'on tient à ce que les gens se sentent comme des pachas. Quand on y réfléchit, il ne faut pas s'étonner si Mandy considère qu'elle peut tout se permettre : c'est pratiquement comme si Ethel elle-même l'y encourageait.

Après cela, la journée devient de plus en plus désastreuse. Il est arrivé, et, comme vous avez deviné, c'est comme si l'on vivait tout à coup dans une maison de fous.

Il est même allé jusqu'à changer l'air qu'on respire entre ces murs. Non, je vous jure. On pouvait encore sentir son odeur sur le palier un bon moment après qu'ils étaient ressortis tous les deux. Je ne blague pas : ce type se parfume ! Impossible de s'y tromper. Et je ne veux pas dire qu'il utilise un after-shave. Il y a un monde de différence entre une petite friction au Mennen et ce qu'il se met. C'est un truc qui vous arrive par vagues, comme ceux des spots publicitaires à la télé, ceux qui prétendent vous faire penser à des images chaque fois que vous en respirez une bouffée :

les vagues de la Méditerranée déferlant sur des colonnes brisées, tout ça. Bon, c'était déjà assez désagréable sur le palier, mais quand cette fichue odeur a commencé à monter jusqu'à mon étage, il était temps de prendre des mesures d'urgence. Je n'avais pas de désodorisant chez moi, mais j'avais autre chose de tout aussi efficace. Et même si j'ai eu un peu la tête qui tournait après en avoir vaporisé partout, laissez-moi vous dire ceci : j'aime cent fois mieux attraper la migraine à cause d'une respectable bombe insecticide que d'une saleté de parfum pour tapettes, et je suis sûr que Joey est d'accord avec moi.

Pourtant, j'admets volontiers que le réconfort qu'on peut éprouver en utilisant généreusement une bombe aérosol est assez limité. Surtout lorsqu'on pense que c'est seulement vendredi soir, et qu'il reste encore tout un week-end à endurer.

Et pour cette raison, vous serez probablement surpris d'apprendre qu'en me réveillant ce matin, j'étais d'excellente humeur. Mais je vous rassure tout de suite : non, je ne suis pas devenu maboul comme tout le reste de la maisonnée.

Il y a une des raisons de cette belle humeur que vous pouvez sans doute deviner. Il s'agit d'une certaine raison qui m'a forcé à ne pas fermer l'œil avant trois heures du matin, parce que j'écoutais le silence, le silence absolu qui en disait long par lui-même.

Donc, voilà l'une des raisons, mais la deuxième est presque aussi bonne. C'est quelque chose qui m'a frappé aux toutes premières heures de la matinée, quand j'ai constaté que rien (je dis bien *rien*) ne se passait au-dessous. Je vais vous mettre sur la voie. C'est en relation avec l'époque de l'année où nous sommes, une époque où toutes les personnes qui mènent une vie normale se préparent à se rassembler pour festoyer. Vous saisissez ! En d'autres termes, est-ce que quelqu'un jusqu'à présent a prononcé le mot Noël ?

*

Avant que vous me demandiez quel rapport Noël peut bien avoir avec tout ce dont je vous parle, réfléchissez à ceci : les maris passent Noël avec leurs femmes. Qu'ils en aient envie ou non, c'est ce qui se fait. De même pour les enfants qui s'entendent bien avec leur père et leur mère. Et vous pensez sans doute que cela englobe presque tout le monde, du moins en ce qui concerne la manière dont les choses se passent normalement à Noël. Oui, mais les gens qui ne sont pas mariés et qui sont brouillés avec leur famille ? Quel genre de réjouissances peuvent-ils espérer quand approche la fin de l'année ? Ça en dit long sur la vie de quelqu'un, vous savez, quand on sait comment et avec qui il passe son Noël. Ce qui nous amène évidemment à Mandy, compte tenu de ce que nous savons par ailleurs sur la pauvre petite. Que va-t-elle faire pour Noël ?

Bon, il y a une réponse à ça, bien sûr. Et tout ce que je vous dirai, c'est que cette réponse repose sur une certaine personne qui me touche de près, et sur les océans de bonne volonté dont cette personne sait faire preuve.

Autrement dit, il est possible que personne d'autre ne veuille d'elle, mais juste au-dessus de sa tête il y a quand même toujours quelqu'un qui l'aime.

Mais ce ne sera pas n'importe quel Noël. Le premier imbécile venu est capable d'acheter un sapin, de mettre sa dinde dans le congélateur, de ramasser les cartes de vœux[1] sur le paillasson en dessous de la boîte aux lettres et d'espérer qu'il aura assez de lait jusqu'au surlendemain. Le Noël de Larry et de Mandy sera, une fois de plus, quelque chose de tout à fait spécial. Le Noël que j'ai en tête va demander une énorme préparation, avec des listes pour les choses de base et d'autres beaucoup plus complètes, qui seront établies et vérifiées jusque dans les moindres détails. Il faudra tout prévoir, ne rien négliger, rien de rien, et tout

1. En Grande-Bretagne, on n'envoie pas de vœux pour le Nouvel An, mais pour Noël, et souvent dès le début du mois de décembre *(N.d.T.)*.

ça pour que Mandy puisse avoir un Noël dont elle se souviendra jusqu'à la fin de ses jours.

Ce qui veut dire qu'il n'y a tout simplement pas de temps à perdre à ruminer sur la situation présente. Le moment est venu de tourner le regard vers le futur, ce futur au centre duquel il y a Mandy, avec son petit visage tout rose et rayonnant, Mandy qui lève les yeux et dit à son vieil ami : « Joyeux Noël, Larry. Et merci, merci pour tout. »

Résultat : jusqu'à l'heure du dîner, ils auraient bien pu se balancer aux lustres, pour ce que Larry s'en souciait. Larry était beaucoup trop occupé, assis devant des piles de notes et de listes, et faisant son possible pour ne pas paniquer. Parce qu'aussitôt que j'ai commencé, cela m'a frappé : il était déjà un peu tard pour me mettre au travail. Il doit y avoir déjà deux bonnes semaines que les illuminations ont commencé dans les rues et les magasins, et j'étais là, trop occupé à d'autres choses, pour y songer ne serait-ce qu'une seconde. Ce que j'aurais dû penser, c'est que les illuminations sont seulement le signal du départ. À partir de maintenant, ce sera un combat à mort, chacun pour soi, et il est absolument nécessaire que j'établisse mon plan rapidement et efficacement.

Vous trouvez que j'exagère ? Alors écoutez un peu ça. Il reste quatre semaines avant le grand jour, et que croyez-vous que j'aie trouvé sur le paillasson ce matin ? La première carte de Noël. C'est une tradition en soi, réglée comme du papier à musique, cette carte qui arrive une semaine avant la date normale prévue pour les premières.

Bien sûr, c'est la carte de June, qui fait preuve aussi d'un peu de prévoyance. On pourrait dire que c'est le seul trait de caractère qu'elle a hérité de moi (tout le reste, elle le tient de sa mère). Et avec cette carte envoyée si tôt, elle essaie de me faire croire que je suis le premier sur sa liste, et aussi qu'elle tient à me laisser tout le temps d'en envoyer une en retour. Et comme un idiot, chaque année j'ouvre l'enveloppe avec le vague espoir que cette fois-ci, elle aura écrit quelque chose de différent.

Mais que croyez-vous qu'il arrive ? Vous donnez à quelqu'un encore une chance de se racheter, et vous recevez chaque année la même claque dans la figure. Rien n'a changé. Sur la carte, elle a écrit : « Joyeux Noël. J'espère que nous nous verrons cette année. Affectueusement, June. »

Voilà ce que je voulais dire. C'est toujours exactement la même chose. Et pourtant, il suffirait de quelques mots pour que tout soit différent. Oui, malgré tout ce qui s'est passé. Parce que Larry n'est pas du genre rancunier. Tout ce qu'il demande, c'est de voir transformé cet « Affectueusement, June » en « Affectueusement, June *et* Bill ». Et vous savez pourquoi ? Parce que ça prouverait qu'elle a usé d'un peu de persuasion avec lui, qu'elle a fait un effort pour le convaincre. Je n'attends même pas d'excuses, plus maintenant : seulement son nom en bas de la carte, ce qui reviendrait au même.

C'est le jour de Noël d'il y a sept ans que c'est arrivé. Le cinquième que je passais tout seul.

Tout naturellement, avec le temps j'avais pris mes petites habitudes pour ce jour-là. Rien de très élaboré, juste quelques petits plaisirs innocents que je m'accordais tranquillement, et qui commençaient par un vrai bon breakfast que je mangeais en faisant chauffer le four pour la dinde. Et je peux vous dire qu'avec ce four en marche, il faisait sacrément chaud dans ma cuisine — ce qui explique tout ce qui s'est passé ensuite. Après tout, il y a des femmes qui ne prennent la peine de s'habiller le jour de Noël qu'au dernier moment, quand elles s'apprêtent à servir le repas[1]. Et je n'ai jamais vu Doreen se faire une beauté uniquement pour préparer les choux de Bruxelles.

Seulement, comment aurais-je pu savoir que je recevrais de la visite ? La première chose qui me l'a annoncé, c'est un vacarme de tous les diables dans l'escalier, un piétinement effréné de grosses chaussures et le bruit de *Once in Royal David's City*[2] massacré par deux voix qui braillaient à l'unisson. Deux secondes après, ils étaient là : June et

1. C'est pour le déjeuner du 25 décembre qu'on sert le repas de Noël traditionnel en Grande-Bretagne *(N.d.T.)*.

2. Chant de Noël très connu *(N.d.T.)*.

son grand gaillard de mari, se bousculant sur le seuil de la cuisine comme deux gamins grandis trop vite. Avec de la neige sur leurs manteaux, comme dans *Noël avec Bing Crosby,* des bouteilles sous le bras et un grand sourire en travers de la figure.

« Surprise ! »

Elle a crié ça d'une voix très aiguë, un peu inquiète, même. Sa voix à lui était plutôt un rugissement, et il ne faisait rien pour cacher que cette visite était une corvée.

Et moi, j'étais debout devant eux, en caleçon et tricot de corps, sans rien sur la tête. Vous comprenez, il faisait trop chaud, même pour garder mon postiche.

Comme je n'attendais aucun visiteur, je l'avais laissé sur ma table de nuit. Et voilà ce qu'ils avaient réussi à faire ! Ils m'avaient surpris en petite tenue, avec un morceau de bacon à mi-chemin entre mon assiette et ma bouche, et sans un cheveu sur le dessus du crâne. Une certaine personne à Waltham Abbey en rirait à se tenir les côtes jusqu'au jour de l'an.

Et pour commencer, je vois June qui m'observe et le bruit de sa voix énervée se transforme en gloussements :

« Oh, papa ! Tu en as une allure ! »

À peine avait-elle parlé qu'elle a compris qu'elle aurait mieux fait de se taire : elle pouvait voir la tête que je faisais, non ? Donc, son grand sourire disparaît comme si je m'étais approché moi-même pour l'effacer d'un coup d'éponge. Elle avait un visage de jeune fille, même si elle avait déjà dépassé trente ans à l'époque. Elle avait toujours été très mince, June, et pas très portée sur le maquillage, si bien qu'il n'y avait rien pour dissimuler l'expression qu'avait prise tout à coup son visage. J'ai envie de le comparer à celui d'une fillette prise en faute, mais il serait sûrement plus juste de dire qu'elle avait l'air anxieux. Parce qu'elle appréhendait ce que j'allais répondre. Ce qui, je l'admets, m'a d'abord pris un peu au dépourvu, et pendant deux ou trois secondes nous nous sommes seulement regardés dans les yeux, moi en caleçon et elle avec son air de fillette prise en faute, et tous deux malgré tout assez sensés pour ne rien dire, pas tout de suite, pas de but en blanc. Qui peut savoir ce qui se serait passé ensuite ? Cela ne faisait que cinq ans à l'époque, et nous étions toujours restés plus ou moins en contact, par intermittence...

Mais à ce moment-là, l'autre idiot a cru bon d'ouvrir la bouche.

« Allez, vas-y, June. Fais une bise à ton vieux papa, et tu verras qu'il t'adorera comme avant. »

C'est ça qui a été le déclic. Ce doit être le choc d'entendre sa voix résonner entre nous deux qui m'a fait reprendre mes esprits. Soudain, je revoyais tout clairement. Cinq ans qu'elle aidait et soutenait sa mère, cinq ans qu'elle était de leur côté, à elle et à son jules. Cinq ans de Collaboration avec l'Ennemi — et elle s'imaginait qu'elle pouvait tout effacer simplement en me faisant la bise, parce qu'il lui avait dit que ce serait assez !

Ensuite, aussitôt sortis d'ici, ils fileraient probablement tout droit à Waltham Abbey pour fêter Noël proprement dit. Où tout le monde hurlerait de rire à mes dépens.

Une surprise, hein ? Eh bien, moi aussi, je pouvais les surprendre.

Je lui ai dit qu'elle pouvait arrêter de prendre cet air idiot, pour commencer. Qu'elle avait dû se tromper de maison, se tromper de personne. Larry Mann n'avait pas de fille. Plus maintenant. Il n'en avait plus depuis cinq ans. Des phrases de ce genre. Et encore beaucoup, beaucoup d'autres choses.

Pour vous dire la vérité, cela venait de mon penchant à toujours tout préparer soigneusement. C'est la seule façon dont je puisse expliquer ce qui s'est passé ce jour-là. J'avais passé tant de temps à préparer ce que je lui dirais si j'en avais l'occasion, que tout est sorti d'un coup sans que j'aie à faire le moindre effort, sans que j'aie même besoin de penser. Et tout ce que j'ai dit était justifié, remarquez bien. Chaque mot. Seulement... Seulement, ce que je voulais vous dire, c'est que si j'avais mûrement réfléchi je n'aurais peut-être pas décidé de tout lui balancer à la fois, pas à ce moment-là, pas si j'avais réellement pensé à ce que je disais. Mais vous savez ce que c'est quand vous laissez déborder une baignoire et qu'ensuite vous n'arrivez pas à ouvrir la bonde lorsque vous vous en apercevez. Et quand enfin vous y arrivez, il est trop tard. Je l'ai regardée, et j'ai vu qu'elle se mettait à pleurer. De vraies larmes. Même sa mère n'aurait pas été capable de simuler aussi bien — mais je pense qu'elle n'en a jamais éprouvé le besoin. C'est à ce moment-là que j'ai pu ouvrir la bonde. Je me suis arrêté net, en plein milieu de mon flot de paroles. Je n'ai plus pipé mot. Et je vais même vous dire autre chose. Bonne pâte comme je suis et en la voyant pleurer, une minute après j'aurais peut-être retiré ce que j'avais dit — en tout cas une partie. Peut-être. Si j'en avais eu le temps.

Mais voilà : je n'en ai pas eu le temps. Parce que alors il s'est produit quelque chose qui n'aurait jamais, au grand jamais dû se produire dans un monde civilisé. Tout d'un coup j'ai vu Bill devant moi, sautant à pieds joints là où il n'avait que faire, entre un père et sa fille, la poussant de côté et me criant — oui, à moi ! — des choses que je serais incapable de vous répéter, tellement j'aurais honte. Son gros doigt m'appuyant sur la poitrine, sa grosse figure rouge hérissée de poils tout près de la mienne, hurlant des insultes. Chez moi, dans ma propre cuisine. Le portrait craché de ces brutes qu'on voit à la télé certains jours de matches de football, en train d'injurier des gens parfaitement convenables et qu'ils ne connaissent ni d'Ève ni d'Adam.

Mais savez-vous ce qu'il y avait de pire dans tout ça ? C'est qu'elle l'a laissé faire. Elle est restée debout sans bouger et pas une seule fois elle n'a ouvert la bouche pour le faire taire, pas même pour lui reprocher son langage. Et croyez-moi, il n'y a pas sur cette terre une seule femme respectable qui aurait supporté d'entendre des mots pareils. La seule chose qu'elle a fini par faire, c'est de le tirer par la manche avant de disparaître dans l'escalier. Une dernière pression de son doigt sur mon thorax, et il l'a suivie. Je pense que la neige n'a même pas eu le temps de fondre sur leurs manteaux.

Ce qui n'était pas plus mal.

Maintenant, je ne peux plus dire qu'une chose : c'est que je me demande où elle trouve le culot de continuer à m'envoyer des cartes pour Noël. Parce que ce n'est pas une seule fois, mais deux qu'elle a trahi la dernière personne au monde qu'elle aurait dû trahir. Même sa mère n'est parvenue à le faire qu'une fois. Et je ne crois pas qu'il y ait un seul homme au monde qui puisse accepter ça sans se révolter. Et pourtant, son nom en bas de la carte, c'est tout ce que je demande. Un genre d'excuses qui ne seraient même pas des excuses. Et dans ce cas, il se pourrait que j'aille jusqu'à leur envoyer une carte à mon tour.

Mais où en étais-je ? Ah, oui. La carte de June me rappelle, comme si c'était nécessaire, que le temps file à toute allure. À partir de maintenant, chaque minute compte.

14

DONC, voici mon plan.

À la fin, c'est tout le week-end qu'il m'a fallu pour le mettre au point. Je me suis tellement affairé qu'aussitôt venue l'heure du départ pour Son Altesse, je n'y ai même pas fait attention. Enfin, à peine. Parce qu'il aurait été impossible de ne pas les entendre tous les deux, à moins d'être sourd comme un pot. Remarquez, c'est surtout Mandy la coupable : elle n'arrête pas de hurler de rire, comme si la vie en compagnie de Son Altesse était une grande partie de rigolade permanente. Ha, ha, ha ! Ha, ha, ha ! Elle s'esclaffe du matin au soir, et elle vous déconcentre tellement qu'on finit par avoir envie que quelqu'un vienne l'éteindre en appuyant sur un bouton comme on éteint la télé. Il y a vraiment de quoi se demander comment une seule personne peut trouver tant de choses à dire qui soient si drôles.

Mais dimanche soir est arrivé, et croyez-le ou non, cette fois je regrette presque de ne pas l'avoir vu davantage tant qu'il était sur place. Il faut bien connaître son ennemi, dit-on. Seulement, compte tenu de tout le temps que ça m'a pris de faire mes listes et du fait qu'ils passent presque plus de temps à l'extérieur que dans la maison, on ne peut pas dire que j'en aie vraiment eu l'occasion. Et de toute façon, on peut tout comprendre sur son compte, parce que ces rires incessants en disent plus qu'un long discours.

Après, j'ai quand même tendu l'oreille pour l'entendre au moment où elle reviendrait, au cas où, une fois débarrassée de lui, il lui serait passé par la tête de monter chez moi. Pas parce que j'en avais envie, pas vraiment. Certainement pas si tout ce qu'elle cherchait, c'était quelqu'un pour l'écouter geindre tout son soûl. Mais ce qui m'inquiétait surtout, c'était qu'elle puisse entrer alors que j'étais toujours assis devant ma table avec mes notes et mes listes autour de moi. Si jamais elle les voyait, elle se douterait aussitôt que quelque chose se préparait.

Mais je n'aurais pas dû m'inquiéter. Elle est rentrée après l'avoir accompagné à la gare, et elle s'est immédiatement enfermée chez elle pour ne plus ressortir. Ce n'est pas qu'elle se soit endormie tout de suite. Il suffisait de faire un pas dans la chambre à coucher et d'écouter le bruit provenant de la pièce juste au-dessous. C'était comme la dernière fois. Petite idiote.

Mais enfin, voici mon plan.

Il y a un peu moins d'un mois d'ici à Noël. Quatre semaines exactement. J'ai donc établi quatre listes (que j'ai recopiées ensuite, par précaution), avec tous les articles que je devrai m'être procurés à la fin de chacune. Vous me suivez ?

La liste un (intitulée « Divers, à acheter très en avance ») est consacrée aux petites choses, entre autres à certains articles que j'aurais peut-être du mal à trouver à l'approche de Noël. Donc, ce que j'aurai acheté à la fin de cette semaine, ce sont les fruits secs, les chocolats, le papier d'emballage — bref, tout ce qui se conservera sans problèmes. Et aussi ces décorations d'arbre de Noël vraiment raffinées que très souvent les boutiques ont déjà toutes vendues au moment où vous vous décidez à faire la dépense. Le genre de choses qu'on achèterait en juin si l'on était assez prévoyant.

Passons à la deuxième semaine. C'est à ce moment-là que j'achèterai le sapin, le pudding, les gâteaux, que je commanderai la dinde... Oh, et puis je me renseignerai sur le prix d'une seconde télé, au cas où. La troisième semaine sera utilisée à faire le plein de vins et de liqueurs, et de toutes les choses à manger qui ne se gardent pas longtemps. Il faudra aussi que je trouve les petits cadeaux à mettre dans le bas de laine[1]. Parce qu'elle trouvera son bas de laine, naturellement, même si ce n'est pas elle qui l'a accroché. Et la quatrième semaine...

Ah, la quatrième semaine ! Ce sera sûrement la plus importante de toutes. Lorsque nous y arriverons, je crois que mon appartement sera déjà plein à craquer. Même si Noël nous tombait du ciel en avance, je crois que je serais fin prêt. Pas de danger que l'un de nous se tourne vers l'autre en demandant : « Est-ce que nous n'avons pas oublié le... ? » Ça n'arrivera pas. Tout sera déjà là. À part une chose, peut-être. La chose la plus importante. Elle n'apparaît sur aucune de mes listes, parce qu'elle forme une catégorie à elle toute seule.

Et si je ne l'ai pas encore trouvée, c'est à la recherche de cette chose-là et à rien d'autre que sera consacrée la quatrième semaine. Le cadeau pour Mandy.

Alors, qu'est-ce que vous comptez lui offrir, Larry ? Je vous entends me poser cette question. Eh bien, c'est tout le problème. Je n'en sais rien. Je n'en ai aucune idée. Mais entre maintenant et le grand jour, mes yeux n'auront pas un moment de repos. Parce qu'ils seront toujours en train de chercher, chercher, chercher sans cesse. Et quand je finirai par tomber sur quelque chose qui convient, je le saurai tout de suite. Alors, il ne me restera plus rien à faire.

Autrement dit, tout mon programme est au point !

Mais entre-temps, se pose la question de savoir si je dois prévenir Mandy. Vous comprenez, j'ai commencé par me dire : pourquoi pas ? Après tout, la pauvre petite sera forcément très malheureuse si elle s'attend à passer Noël toute seule. Donc, on peut penser qu'il serait plus gentil de lui dire que tout est prévu, qu'elle ne sera pas seule et sans amis, qu'elle aura un beau Noël malgré tout, grâce à Larry.

1. En Grande-Bretagne, le soir de Noël, les enfants ne mettent pas leurs souliers devant la cheminée, mais suspendent un bas de laine au pied de leur lit, qu'ils retrouvent le matin rempli de petits objets et de friandises *(N.d.T.)*.

Ajoutons à cela la pensée d'elle et moi, passant ces longues soirées d'hiver ici, devant le radiateur, avec toutes ces choses si jolies et appétissantes autour de nous, les biffant de nos listes au fur et à mesure qu'elles arrivent dans la maison — moi dispensant toute la joie de Noël et elle m'expliquant les astuces que lui a indiquées sa mère pour utiliser les restes de dinde. Je veux dire, c'est une image agréable, vous ne prétendrez pas le contraire. En quelque sorte, cela rend Noël beaucoup plus proche.

C'est pourquoi vous allez sûrement tomber des nues si je vous dis que je n'ai pas mangé le morceau séance tenante. Mais je vais vous dire pourquoi. Il est parti dimanche soir, et je ne l'ai même pas aperçue avant mercredi. Et c'était une insulte en soi d'oser passer ma porte sans un seul mot pour s'excuser. Vous me pardonnerez d'avoir cru alors que les mauvais jours étaient revenus. Mais le pire moment est venu après, quand je l'ai fait asseoir et que je lui ai demandé, juste histoire de tâter le terrain :

« Alors, qu'avez-vous prévu de faire pour Noël, petite Mandy ? »

Savez-vous ce qu'a été sa réponse ?

« Mmmm ? »

Voilà ce qu'elle a dit ! « Mmmm ? » Elle n'écoutait même pas ! Elle était là, assise sur mon canapé devant le radiateur, et elle n'écoutait même pas un mot de ce que je lui disais. Ça entrait par une oreille, et ça ressortait par l'autre.

Non, il faut qu'elle se réveille un peu avant que je lui dise quoi que ce soit. Attendons qu'elle commence à remarquer les arbres de Noël derrière les fenêtres, qu'elle entende *Douce nuit, sainte nuit* chanté partout. Et bientôt, les types de l'Armée du Salut qui secoueront leurs troncs sous son nez, pour lui soutirer le peu d'argent qu'elle a. Même ces drôles de gens qu'elle voit à l'université se distribueront des cartes de Noël et parleront des vacances dans leurs familles. Le déclic se fera assez vite, vous pouvez me croire. Et nous verrons bien dans quel état d'esprit elle sera à ce moment-là, avec pour toute perspective un Noël sans même un croupion de dinde à se mettre sous la dent.

Mais vous savez quoi ? Même alors, je ne lui dirai rien. Je vais attendre, patienter jusqu'au grand jour. Le moment venu, je suis sûr qu'elle sera complètement abattue, pauvre chou. Seulement, imaginez la tête qu'elle fera quand Larry apparaîtra pour lui dire qu'un Noël magnifique se prépare pour elle depuis des semaines ! Ce sera comme un rêve qui devient réalité. De toutes les surprises que je lui réserve, celle-là sera la meilleure — la meilleure de sa vie.

Mais si elle fait partie de ces gens bizarres pour qui le fait que ce soit Noël n'a aucune importance ?

La réponse, c'est qu'il n'y a aucun risque. Je la connais, ma Mandy ! Même quand elle se conduit comme elle l'a fait ces jours derniers, je la connais, ma bonne petite fille. J'ai vu dans quel état elle est quand elle se retrouve vraiment toute seule, quand son Prince charmant la laisse sans nouvelles et que sa dernière visite commence à remonter loin. En deux secondes, elle monte voir le seul ami qu'elle ait sur cette terre, pour l'écouter lui parler gentiment et lui piquer quelques idées pour remplir son petit garde-manger. Ma Mandy redeviendra elle-même en un clin d'œil, et elle n'est pas du genre à ignorer que c'est Noël.

*

Et j'avais raison. Bien sûr. En fait, c'est arrivé très vite. Vendredi soir, elle avait dû trop manger de sucreries encore une fois, parce qu'elle est restée un bon moment dans les toilettes et je l'entendais vomir comme une grande gosse qui s'est bourrée de gâteau d'anniversaire. Et aujourd'hui, samedi, elle était redevenue la vraie Mandy. Douce, silencieuse, attentive. Un peu nerveuse peut-être, mais ça on ne peut pas dire que c'était de ma faute, et ça ne m'a pas surpris quand, pour la première fois depuis longtemps, je l'ai vue fumer quelques-unes des cigarettes que je pose sur la table à son intention. Mais ça, je vous en reparlerai plus tard.

D'abord, laissez-moi vous raconter ce qui s'est passé ce matin. Je crois que j'ai fait ce qu'il fallait pour bien lui mettre en tête l'idée que c'est bientôt Noël. Par le plus pur des hasards, j'étais dans le vestibule et je ramassais mes cartes sur le paillasson. Il en arrive des tas maintenant, même pour Larry. Et c'est à cet instant que je l'ai vue debout en bas de l'escalier, un peu haletante, comme si elle avait couru depuis sa chambre.

Bon, peut-être que je n'aurais pas dû, mais je n'ai pas pu résister. Je me suis mis à compter les cartes devant elle. Quatre pour moi et sept pour les Duck.

« Eh bien, Mandy, mon petit, ai-je dit d'un ton tout surpris, pas la moindre carte pour vous. Il y a une foule de gens qui pensent à vous, à ce qu'on dirait ! Mais ne vous en faites pas. Vous avez encore tout le temps d'en recevoir. »

Maintenant vous allez peut-être me dire que j'ai des visions, mais l'espace d'une seconde j'aurais pu jurer qu'elle avait l'air perdu. Qui plus est, elle n'a pas dit un seul mot. Elle a seulement fait volte-face avant de remonter l'escalier en courant, ce qui prouvait bien — si c'était nécessaire — qu'elle n'était descendue que pour voir s'il n'y avait pas par hasard du courrier pour elle. Seulement, de qui ? Pas du Prince charmant, c'est sûr. Il n'écrit jamais.

Après ce bref tête-à-tête, dehors pour les affaires importantes de la journée. Au cas où vous l'auriez oublié, aujourd'hui est la fin de la semaine numéro un de mon plan, et Oxford Street[1] m'attend.

Même si je n'avais pas rencontré Mandy, j'aurais été de bonne humeur. C'est le fait de sortir, de voir les boutiques toutes décorées pour Noël. On ne devinerait jamais que nous sommes en période de récession. Ou peut-être que si, après tout. Peut-être que c'est justement la raison pour laquelle les commerçants mettent le paquet. Quoi qu'il en soit, l'effet est magnifique, et il n'y a pas un seul magasin qui ne fasse un petit effort, même les boutiques d'occasions de Holloway Road — comme si quelques guirlandes allaient faire cracher aux gens leur dernier billet de cinq livres pour une vieille saleté toute mitée. Mais enfin, tout ça aide à se rappeler le vrai sens de Noël, pas vrai ? D'ailleurs, c'est la même chose au moment de se frayer un chemin

1. Grande artère très commerçante du centre de Londres *(N.d.T.)*.

dans la foule, en supportant la grossièreté de certains qui font la queue devant l'arrêt du bus et ainsi de suite. En réalité, tout le monde est ensemble, parce que tout le monde sait que Noël est important. Ceux qui ne le savent pas restent chez eux et ne vont pas dépenser leur argent. Et les commerçants (en tout cas ceux du centre-ville) le comprennent bien et font leur possible pour vous souhaiter la bienvenue comme vous le méritez, avec leurs décorations et les chants de Noël en fond sonore. C'est pourquoi tout est plus raffiné, plus proche de ce qu'on devrait voir tout au long de l'année.

Quand même, lorsque je suis rentré, j'étais exténué. Exténué, mais heureux. Il n'y avait pas une seule chose sur ma liste qui ne soit à sa place, autrement dit sur la table de ma cuisine, prêt à être rayé sur le papier avant d'être rangé.

Ce qui est étonnant, c'est que j'avais encore la force de parler quand Mandy est arrivée, mais une fois que j'ai ouvert la bouche, plus moyen de m'arrêter. Et bientôt, je me suis mis à parler de Noël, à raconter comment se passait Noël avant que Doreen s'en aille. Naturellement, j'ai tenu à donner l'impression que tout se passait beaucoup mieux que dans la réalité : je n'ai pas dit à quel point c'était éprouvant et pénible de fêter le jour où on dit « Paix sur la terre aux hommes de bonne volonté » avec des personnes qui sont incapables de penser à autre chose qu'à elles-mêmes. La vérité vraie, c'est que j'aurais pu aborder le sujet sous un angle absolument opposé, en soulignant que c'était au moment de Noël que c'était arrivé, que Doreen avait acheté tout ce qui était nécessaire pour la fête, avait tout mis de côté, et puis m'avait annoncé qu'elle partait. Comment qualifier une femme qui traite son mari de cette façon ? Mais ça, je n'en ai rien dit à Mandy. On ne va pas dire du mal de Noël, quand même !

En plus, c'est à ce moment-là qu'elle a commencé à fumer, ce qui m'a fait penser que certaines de mes phrases atteignaient leur cible. Donc, simplement pour être sûr de ne pas laisser passer une bonne occasion, je lui ai demandé, d'un ton tout à fait dégagé :

« Et vous, petite Mandy ? Qu'est-ce que vous avez prévu pour le grand jour ? »

Bon, c'était la même question que je lui avais posée la fois précédente, rien de plus, mais j'aurais voulu que vous voyiez la différence ce soir. Elle est devenue rouge comme une pivoine, immédiatement. Et c'est en la voyant rougir comme ça que j'ai deviné qu'il n'y avait pas un mot de vrai dans ce qu'elle m'a répondu.

« Je pense que je vais passer la journée avec quelques amis, Larry. Mais nous ne ferons rien d'extraordinaire. Au fond, ce n'est pas aussi important qu'on le dit, Noël, vous ne trouvez pas ? »

Tout en parlant, elle tirait sur les manches de son chandail, prenant bien soin de ne pas jeter le moindre regard dans ma direction. Et cette réponse en disait plus qu'un long discours à Larry. D'abord, Mandy ma petite fille, Larry sait très bien quand tu te mets à raconter tes petits contes à dormir debout, parce que si tu commences à parler d'amis, tu es forcément en train de mentir. Pour la simple raison que des amis, tu n'en as pas. D'abord, tu n'en as pas les moyens : tu n'as pas un sou vaillant pour sortir t'amuser avec eux. Et puis, c'est une question de temps. Tu as été trop occupée à penser à ton Prince charmant, en lui consacrant toutes tes journées et en gardant tout juste assez d'heures creuses pour ce que tu appelles travailler. Tu es seulement chanceuse d'avoir Larry devant toi, qui te comprend et qui n'ira pas te demander pourquoi tu es devenue de la couleur d'un poivron rouge quand il t'a posé une question parfaitement banale.

Donc, nous sommes très loin de ce qui s'est passé il y a quelques jours, quand la seule réponse que tu as été fichue de donner était « Mmmm ? ». Oh, grâce à mes petites allusions, le message commence à passer, et il passe bien. Et je suis tout à fait sûr que désormais, personne dans la maison ne risque d'oublier que c'est bientôt Noël.

Mais enfin, je n'ai pas enfoncé le clou. Je veux dire par là que ça n'aurait pas été gentil de la rendre trop triste, pauvre chou. Ce vieux Larry n'est pas comme ça. Et puis, maintenant que nous avions parlé de Noël, il y avait un autre sujet que je voulais aborder.

C'est que j'avais retrouvé ces fameuses coupures, vous savez, les articles des journaux. En fait, il m'a fallu si longtemps que j'avais fini par croire que je les avais sans doute jetées. Parce que j'avais fouillé tous les tiroirs, pour ne rien dire des placards. J'ai aussi dû vider le contenu du bar au moins deux fois de suite, et pas de résultat. Au bout du compte, c'est par un coup de chance que je les ai retrouvées. J'étais en train de déplacer l'armoire dans la petite chambre inoccupée, ce qui était un sacré travail. Et elle était là : la vieille enveloppe en papier kraft dont j'avais oublié où j'avais bien pu la fourrer. Elle avait dû glisser derrière l'armoire, et si je l'ai trouvée, c'est seulement parce qu'en déplaçant cette fichue armoire le tapis s'est soulevé, et c'est alors que je l'ai vue, prise en sandwich entre le lino et le reste. Elle n'aurait pas pu être mieux cachée si quelqu'un l'avait placée là délibérément, mais ça ne m'a pas vraiment surpris ; vous savez, on ne peut pas vivre à l'aise dans un appartement aussi petit que le mien si tout n'est pas parfaitement en ordre. Et je crois que je dois avoir une foule de choses que j'ai fourrées dans les endroits les plus inattendus, et dont j'ai ensuite oublié jusqu'à l'existence.

Mais le fait est que j'étais content de les avoir retrouvées. Parce que je pourrais parler au point d'en attraper une extinction de voix des dangers qu'on peut rencontrer en sortant de chez soi, et qu'il n'y a rien de tel qu'un article imprimé pour faire rentrer le message. Tout prend un air officiel. Donc, simplement pour la faire un peu cesser de ruminer à propos de Noël, j'ai pris l'enveloppe que j'avais posée au préalable sur la petite table et je la lui ai tendue.

« Regardez sur quoi je suis tombé par hasard hier, mon petit. Je sais bien que vous pensez toujours que je me fais trop de souci pour rien. Mais jetez un coup d'œil à ce qu'il y a là-dedans et vous comprendrez pourquoi votre vieux Larry se met dans tous ses états quelquefois. »

Et bien sûr, en bonne petite fille obéissante, elle prend tout de suite l'enveloppe et elle l'ouvre. Ça ne semble même pas la gêner que je m'approche un peu d'elle pendant qu'elle examine le contenu. La vérité, c'est que j'avais moi-même oublié ce qu'il y avait exactement à l'intérieur.

Bon, des coupures de journaux, naturellement. C'était l'essentiel. Ce dont je ne m'étais pas rendu compte, ou que j'avais oublié, c'est qu'il y en avait tant. Pas seulement la presse locale, mais aussi des articles de tous les grands quotidiens nationaux. Après tout, ce n'était pas si surprenant. Quand des événements pareils se passent pratiquement devant votre porte, on ne peut pas ne pas s'y intéresser de près. Je parierais qu'Ethel en a fait un dossier deux fois plus épais.

Quoi qu'il en soit, j'ai laissé Mandy les trier, séparant les articles qui parlaient du premier meurtre de ceux qui avaient trait au second sur la petite table, en essayant de ne pas lui souffler dans le cou. Normalement, je ne m'assieds jamais assez près d'elle pour avoir à m'en soucier, mais il fallait bien que je voie, pas vrai ? Et puis, elle avait besoin de quelques explications.

« Celle-ci, c'était la première », ai-je dit en reconnaissant la photo, et je la lui ai tendue pour qu'elle puisse la placer sur la première pile.

Puis j'ai cherché quelque chose qu'elle puisse placer sur la seconde pile, mais pour l'essentiel je l'ai laissée faire. Puis nous nous sommes mis à tout lire, bien confortablement assis, sans même le son de la télé pour nous déconcentrer : rien que nous deux, et le radiateur qui, de temps en temps, se mettait à pétarader amicalement.

Au bout d'un moment, quand j'ai été sûr qu'elle avait tout lu et s'attardait seulement à regarder les photos, j'ai dit :

« Alors Mandy, qu'est-ce que vous en pensez ? »

Pendant quelques instants, elle n'a rien répondu. Trop occupée à examiner la photo de la plus âgée des deux femmes. Ce n'est pas qu'on y voyait grand-chose. Vous savez comment sont les photos dans les journaux. Une figure de femme plutôt floue, avec des cheveux coiffés de manière extravagante pour son âge, qui vous lorgnait du coin de l'œil avec un verre à la main. Pourquoi publie-t-on toujours des photos des défunts qui ont l'air d'avoir été prises alors qu'ils avaient sept ou huit pintes de bière dans le nez ? C'est un des grands mystères de la vie, selon moi.

« Alors, dites-moi. Qu'est-ce que vous en pensez ? » ai-je répété.

« Eh bien, daigne enfin dire Mademoiselle, je trouve ça très tragique. Toutes les deux étranglées apparemment sans raison, et sans qu'on retrouve jamais le meurtrier. Et bien sûr, je comprends que ces histoires aient pu vous inquiéter, vous et surtout Mrs. Duck. Elle devait avoir à peu près le même âge que la plus vieille des deux quand c'est arrivé... »

Puis elle s'interrompt.

« Oh !

— Qu'y a-t-il ?

— Rien, rien, reprend-elle. Je me demandais seulement si elles se connaissaient, Ethel et elle. Ç'aurait été encore plus tragique, vous ne trouvez pas ?

— Eh bien, vous pouvez cesser de vous poser cette question, lui ai-je dit. Personne ne la connaissait ni d'Ève ni d'Adam. Personne n'est venu porter témoignage. C'est écrit là, en toutes lettres. Les gens devaient avoir honte, vous comprenez.

— Honte ? répète Mandy, d'un ton parfaitement innocent comme on pouvait s'y attendre d'elle. Honte de quoi ? »

Je l'avoue : même moi, j'ai dû rougir un peu. Mais enfin une question honnête demande une réponse honnête.

« Eh bien, c'est évident, petite Mandy. C'était une de ces femmes... Vous me comprenez, une de ces femmes qui ne sont pas très recommandables. C'est sans doute pour ça que quelqu'un l'a tuée.

— Oh, vous voulez dire une prostituée ? Elle est morte parce que c'était une prostituée ? Mais pourquoi, Larry ? »

À cela, je n'avais pas de réponse. La dernière chose à laquelle je m'attendais de la part de Mandy, c'est qu'elle prononce un mot de ce genre comme si c'était tout naturel. Deux fois. J'étais encore en train de tousser pour cacher mon embarras, quand elle n'a rien trouvé de mieux que de continuer, et sur le même thème s'il vous plaît.

« L'autre n'en était pas une, a-t-elle fait observer.

— Quelle autre ? »

Vous voyez dans quel état j'étais !

« La plus jeune. La seconde qui s'est fait assassiner, cinq ans après la première. C'était seulement une femme du quartier qui revenait de chez une amie. Ce n'était pas du tout une prostituée.

— Ah non ? »

J'étais tellement surpris que j'en ai oublié de rougir. Voyez-vous, pour je ne sais quelle raison, j'avais toujours pensé le contraire. Mais Mandy me tendait les articles, avec celui du *Times* au sommet de la pile, et, c'est vrai, on ne disait rien qui laissait entendre qu'elle était une... vous me comprenez, une de ces femmes.

Puis ma surprise s'est dissipée. En fait, cela ne faisait qu'apporter de l'eau à mon moulin. Et je ne me suis pas privé de le dire :

« Justement, petite Mandy. C'est ce que je vous dis depuis le début. Le genre de type qui a fait ça ne pouvait pas le savoir. Tout ce qu'il a vu, c'est une femme dans la rue à une heure où elle n'aurait pas dû y être, et il a commis une erreur parfaitement naturelle. C'est pour ça qu'il est allé tout droit vers elle et qu'il lui a fait son affaire. Si vous voulez mon avis, elle l'a bien cherché, cette idiote. »

Ah, cette phrase-là ne lui plaît pas : il suffit de la voir s'agiter sur le canapé à côté de moi, en me disant :

« Larry, je ne crois pas... »

Mais c'est la chance que j'attendais, l'occasion de dire ce que j'ai essayé de lui dire je ne sais combien de fois.

« Non, mon petit. Écoutez-moi. Maintenant, vous pouvez facilement comprendre pourquoi votre vieux Larry s'inquiète tellement. Vous ne savez pas ce qui se passe dehors, et pourtant vous vous promenez le nez en l'air dans ces rues bien après la tombée de la nuit, comme si vous étiez la reine du quartier. Un jour, quelqu'un risque de se faire des idées, c'est évident.

— Mais Larry, tout ça s'est passé il y a si longtemps ! Regardez comme ces coupures sont vieilles. Ces choses-là n'arrivent pas tous les jours, à notre époque. »

Puis, tout à coup, elle se tait un instant, avant d'ajouter :

« Tiens, je n'avais pas remarqué. C'est arrivé aux alentours de Noël, les deux fois. »

Tout à coup, je me rends compte que toute sa combativité l'a quittée. Qu'est-ce qui aurait pu tomber plus à pic ? C'est le fait de parler de Noël, vous comprenez. La conversation avait décrit une boucle, elle était revenue à son point de départ, et voilà ma Mandy qui a de nouveau son air de saule pleureur, sans que votre serviteur ait seulement eu besoin de prononcer un certain mot commençant par un N.

Qu'y avait-il à ajouter ? Rien du tout. Des choses comme celles-là ont plutôt tendance à s'imprégner toutes seules dans l'esprit, je crois.

Vous savez quoi ? Je vais passer une excellente nuit maintenant. Je le sais, un point c'est tout.

15

AU BOUT DU COMPTE, je lui ai donné les coupures. J'ai absolument insisté pour qu'elle les emporte, et savez-vous quoi ? Cela fait maintenant une semaine qu'elle est tous les jours à la maison avant huit heures. Donc, je pense que finalement le déclic a dû se produire dans son cerveau.

Cela dit, il se peut qu'il y ait une autre raison après tout. C'est un véritable réflexe chez elle à présent de chercher s'il y a quelque chose au courrier. Elle arrive, se précipite dans le vestibule comme si elle ne pouvait attendre une seconde de plus et s'arrête devant la petite table. Puis, voyant qu'il n'y a rien pour elle, elle marche à pas feutrés dans le couloir jusqu'à la cuisine des Duck pour leur demander s'ils n'ont pas une lettre pour elle. Ils commencent déjà à en avoir par-dessus la tête de la voir arriver avec la même question sur les lèvres soir après soir. Hier, il se trouvait que j'étais moi-même dans le vestibule lorsque j'ai entendu Ethel lui dire en termes on ne peut plus clairs que si quelqu'un dans la maison reçoit ou non du courrier, ce n'est pas son affaire. Si une lettre arrivait, elle serait posée sur la petite table du vestibule, et Qu'Est-Ce Qui Lui Permet (à elle, Mandy) De Penser Le Contraire ? Je ne crois pas que la petite se hasardera à reposer sa question désormais.

Mais vous savez, c'est quand même un petit mystère. Ça ne peut pas être uniquement des cartes de Noël qu'elle attend. Donc, *de qui* espère-t-elle des nouvelles ? Certainement pas de Francis. On peut apprendre un tas de choses sur un homme rien qu'à la manière dont il passe ses week-ends, et ce n'est pas un homme qui écrit des lettres, vous pouvez me croire sur parole.

À une autre époque de l'année, ce pourrait être une raison de plus pour m'empêcher de dormir, mais pas en ce moment. C'est la fin de la semaine deux et Larry s'endort aussitôt qu'il pose sa tête sur l'oreiller. Un dur travail, voilà à quoi je me suis attelé, mais je ne me plains pas. Tout est passé comme un rêve — jusqu'à un certain point.

Il y a le temps, pour commencer. Un temps de bel hiver londonien, vif, sec, comme si quelqu'un avait soulevé le couvercle recouvrant la ville : si bien que lorsque vous levez les yeux, vous ne voyez que du ciel bleu, pâle et clair comme de la menthe glacée. Même la circulation fait un bruit bien particulier. Remarquez, le moins qu'on puisse dire, c'est qu'il fait sacrément froid. Ouvrez la bouche pour parler et vous sentez immédiatement vos gencives qui deviennent toutes sèches. Mieux vaut ne rien dire du tout, si vous le pouvez. Même quand vous apercevez tel ou tel visage que vous n'avez pas vu depuis des années apparaître dans Holloway Road avec des sacs pleins d'achats de Noël dans les mains. Ce doit être ce temps qui les fait tous sortir de leurs tanières.

Quant à respecter mon emploi du temps, rien n'aurait pu être plus facile. Hier soir — vendredi — j'ai regardé ma liste, et le plus infime article qui y était mentionné se trouvait sur la table devant moi, attendant d'être rangé. Rien d'étonnant à ce que je me sois couché heureux et satisfait.

Et puis, un moment avant que je me sente prêt à sombrer dans le sommeil, ça commence. Le doute, le harcèlement du doute. Et ce qui commence comme une légère inquiétude grandit, encore et encore, jusqu'à ce que je sois parfaitement réveillé, me tournant et me retournant dans mon lit comme si j'étais à bout de nerfs.

Voilà deux semaines que je fais très assidûment toutes sortes d'emplettes, mais au fond de moi je n'ai jamais cessé de penser à cet unique objet beaucoup plus important que tous les autres. Le cadeau pour Mandy. Mais c'est bien ça l'ennui : deux semaines, et je n'ai pas vu la moindre chose qui m'inspire. Je m'étais dit que je le reconnaîtrais au premier coup d'œil dès l'instant où je l'aurais sous les yeux, qu'il était quelque part, pas très loin, à m'attendre, mais rien n'a attiré mon attention. Aussi, maintenant, la question est-elle : combien de temps cela va-t-il durer ? Suivie par : et si je ne trouvais rien ?

Inutile de vous dire que je n'ai pas fermé l'œil, cette nuit. La seule résolution à laquelle je sois parvenu, c'est de me rendre à nouveau dans le centre demain matin, et de ne penser à rien d'autre.

Mais l'Erreur Numéro Un a été de ne pas prendre le temps de me préparer un petit déjeuner digne de ce nom. Si j'ai appris une chose aujourd'hui, c'est que deux malheureuses tranches de pain avec de la marmelade ne sont pas suffisantes pour un homme qui a une mission à accomplir. J'étais à peine descendu du bus que mon estomac a commencé à gargouiller. Ce qui nous conduit tout droit à l'Erreur Numéro Deux. Au lieu d'entrer dans le premier café pour manger quelque chose sur le pouce, j'ai décidé de continuer malgré tout. Décidé n'est d'ailleurs pas le terme juste. Il ne m'est tout simplement pas venu à l'esprit de faire une halte. La seule chose qui m'occupait l'esprit, c'était le cadeau pour Mandy, la nécessité de me mettre à sa recherche, la conscience de n'avoir plus beaucoup de temps.

Mais le problème était : par où commencer ? L'ennui avec les listes, c'est que vous vous habituez à ce qu'elles vous indiquent exactement ce que vous recherchez. Et si brusquement vous n'en avez plus, vous êtes complètement perdu. Comme moi. Je veux dire, je savais exactement où je me trouvais — en plein centre de Londres —, mais sans une de mes petites listes pour me désigner du doigt quelle direction je devais prendre, j'aurais pu tout aussi bien errer dans la jungle.

La jungle ! Le mot est on ne peut plus approprié, si l'on considère où j'ai d'abord abouti. À cinquante mètres de l'arrêt de bus, je suis passé devant un grand magasin de disques (impossible de ne pas le remarquer). Il déversait de la musique à plein volume sur le trottoir, et de là dans toutes les directions ; mais au moins, cela m'a donné une idée. Parce qu'il m'a fait penser à June, il y a déjà tant d'années — June qui nous rendait tous mabouls avec le bruit de son petit tourne-disque portatif, celui qu'elle tenait de Tante Dolly. Elle était folle de ses disques, folle ! Non pas qu'elle en avait tellement, mais ceux qu'elle avait, elle les passait et les repassait sans arrêt. Je crois que nous n'avons pas eu un moment de tranquillité jusqu'au jour où ce satané tourne-disque a rendu l'âme à force de marcher en permanence. (C'était seulement un petit appareil bon marché — rien à voir avec ce que j'ai dans mon salon maintenant.) Mais June était désespérée. Pour en revenir à ce que je disais, si c'était pour June jeune fille que je cherchais un cadeau en ce moment, je saurais exactement quoi lui acheter.

En tout cas, ça valait la peine de jeter un coup d'œil. J'ai pensé que je pouvais au moins entrer et demander ce qui pourrait plaire à une charmante jeune personne très paisible et aux goûts raffinés. Ce qui me ramène à ce que je disais à propos de la jungle. Si la musique m'avait semblé bruyante dans la rue, ici, à l'intérieur, elle était assourdissante, vous martelant le cerveau comme si le quartier était sous un bombardement. Et quant aux vendeurs dont j'espérais un conseil, n'en parlons pas ! Il m'a suffi de les apercevoir, et je suis ressorti aussitôt. Rien qu'une bande de jeunots, noirs pour la plupart, tous ramassés dans la rue à mon avis, et se pavanant comme s'ils étaient les seigneurs des lieux. L'idée qu'un d'entre eux pourrait me rire au nez, ou — pire encore — ne pas même faire attention à moi quand je lui poserais une question était plus que je ne pouvais endurer. Mieux valait sortir avant de leur en donner l'occasion.

Et c'est seulement une fois dehors que je me suis souvenu : de toute manière, Mandy n'a pas de tourne-disque.

Mais vous commencez à voir la tournure que prenait la journée. Une autre expérience comme celle-là aurait suffi à m'achever. Mais enfin, sentant que j'avais les jambes qui tremblaient, j'ai quand même eu le bon sens de retourner jusqu'à Tottenham Court Road[1] et de trouver un petit troquet pour y prendre une tasse de thé qui serait bienvenue. Mais même là, les choses ne se sont pas améliorées. Je suis resté assis avec ma tasse devant moi, à me demander comment tout cela finirait. Tant pis pour les bons vins et pour Mandy et moi avec des chapeaux en carton[2]. Sans cadeau, est-ce que ce serait quand même Noël ? Sans cadeau, je veux dire avec un cadeau qui n'aurait rien de particulier, qui ne symboliserait pas tout ce qu'elle représentait pour moi, et moi pour elle. Juste une bricole très chère enveloppée dans un joli papier. Même Francis pouvait sûrement faire mieux que ça.

Il m'a fallu une deuxième tasse avant de réussir à me calmer, mais en mon for intérieur je ne me sentais pas mieux. La seule solution pourtant, c'était de ressortir. Il me fallait avoir bien présent à l'esprit que je devais absolument penser à Mandy, que je ne pouvais pas la décevoir. Mais une fois sur le trottoir, j'ai ressenti de nouveau le même choc. Plus que treize jours, et je n'avais pas la moindre idée de ce qu'il fallait que je fasse. Pendant une minute, je suis resté debout sans bouger, regardant le monde s'activer, observant les jeunes, surtout. Honnêtement, j'étais dans un tel état que si j'avais repéré une fille ressemblant même de loin à ma Mandy, je serais peut-être allé tout droit vers elle pour lui demander sans détours ce qui lui ferait vraiment plaisir pour Noël. Un fou : voilà ce qu'elle aurait pensé de moi. Probablement, elle aurait même couru vers le policeman le plus proche pour porter plainte. Mais je n'ai rien fait de tel, pour la bonne raison que j'aurais pu rester planté là jusqu'au soir sans voir une seule jeune femme ressemblant tant soit peu à ma Mandy. Parce qu'elle est une exception : elle ne ressemble à personne. Et le seul désir de Larry, c'est de lui faire voir qu'il le sait.

1. Autre grande artère du centre qui commence à l'extrémité d'Oxford Street *(N.d.T.)*.

2. Lors de certaines fêtes, il était naguère courant en Grande-Bretagne que les convives portent des *party hats,* sortes de chapeaux de carnaval en papier ou en carton *(N.d.T.)*.

Et c'est alors que c'est arrivé. Un petit miracle en soi. Une illumination.

Rien n'avait changé. J'étais toujours planté à la même place comme un idiot, quand une femme est sortie de la foule. Mais pas n'importe quelle femme, pas une Doreen ou une June ou encore une Ethel. La première chose qu'on remarquait en l'apercevant, c'est qu'elle était élégante — par là, je veux dire très bien habillée, avec des cheveux joliment coiffés et retenus par un bandeau de velours, et le visage d'une personne qui pouvait avoir n'importe quel âge entre vingt-cinq et quarante ans. De toute évidence, un cran au-dessus du reste de la foule : voilà comment on pourrait la définir. Pas du tout le genre de femmes qu'on croise dans Holloway Road le samedi après-midi. Mais la deuxième chose frappante chez elle, c'était sa manière de s'arranger pour marcher sans jamais être poussée ou bousculée comme tous les autres passants. On aurait presque pu croire qu'elle créait son propre espace uniquement pour être, pendant quelques brèves secondes, suffisamment mise en valeur pour que je la remarque — et aussi, ce qu'elle tenait dans sa main. C'était un petit sac en plastique vert, à peine plus volumineux que son poing. Un seul regard, et vous auriez deviné qu'à l'intérieur il y avait quelque chose de tout petit et de très cher. Un sac de chez Harrods[1]. Un instant plus tard, elle m'avait dépassé, et elle s'immergeait dans la foule. Si j'avais détourné la tête un moment, je ne l'aurais même pas remarquée. Mais ces quelques secondes étaient tout ce dont j'avais besoin.

Harrods ! Voilà l'endroit où les gens comme elle vont faire leurs achats pour Noël. L'endroit où la mère de Mandy fait toutes ses courses, je parie — du moins quand elle n'est pas à Hong Kong. Je veux dire, c'est le magasin traditionnellement censé pouvoir vous vendre absolument tout ce que vous désirez, pas vrai ? Alors pourquoi irais-je ailleurs pour chercher le cadeau de Mandy ?

C'était la voie de mon salut que j'avais découverte. Il y avait deux problèmes au sujet du cadeau de Mandy :

1. Célèbre et très luxueux grand magasin londonien *(N.d.T.)*.

d'abord *où* chercher, et ensuite, ensuite seulement, *que* lui acheter. Or, le premier problème était à présent résolu.

Ce qui revenait pour moi à être tout à coup certain qu'à partir de maintenant, tout irait bien. Alors qu'ai-je fait, à votre avis ? J'ai rebroussé chemin et je suis rentré de nouveau dans ce troquet pour y prendre une autre tasse de thé. La différence, c'est que cette fois je l'ai bue avec plaisir, de même que j'ai trouvé délicieuse la tranche de gâteau à la crème que j'ai commandée en même temps. Vous comprenez, j'avais tout le temps que je voulais maintenant.

Seulement, à quand remontait la dernière fois où j'avais mis les pieds chez Harrods ? C'est ce que j'ai essayé de me rappeler pendant tout le trajet en bus pour m'y rendre. Il y avait très longtemps. Je crois bien que c'était quelques années avant que Doreen fiche le camp, même. Elle n'aimait pas du tout Harrods, et je vais vous dire pourquoi. C'est qu'elle manquait totalement de vision. Si elle y allait, elle circulait de rayon en rayon en déclarant bruyamment à qui voulait l'entendre qu'elle pouvait trouver tout ça chez Selby[1] dans Holloway Road, et pour deux fois moins cher. À la fin, il fallait même que June la tire par la manche pour lui demander de baisser d'un ton à cause des coups d'œil que nous lançait le personnel. Voilà le souvenir que j'en avais gardé — et dans ces conditions, ça ne vous étonnera guère que je n'y sois jamais retourné. C'était une femme tout simplement incapable de se hisser un peu au-dessus de l'ordinaire.

Aussi, ce qui s'est passé aujourd'hui est-il une preuve définitive, s'il en était besoin, que je suis beaucoup mieux sans elle. Vous comprenez, c'était déjà une sensation exaltante de franchir une de leurs grandes portes à deux battants et de savoir que cette fois je n'allais pas me faire montrer du doigt. Et tout de suite, on pouvait sentir la différence avec n'importe quel autre magasin. « Vous êtes le bienvenu » : voilà ce que celui-ci vous dit dès l'instant où, en entrant, vous sentez la première bouffée d'air chaud. Vous

1. Chaîne de grands magasins très ordinaires et peu coûteux *(N.d.T.)*.

êtes le bienvenu, vous êtes le genre de client que nous aimons servir, quelqu'un qui sait apprécier ce qui est raffiné, la marchandise de qualité supérieure destinée à des gens de qualité supérieure.

Tape-à-l'œil ? Pas du tout. Je vous le dis, ce magasin a une atmosphère qui n'appartient qu'à lui, et peut-être faut-il seulement appartenir soi-même à un type d'individus très spécial pour y être vraiment sensible. Rien d'autre ne pourrait expliquer le sentiment de... Comment dire ? De bien-être qui m'a envahi au moment où je suis entré. J'ai jeté un regard autour de moi, j'ai poussé un grand soupir de soulagement, et je me suis dit : Larry mon garçon, tu as trouvé l'endroit idéal.

Et ensuite ? Ensuite, je me suis seulement promené, sans même chercher quoi que ce soit de particulier. Maintenant que je savais avoir trouvé l'endroit idéal, je n'avais plus besoin de me précipiter. Cette première visite pouvait être un plaisir que je m'offrais, je pouvais m'arrêter et observer tout et rien à la fois, m'émerveiller de l'ensemble, comme si j'étais dans un musée. La seule vraie différence, c'est qu'ici, on entre sans payer.

Cela dit, même dans un lieu comme Harrods, il y a une limite à votre endurance quand vous atteignez mon âge. Subitement, après trois heures paradisiaques, en plein milieu du rayon « Accessoires pour messieurs », je me suis rendu compte que je n'avais même pas quitté le rez-de-chaussée, qu'il était presque cinq heures et que je ne tenais plus sur mes jambes. Mais le simple bon sens avait beau me souffler que mieux valait laisser tomber pour le moment, ne pas aller plus loin et ressortir par où j'étais entré, je ne pouvais pas me résoudre à me presser. En trois heures, cet endroit avait fait tout ce qu'il pouvait pour me faire sentir que j'en faisais partie.

Si bien qu'alors même que je rebroussais chemin en traversant le rayon « Parfums », je prenais tout le temps de traîner et de respirer l'air le plus cher du monde. Parce que dites-moi, est-ce que vous avez déjà jeté un œil sur le prix de ces parfums ? Et qui plus est, j'ai l'odorat très sensible. Demandez à tous les gens qui me connaissent. Comme les vendeurs vaporisaient un peu de telle ou telle marque dans l'air ou sur le poignet des personnes qui le demandaient, toutes sortes de senteurs m'arrivaient de tous les côtés. Et c'est alors que je l'ai senti. *Le* parfum.

Ce qui s'est passé ensuite est... disons, difficile à comprendre. Je ne veux pas dire que j'aie fait quelque chose de choquant. Seulement, cela ne me ressemblait pas du tout. Juste une de ces réactions bizarres qu'on a quelquefois quand on est trop fatigué pour vraiment réfléchir à ce qu'on fait, ou à la raison pour laquelle on le fait. On est entraîné par une sorte d'impulsion. De toute façon, personne ne pourrait prétendre que c'était une mauvaise action.

Le parfum que mes narines ont capté n'était pas comme tous les autres. Pour commencer, il m'était familier. Mais ce n'est qu'au moment où je me suis retourné et où j'ai essayé d'en détecter l'origine que j'ai compris pourquoi. Là, sur un présentoir, il y avait une photo encadrée où l'on voyait des vagues déferlant sur des colonnes brisées, et j'ai compris. C'était *son* parfum. Celui qu'il s'obstine à laisser sur son passage lorsqu'il traverse le palier de gens respectables, comme s'il voulait tuer les mouches. Et autour de moi il y en avait des litres et des litres, dans des flacons. Cela s'appelait Andrex, ou quelque chose comme ça. On pouvait même l'essayer si l'on voulait. Il y avait un flacon avec une étiquette autour du col sur laquelle était écrit « échantillon », ce qui ne pouvait vouloir dire qu'une chose. De plus, il était clair que le jeune type derrière le présentoir n'allait pas protester. Même si les sept nains de Blanche-Neige étaient tous arrivés à la queue leu leu pour se parfumer gratis, il était trop occupé à se contempler dans le miroir pour remarquer quoi que ce soit. Il faut bien l'avouer, le personnel ici n'a plus la même classe qu'autrefois.

Finalement, j'ai remarqué une chose. Ici, dans l'atmosphère de ce lieu bien particulier, l'odeur n'était pas si désagréable que ça — en tout cas, pas si je la compare à l'effet qu'elle avait produit sur moi à la maison. Et c'est ça, pourrait-on dire, qui a piqué ma curiosité.

Bon, vous avez sûrement déjà deviné ce qui s'est passé l'instant d'après — surtout si vous considérez que tout m'encourageait à essayer, et quand un endroit comme Harrods vous dit d'essayer, eh bien ! c'est ce que vous faites. En un mot comme en cent, avant même de songer à ce que j'étais en train de faire, j'avais tendu la main et je m'étais mis quelques gouttes de parfum aux endroits appropriés. Comme je ne sentais pas grand-chose de différent, je m'en suis carrément répandu sur le cou jusqu'au moment où j'ai senti qu'il dégoulinait sous mon col et je ne sais où encore.

Et c'est à ce moment qu'il s'est produit quelque chose de vraiment très étrange. Maintenant que c'était sur moi qu'il y avait ce parfum, non seulement l'odeur n'était plus désagréable, mais j'ai trouvé que ça sentait même très bon. Dans la vie courante, je ne suis pas le genre de type qui aurait envie de se parfumer, certainement pas. Mais sur le moment, c'était en quelque sorte une expérience inhabituelle. Et c'était drôle de penser que tout le monde pourrait me sentir arriver. Qui plus est, même si ce n'était qu'un parfum, j'avais l'impression de porter quelque chose de matériel, comme un déguisement. Si Doreen (ou n'importe qui d'ailleurs) avait eu l'occasion de sentir par une nuit obscure l'odeur qui se dégageait de moi en ce moment, elle aurait pensé que c'était une personne complètement différente qui approchait. Et si c'était Mandy, par cette même nuit obscure, elle aurait pensé que c'était...

Un moment d'amusement, voilà tout ce que c'était. Comme essayer un chapeau. Mais je vous dirai quand même ceci : cette petite expérience m'a fait comprendre quelque chose. Je vous parie tout ce que vous voudrez que le fait de s'envelopper dans des parfums de luxe est pour moitié dans le secret de son succès. Non, je vous assure. D'ailleurs, écoutez un peu. Au retour, j'étais assis tout à fait innocemment à l'arrière du 104, impatient de rentrer chez moi et de prendre un repos bien mérité, quand tout à coup est montée une femme qui s'est laissée tomber près de moi sans même me regarder. Il ne s'était pas passé un instant (le bus n'avait même pas encore redémarré) que son nez s'est mis à se froncer et — c'est la pure vérité, je vous jure — j'ai soudain pris conscience des regards en coin qu'elle lançait dans ma direction. En un mot, elle me faisait de l'œil.

Étant donné qu'elle avait au moins soixante-cinq ans et qu'elle était peinturlurée comme une devanture, j'ai été sacrément soulagé quand le moment est venu pour moi de descendre du bus. Qui sait quel genre d'idées lui passaient par la tête pendant le trajet ? Et une femme de cet âge ! Ça vous donne le frisson, je vous jure.

La conséquence, c'est qu'à la vue de Mandy et de son petit visage si doux lorsque j'ai passé la porte et que je l'ai trouvée dans le vestibule, presque comme si elle m'attendait, je me suis senti encore plus heureux que d'habitude. Remarquez, il était visible que ça ne lui aurait pas fait de mal de sortir de la maison pour une bonne promenade, tant elle était pâle. Mais elle m'a fait un adorable petit sourire quand je lui ai dit : « Courage ! La fin du monde n'est pas pour demain. »

Seulement, si elle espérait comme d'habitude une tasse de thé et une bon brin de causette, elle serait déçue. La seule chose que j'avais en tête à présent, c'était de me jeter quelque chose de chaud dans le ventre, étant donné que je n'avais pour ainsi dire rien mangé de la journée. Mais je suis quand même tout le contraire d'un égoïste, et c'est pourquoi je n'allais pas la laisser sans autre explication que le besoin de prendre mon repas. Ça ne lui aurait pas paru très gentil, et de plus elle aurait pu voir ça comme une bonne raison de se dispenser de monter me voir dans la soirée.

Donc, voici ce que je lui ai dit :

« Excusez-moi si je ne m'attarde pas, petite Mandy. Je ne sais pas ce qui m'arrive, mais je me sens tout bizarre brusquement. Je pense que je vais m'allonger un peu. »

Elle répond aussitôt :

« Oh, Larry, vous n'êtes pas malade ? »

Voilà comment elle est, ma Mandy. Toujours pleine d'égards. Je vous le dis, cette petite mérite largement toutes les gâteries que je lui prépare.

« Je suis presque sûr que ce n'est rien, mon petit. Mais enfin, passez quand même me voir dès que vous aurez une minute. Au cas où. »

Voilà qui était réglé.

Mais il faut que je vous dise une dernière chose. Alors que je montais l'escalier, à pas très lents bien entendu, j'ai eu l'étrange sensation que je laissais quelque chose derrière moi, dans le vestibule. Donc, sur le palier du premier, je me suis arrêté, j'ai jeté un petit coup d'œil par-dessus la rampe... et j'ai vu Mandy, en bas, exactement à l'endroit où nous nous étions parlé, levant la tête et fronçant son petit nez comme un lapin.

C'est vrai, je sais bien qu'il y a eu quelques moments désagréables depuis ce matin, mais si on pense à tout le reste, je suis tenté de dire qu'en somme aujourd'hui, deuxième samedi avant Noël, a été ce qu'on pourrait appeler une journée presque parfaite. Petite Mandy, quels merveilleux, merveilleux moments nous allons passer ensemble.

16

LAISSEZ-MOI seulement un moment pour reprendre mes esprits. C'est tout ce que je vous demande. Quelques minutes pour réfléchir tranquillement.

Vous comprenez, il y a des choses qui ne sont pas encore bien claires dans mon cerveau. Des lettres qui arrivent de nulle part. Le genre de lettres qui vous tombent dessus, exigeant une réponse, vous intimant l'ordre de faire ceci et cela, dans tel ou tel délai, sans vous laisser le temps de vous retourner. Le genre de lettres dont on n'a vraiment pas besoin, surtout quand elles viennent s'ajouter à d'autres problèmes. Des lettres dont on n'a vraiment pas envie.

Une lettre, pour être exact. Mais une lettre de trop. Une foutue lettre.

Excusez mon langage.

Voilà ce qui vous arrive quand vous vous laissez aller à ne voir que le bon côté des choses. Pendant un petit moment, je m'étais mis à croire que dans cette maison, il y avait quelqu'un qui m'aimait vraiment en dépit de tout. Qu'après douze longues années passées à regarder les méchants gagner sur toute la ligne, peut-être que le vent avait enfin commencé à tourner. La raison, c'est que tout à coup on a eu un aperçu de la bonté à l'état pur, brillant comme le revers caché d'un monde où le Mal est triomphant, et continuant à briller contre vents et marées. Des gens viennent et s'efforcent d'éteindre cet éclat, de le dissoudre dans les ténèbres, et, merveille des merveilles, le

Bien reste le Bien. Et continue à briller, de plus en plus étincelant. C'est alors qu'enfin, on commence à se dire que peut-être on n'est pas seul. Parce qu'il y a près de vous une autre voix qui pleure dans le désert. C'est votre récompense.

Mais tout ça n'est que balivernes, pas vrai ? Un autre des sales tours que nous joue la vie. Parce que sans crier gare, voilà qu'arrive une lettre. Et pour couronner le tout, ce n'est même pas à moi qu'elle est destinée.

Mais c'est moi qui l'ai en ma possession. Je ne peux donc pas choisir de l'ignorer, ou de la jeter au panier comme si elle m'était adressée.

Elle est arrivée ce matin, la lettre qu'elle attendait. Quand je suis descendu, j'ai trouvé Ethel debout près de la petite table du vestibule, une pile de cartes de Noël à côté d'elle, auxquelles elle ne prête pas attention, alors qu'elle soulève une grande enveloppe blanche vers la lumière en regrettant visiblement de ne pas avoir des rayons X à la place des yeux.

Mais si seulement c'était tout !

Ethel ne sait pas ce que c'est que d'être gênée. Elle a vite reposé la lettre en m'apercevant, mais on ne peut pas se tromper sur ce qu'elle était en train de faire l'instant d'avant. Pourtant elle a le toupet de me regarder droit dans les yeux et de me lancer d'une voix gazouillante : « Bonjour, Mr. Mann ! », comme si j'étais tombé sur elle au moment où elle vérifiait innocemment les résultats du tiercé.

« Bonjour, Mrs. Duck. »

La lettre est posée entre nous. Une lettre de seconde main à présent, grâce à elle. Et que croyez-vous qu'elle fasse ? Elle sourit d'un petit air suffisant, et s'en va en trottinant vers sa cuisine.

Après son départ, je regarde ce qu'il y a pour moi. Deux cartes, toutes deux portant le tampon de Reigate. Voilà, toutes les nouvelles de l'année me sont déjà données sur le tampon de l'enveloppe. En d'autres termes, tantine Gertie et tantine Freda sont toujours en vie et assez vaillantes pour sortir acheter deux timbres — et elles se refusent toujours à faire la moindre chose ensemble. Ce qu'il y a d'écrit sur les cartes ne m'en dira pas aussi long.

Et puis il y a la lettre pour Mandy. Vous voyez, j'ai tout de suite deviné qu'il s'agissait d'une lettre et non d'une carte. Ethel s'est contentée de la poser sur le bord de la table, et il a suffi du seul frôlement de mon bras pour la faire tomber par terre. Bien entendu je l'ai ramassée, et c'est le contact du papier entre mes doigts qui m'a tout dit. Une lettre, pas une carte. Sur ce point, aucun doute possible.

Et c'est ça, curieusement, qui m'a amené à me poser des questions, en dépit de tout le reste, du fait que Mandy depuis un certain temps n'arrête pas de monter et descendre l'escalier pour voir si elle n'a pas reçu de courrier. Mais voyez-vous, c'est une question de point de vue. Si vous trouvez normal qu'une personne, outre la corvée de devoir envoyer des dizaines de cartes de Noël, prenne la peine d'écrire une lettre — et une longue lettre, à en juger par l'épaisseur —, alors vous vous direz qu'il n'y a aucune raison de s'étonner. Mais si vous considérez que c'est un peu curieux de s'imposer un tel travail épistolaire à une telle période de l'année, alors vous saisirez pourquoi l'arrivée de cette lettre m'a troublé. Comprenez-moi bien : de la manière dont je voyais les choses, si l'on se donnait le mal d'écrire une longue lettre juste avant Noël, c'était forcément parce qu'on avait quelque chose de très important à dire.

Le tampon ? Hong Kong.

Alors, cette lettre avait parcouru toute la distance depuis Hong Kong. Toute cette distance, pour être tripotée et froissée par une Ethel Duck absolument dévorée de curiosité. Cette lettre qui avait été destinée à la lecture de Mandy, et de Mandy seule, était presque couverte des traces de ses sales doigts. Je l'ai replacée sur la table, exactement où elle se trouvait.

Tandis que je remontais l'escalier avec mes cartes à la main, l'image est apparue, aussi claire que si je l'avais juste devant moi. Ethel debout derrière la porte de sa cuisine, attendant seulement l'instant où elle pourrait en resurgir et venir se saisir à nouveau de ce qu'elle avait laissé derrière elle. Tendant la lettre pour Mandy vers la lampe dans un sens, puis dans un autre, et s'efforçant de deviner quelque chose, n'importe quoi, de ce qu'il y avait dans l'enveloppe. Est-ce que je ne vous l'ai pas déjà dit ? La curiosité de cette femme ne connaît pas de limites.

Alors j'ai su qu'il n'y avait pour moi qu'une chose à faire. Je suis immédiatement redescendu, plongeant sans doute dans le plus grand désappointement une certaine personne déjà toute prête à s'élancer pour fouiller de nouveau dans la vie des autres, et j'ai pris la lettre avec l'intention de la laisser sur la table de cuisine de Mandy. Mais c'est quand je suis entré dans cette pièce qu'une autre pensée m'est venue, encore plus pénible que la précédente. Le seul moyen de laisser la lettre ici et d'être sûr qu'Ethel n'y toucherait pas était de monter la garde toute la journée devant la porte. Ce qui impliquerait la perte de toute une journée de courses pour Noël. Et ça, ce n'était pas possible, vraiment pas possible. Pas maintenant, alors que la troisième semaine de mon programme était entamée.

Résultat : la lettre a fini posée contre ma bouilloire, bien en vue pour que je n'oublie pas qu'elle était là, et je me suis préparé pour sortir. Seulement, en un sens, il aurait mieux valu la fourrer dans un tiroir et n'y plus penser jusqu'au retour de Mandy. Car à l'endroit où elle était, je n'arrêtais pas de la regarder et j'en perdais toute ma concentration. Même quand j'étais dans une autre pièce, je pouvais sentir sa présence comme si ç'avait été une autre personne. Presque comme un avertissement. Et je n'arrêtais pas de venir la regarder, et tout en la regardant je m'interrogeais.

Je peux essayer de vous expliquer, bien sûr. Vous allez peut-être penser que je perds la tête, mais la vérité, c'est que pour tout ce qui concerne Mandy, j'ai presque acquis un don de double vue. Ou peut-être pourrait-on dire qu'il s'agit simplement d'un instinct, qui s'éveille chaque fois que je suis confronté de près ou de loin à un événement lié à elle. Je sais maintenant la raison pour laquelle elle fait certaines choses, et très souvent alors qu'elle-même n'a pas encore pensé à les faire. Elle est devenue pour moi une sorte de territoire familier, en somme. Et c'est au moins pour moitié ce qui me fait sentir à quel point c'est un être magnifique. Parce qu'il est impossible qu'une personne vraiment digne de respect n'agisse pas d'une certaine façon. Et quand on y réfléchit, c'est sans doute pour cette raison que toutes les Doreen et les June de ce monde sont toujours si imprévisibles.

Je sais même ce qui la rend malheureuse : Francis qui ne téléphone pas, Francis qui ne vient pas quand il l'a promis, Ethel qui l'espionne et... toute allusion à son père et à sa mère.

Vous vous souvenez sûrement de la fois où elle m'a presque arraché les yeux uniquement parce que j'avais abordé ce sujet, non ? J'ai passé tous les jours qui ont suivi à panser mes blessures.

Ce qui me ramène à la lettre. L'identité de ceux qui l'ont envoyée ne fait pas le moindre doute, et d'ailleurs, quoi de plus naturel que de recevoir une lettre de ses parents ? Sauf, bien sûr, si on se rappelle qu'elle m'a confié que son père et elle n'ont pas échangé un seul mot depuis deux ans. Elle n'est jamais entrée dans les détails, et pour épargner sa sensibilité je ne lui ai jamais posé de questions, mais vous avez forcément deviné quelle personne était à la racine du mal. Francis, un homme capable de briser un foyer. Francis qui de surcroît n'avait nullement disparu de la scène.

Mais dans ce cas, pourquoi lui écrivaient-ils des lettres, maintenant ?

Comprenez-vous comment fonctionnait ma pensée ? D'une manière totalement logique, totalement réfléchie. Et tout me conduisait à la certitude que cette lettre n'était pas n'importe quelle lettre.

Mais que peut contenir une lettre que personne de sensé n'aurait l'idée d'envoyer, à moins d'avoir quelque chose de tout à fait particulier à dire ? Certainement pas des nouvelles à propos du chien et de ses dernières fredaines, ou des grosses pluies qui ont récemment détruit les dahlias. Non, il s'agit nécessairement d'autre chose. Autre chose de beaucoup plus important. D'assez fort pour enjamber le golfe de la Discorde.

En tout cas, j'étais sûr d'une chose. Ça ne pouvait pas

être de bonnes nouvelles. Si Doreen avait gagné une forte somme d'argent aux courses, j'aurais été la dernière personne à qui elle eût pensé. Les bonnes nouvelles ne vous font pas penser aux autres, et elles ne sont surtout pas une raison pour mettre fin à une brouille. Donc, cette lettre contient forcément de mauvaises nouvelles. Autrement, rien n'est explicable.

De mauvaises nouvelles, donc. *Reviens le plus vite possible, ton père est mort.*

Bon, peut-être qu'il ne faut pas non plus trop se monter la tête. La situation n'est peut-être pas aussi catastrophique — avec Mandy qui serait obligée de prendre le premier avion pour aller s'occuper de sa mère. Mieux vaut rester réaliste, surtout quand on sait comme moi quels genres de rapports sont les leurs. Ça pourrait être quelque chose du genre : *Ton père est très malade, il va peut-être mourir. Mais ne reviens pas, car s'il te voyait cela ne ferait que l'accabler.* Ce serait plus logique. La mettre au courant de ce qui se passe, tout en lui faisant comprendre sans tourner autour du pot quelle opinion ils ont d'elle.

Seulement, à votre avis, est-ce qu'il est juste qu'une malheureuse petite jeune fille lise des choses pareilles à deux semaines de Noël ?

Parce que l'effet produit sur moi est déjà assez terrible. Mais ce n'est pas ça qui compte. Ce qu'il faut imaginer, c'est comment elle réagira, elle, Mandy, en lisant des mots comme ceux-là, toute seule, tant il est très probable qu'elle n'attendait qu'une chose : une carte de ses parents pour Noël. Il faut se représenter Mandy forcée d'apprendre froidement sur le papier des nouvelles qui devraient bien plutôt lui être annoncées en douceur par un ami. *Asseyez-vous, Mandy, mon petit. J'ai une nouvelle à vous annoncer. Pas une bonne nouvelle.* Mandy qui va souffrir. Pourtant, que n'ai-je cessé de dire depuis le début ? Que Larry serait toujours prêt à remuer ciel et terre simplement pour qu'elle soit heureuse. Et maintenant, je m'apprêtais à lui remettre entre les mains l'unique chose dont j'étais absolument certain qu'elle aboutirait au résultat contraire.

Si je le faisais, quel genre d'homme cela voudrait-il dire

que je suis ? Un de ces types qui reviennent sur leurs promesses sans l'ombre d'un remords ? Qui sont prêts à tendre à quelqu'un une lettre comme celle-là, en sachant très bien ce qu'elle peut contenir, pour que cette personne en prenne connaissance à froid et sans aucune préparation ?

Non. Honnêtement, je ne crois pas être capable d'une chose pareille.

Je vais vous montrer quel genre d'homme je suis en réalité. Imaginez : je me suis mis à arpenter ma petite cuisine, me préparant une tasse de thé après l'autre, déplaçant la lettre pour faire chauffer l'eau dans la bouilloire puis la remettant à sa place, buvant des litres de thé dont je n'avais pas spécialement envie, et ne cessant de me demander ce que je devais faire. Et savez-vous combien de temps ça a duré ? Deux heures. Deux longues heures sans interruption.

Que s'est-il produit ensuite ? D'abord, les murs de la cuisine ont bientôt commencé à suinter à cause de la condensation, ce qui n'avait rien d'étonnant vu toute la vapeur qui n'avait cessé de s'échapper de la bouilloire. Je crois bien qu'à la fin de la matinée, l'enveloppe s'était déjà presque décollée toute seule. En d'autres termes, ce qui a fini par se passer est arrivé sans que j'aie besoin de faire quoi que ce soit. Et quand on pense qu'Ethel aurait fait la même chose sans aucun scrupule, uniquement pour assouvir sa curiosité, on se dit que le fait d'avoir attendu pratiquement jusqu'au début de l'après-midi était tout bonnement stupide. En un mot, deux minutes après m'être retrouvé face à face avec l'inévitable, j'avais la lettre dépliée devant moi.

Mais, croyez-le ou non, même alors je n'ai pu me résoudre à la lire. Du moins, pas tout de suite. Ma main s'est mise à trembler — comme devant la porte de sa chambre, la première fois où j'y suis entré. Il a fallu que je me passe un bon savon ce jour-là, et c'était pareil aujourd'hui. Après avoir pris une profonde respiration, je me suis penché et j'ai commencé à lire.

La première chose que j'ai remarquée était la date. La lettre datait de trois semaines. Mais bien sûr, c'est Noël. Le courrier est plus lent.

Amanda chérie,

Ta lettre nous est arrivée ce matin, et je n'ai pas de mots pour te décrire notre joie quand nous l'avons ouverte. La seule chose que je puisse te dire, c'est que tu n'as pas quitté nos pensées pendant une seule minute. Chérie, si seulement tu avais pu nous dire où tu étais...
Mais en t'écrivant cette phrase, j'ai déjà l'impression de t'adresser un reproche, ce qui serait injuste. Crois-moi si je te dis que nous ne faisons de reproches qu'à nous-mêmes. C'est un sentiment terrible pour des parents de savoir qu'ils ont fait du mal à leur enfant. Surtout quand c'est bien la dernière chose que nous aurions voulue.
Le temps et les mots me sont comptés, aussi je n'entrerai pas dans les détails. Ce qui s'est passé entre ton père et cette femme nous a ébranlés d'une manière que jamais nous n'aurions pu imaginer. Mais quelle qu'ait été la gravité de cette crise à l'époque, tout cela est fini et bien fini. Ton père et moi, nous nous sentons maintenant plus proches l'un de l'autre que nous ne l'avons jamais été, peut-être parce qu'au bout du compte nous avons appris à nous comprendre un peu mieux.
Amanda, je crois que ce que j'essaie de te faire comprendre, c'est que nous sommes seulement des êtres humains comme les autres. Peux-tu garder cela présent à l'esprit si je te dis que notre seul désir à présent, c'est de pouvoir te serrer dans nos bras ?
Je voudrais écrire plus longuement, mais j'ai ta lettre à côté de moi. Elle est trop courte. Chaque fois que je la relis, j'ai le sentiment qu'il y a une foule de choses dont tu ne nous dis rien. As-tu des ennuis ? Quelqu'un t'a-t-il fait du mal d'une manière ou d'une autre, parce que sache bien que dans ce cas...

Voulez-vous vraiment entendre le reste ? Il n'y avait pas grand-chose d'autre. En tout cas, rien qui mérite qu'on s'y arrête. Pas la moindre allusion à Francis. Pas le moindre mot. En somme, pas de nouvelles à proprement parler : rien, par exemple, sur leur santé ou sur le temps qu'il fait.

Ce qui rendait l'enveloppe si épaisse, c'est qu'à la lettre était jointe une petite liasse de bouts de papier agrafés ensemble. Il m'a fallu une minute pour comprendre ce que ça pouvait bien être, parce que je n'ai jamais pris l'avion. Vous comprenez, c'était un billet d'avion. Auquel était attachée une petite note indiquant : « Heathrow-Hong Kong, 23 décembre. Prière de confirmer dès réception. »

Voilà quel était le véritable sens de la lettre. Ils essaient de la faire revenir à la maison pour Noël. Ils veulent la récupérer.

Alors...

Alors savez-vous ce que j'ai fait depuis une heure ? Eh bien, j'ai vidé les placards. J'ai tout sorti, tout ce que j'avais acheté les semaines passées. Il y en a trop pour que je puisse tout poser sur ma petite table de cuisine, donc j'ai fait des piles de chaque côté — sans parler de l'arbre de Noël qui est couché sur le lit dans la petite chambre, attendant que quelqu'un vienne le tirer de son emballage. Maintenant que tout est étalé devant moi, je me demande comment je me suis débrouillé pour trouver jusqu'à présent une place à chaque chose.

Tout est là, vous voyez ? Le brandy, le sherry, l'advocaat, les boules, les guirlandes, les Victorian crackers, les noix du Brésil, les chocolats à la liqueur, les liqueurs tout court, les chocolats à la menthe, les chocolats blancs, le papier pour les cadeaux, les mandarines, les biscuits de toutes sortes, les serviettes en papier avec des motifs de feuilles de houx... Je pourrais continuer pendant une heure. Je n'ai pas négligé le plus petit détail : il ne manque que les choses qui ne se conservent pas, les légumes frais et le brandy butter[1], mais tout ça est déjà commandé. Et tout le reste est là, jusqu'au dernier gâteau à la noisette.

Seulement, je n'aime pas les gâteaux à la noisette. C'est pour elle que je les avais achetés, pour Mandy.

Ce qu'il y a de bizarre, c'est que tout à coup j'ai mal au ventre comme si j'en avais ingurgité une montagne. Pourquoi ne m'a-t-elle pas dit qu'elle leur avait écrit ?

Mais depuis cinq minutes, je suis assis à me dire et me redire que je devrais m'excuser auprès d'elle. Parce que

1. Beurre mélangé avec du brandy, des jaunes d'œufs et du sucre qu'on sert avec le Christmas pudding chaud *(N.d.T.)*.

j'ai toujours pensé que si ses parents ne lui parlaient plus, c'était sa faute à elle. Et soudain, qu'est-ce qui se passe ? Je découvre que c'étaient eux qui étaient en faute, depuis le début. C'est écrit noir sur blanc : « Crois-moi si je te dis que nous ne faisons de reproches qu'à nous-mêmes. » Vous voyez ce que je veux dire ? La pauvre petite est parfaitement innocente ! Elle a coupé les ponts avec eux parce qu'ils lui avaient fait du mal. Et si vous me demandez mon avis, je vous dirai qu'en tant que famille, ils sont faits exactement de la même pâte que Doreen et June. Et pourtant... Pourtant, elle n'a jamais prononcé un seul mot contre eux.

Cette petite est une sainte. C'est tout ce que je peux dire.

Maintenant, ils regrettent — du moins s'il faut en croire leur lettre. Mais regrettent-ils vraiment ? Ce qui me frappe, c'est qu'on peut lire cette lettre dans tous les sens et qu'on n'y trouvera pas un seul mot d'excuse. Tout un tas de phrases qui tournent autour du pot, mais cherchez le mot crucial qui commence par un E suivi d'un X et vos investigations seront vaines. Il n'est pas là.

Vous savez bien à quoi tout ça se réduit, évidemment. À l'approche de Noël, les gens sont portés à faire un petit examen de conscience — oh ! rien de trop dérangeant, seulement quelques tout petits remords et une légère inquiétude en se demandant ce qu'ils pourraient bien répondre si jamais on leur demandait des comptes sur leur conduite. Seulement, ils ne veulent quand même pas trop s'avancer, et pour ce qui est de présenter des excuses, jamais de la vie ! Alors que font-ils ? Ils envoient une lettre.

Et je parie qu'ils ne l'auraient même pas écrite, cette lettre, si Mandy n'avait pas fait le premier pas. Et nous savons tous ce qui l'a poussée à le faire. Ethel. C'est à cause d'Ethel. De toute évidence, et malgré tout ce que je me suis efforcé de faire pour limiter les dégâts, la pauvre petite n'a jamais pu s'habituer à ce qu'on l'espionne et à ce qu'on fouine dans ses affaires. Voilà pourquoi, dans un moment de faiblesse, elle a écrit à sa famille. Et la conséquence, c'est la situation dans laquelle la place cette satanée lettre. Les personnes au monde qu'elle a le moins envie de voir en profitent pour saisir l'occasion au vol.

Vous avez déjà entendu ça, pas vrai ? Eh oui, c'est l'histoire de June et de son Bill qui recommence. À ceci près que dans ce cas ils ne prennent même pas la peine de lui rendre visite. Monsieur et Madame estiment qu'ils en font assez en envoyant une lettre, s'il vous plaît.

Il y a un nom pour ce genre de pratiques. Ça s'appelle du Chantage. La même chose m'est arrivée, le jour de Noël il y a sept ans, et je ne m'en suis jamais remis. June et Bill, forçant ma porte comme s'ils étaient en pays conquis et me riant au nez, tellement sûrs de pouvoir me mettre au pas. Cinq minutes de leur présence, c'est tout ce qu'il a fallu. Mon Noël complètement fichu. Et grâce à eux, des heures et des heures de peine et de souffrance dont je n'ai jamais parlé à personne.

Vous savez, je ferais n'importe quoi pour épargner une horreur pareille à Mandy. N'importe quoi, je vous jure.

Mais la question qui se pose est : jusqu'où suis-je capable d'aller ?

Je sais bien que répondre à cela est facile. Mais la seconde question est entièrement différente. Voilà dans quels termes elle se pose : jusqu'où Mandy voudrait-elle que j'aille ? Est-ce que cette lettre est vraiment quelque chose dont elle souhaiterait avoir connaissance ? À quoi je répondrai : je la connais, ma petite Mandy.

Je mets donc la lettre de côté. Pas loin : je la coince simplement derrière le sac à pain. Si on regarde bien, on peut même la voir qui dépasse. Il y a une marge de blanc qu'on identifie forcément tout de suite. Donc, ce n'est pas du tout comme si je la cachais. Et encore moins comme si je la détruisais. Parce que vous comprenez, il faudra bien qu'elle la lise un jour ou l'autre. On ne peut protéger les gens que jusqu'à un certain point. Le moment viendra où il faudra qu'elle prenne toute seule certaines décisions. Bien sûr, je ferai de mon mieux pour l'y aider, peut-être en lui donnant quelques conseils, mais le fait est qu'on ne peut quand même pas tout faire à la place des autres. Et surtout, que personne ne devrait jamais intervenir dans les relations entre des parents et leur enfant.

Mais en attendant, ce qui compte est que la petite ait le

Noël qu'elle mérite. Et pour commencer, je vais tout de suite lui écrire une carte — une belle carte, avec des rouges-gorges, du houx et de la neige. Dans une grande enveloppe blanche. Comme ça, elle ne pourra plus dire que personne ne pense à elle pour Noël.

Quant à moi, je reste sur le pied de guerre. Une ligne brisée : voilà comment vous pourriez décrire ma journée. Heureux une minute, consterné la minute d'après. Croyez-moi, c'est exténuant. Pour le moment, je suis calmé, parce que je sais que j'ai fait tout ce que je pouvais pour elle, pour Mandy. Mais je ne crois pas que je pourrais endurer un pareil supplice pendant un autre après-midi. Du repos, voilà ce dont j'ai besoin : quelques heures relaxantes devant la télé, les pieds posés sur mon pouf. Après tout, ce ne sera pas une grave perte de temps. Aujourd'hui, j'ai regardé mes provisions avec les yeux d'un homme qui pensait être forcé de tout manger seul, et c'est là que je me suis bien rendu compte qu'il y en avait assez pour nous nourrir jusqu'à Pâques.

Et pour ne rien arranger, j'ai subi un autre choc cet après-midi. Soudain — aux alentours de deux heures, je crois —, une idée m'a frappé : avec toute cette pagaille, je ne me souvenais plus quand j'avais donné à manger à Joey pour la dernière fois. Non pas que ce soit entièrement ma faute. Je veux dire, je sais bien que sa cage est recouverte la plupart du temps, mais ça ne doit pas dépasser les capacités d'imagination d'un oiseau de rappeler de temps en temps sa présence à son propriétaire. Et il a déjà prouvé dans le passé qu'il était capable de faire beaucoup de bruit. Quoi qu'il en soit, j'ai soulevé le tissu qui recouvrait la cage, et il était là, au-dessous de son perchoir, raide comme un bout de bois. Je lui ai donné quelques pichenettes, pour être sûr. Mais ça n'a servi à rien. Il était aussi mort qu'un oiseau empaillé sous un globe. Remarquez, il n'avait plus jamais été lui-même depuis que Mandy avait cessé de s'intéresser à lui. Mais quand même, il m'aurait paru normal qu'un oiseau soit un peu plus résistant. Ce qui m'amène à me demander s'il n'était pas déjà malade quand je l'ai acheté. Et à mon avis, il y a un principe fondamental qui n'a pas été respecté. Si vous payez rubis sur l'ongle pour vous procurer quelque chose — peu importe quoi —, vous êtes en droit d'escompter que la chose en question remplisse la fonction pour laquelle vous l'avez achetée : en l'occurrence, rester bien en vie sur son perchoir.

Alors ? Si je le rapportais à la boutique en protestant parce que j'ai été roulé ? Peut-être qu'ils me proposeraient un arrangement à l'amiable, en me faisant un rabais sur autre chose. Un perroquet, par exemple. Peut-être que ça plairait à Mandy de parler à un perroquet, et je ne pense pas qu'il demanderait beaucoup plus de soins qu'un canari. En tout cas, ce serait idiot de le jeter tout de suite, sans avoir au moins essayé. Donc, je l'ai entortillé dans une page du *Sunday Express* et je l'ai fourré au fond de mon sac à provisions, tout prêt pour être rapporté au marchand demain matin.

17

Et voici le morceau le plus désagréable. Vous auriez pu penser qu'après tout ce que j'avais enduré aujourd'hui il ne pouvait plus rien m'arriver d'autre, mais c'est seulement la preuve que vous pouvez vous tromper lourdement. Tout ce que je peux dire, c'est que plus vite Noël viendra pour nous mettre tous de bonne humeur et mieux ça vaudra. Ce soir, c'était Mandy qui perdait complètement la boule.

Pour commencer, elle est rentrée très tard. Bien après neuf heures. Le deuxième journal télévisé était terminé. Pouvez-vous imaginer ça, après tout le mal que je me suis donné pour retrouver ces coupures de journaux, juste pour lui faire comprendre à quoi elle s'exposait ? Eh bien, malgré tout, elle est arrivée en retard. Et quelle excuse a-t-elle invoquée ? La même que d'habitude : elle avait travaillé jusqu'au soir, elle avait dû consulter des livres à la bibliothèque, etc. Bon, c'est possible, et Larry est bien la dernière personne qui se permettra de faire des commentaires, mais enfin on voit facilement que tout ça n'est pas bon pour elle. Vous connaissez le dicton : Trop de travail, pas de loisir, et Jack commence à s'affaiblir.

En tout cas, elle devrait faire attention. Le fait est qu'elle n'est vraiment pas en beauté. Je n'ai jamais vu son petit visage avec les joues aussi creuses, même s'il y a toujours autant de friandises qui apparaissent et disparaissent dans son placard. Je crois qu'elle devrait se reposer davantage, prendre plus de temps pour se détendre en compagnie d'un certain vieil ami qu'elle a, ou ce qu'elle peut avoir de charme sera perdu pour toujours. Parce qu'elle a beau être jeune, rien ne vieillit plus vite qu'une femme. Non pas que cela changerait d'un iota ce que je ressens pour elle. J'ai toujours dit que j'aimerais cette petite quoi qu'il arrive.

Remarquez, vous allez peut-être vous demander si j'étais toujours dans les mêmes sentiments après la petite comédie de ce soir.

La soirée a commencé tout à fait normalement. Je l'avais laissée assise au salon pendant que je m'éclipsai pour faire la bête de somme, comme d'habitude, autrement dit remplir d'eau la bouilloire et préparer le plateau pour le thé. Pour ajouter une petite gâterie — comme un avant-goût de ce qui n'allait pas tarder à venir —, j'ai placé quelques toffees dans une coupe. Que pouvait-elle désirer de plus ? Seulement, pendant que je m'affairais dans la cuisine, elle avait commencé à faire des bêtises dans la pièce à côté. Quand je suis revenu, elle était près de la cage, avec une drôle d'expression sur le visage.

« Où est-il ?

— Qui ? »

Bien sûr, vous allez dire que c'était une réponse bizarre étant donné l'objet qu'elle me désignait du doigt, mais très honnêtement j'avais dû faire de tels efforts pour réfléchir à ce qui était arrivé aujourd'hui que Joey n'était certainement pas la première pensée qui pouvait me venir à l'esprit. Et d'ailleurs, est-ce que c'était moi qui lui avais demandé d'aller retirer le tissu couvrant la cage pendant que j'étais occupé à autre chose ?

Mais il était facile de deviner qu'il y avait déjà quelque chose qui ne tournait pas rond dans sa tête, rien qu'à la façon dont elle m'a répondu d'un ton cassant :

« Le canari, Larry. Où est Joey ? »

Et c'est alors que j'ai enfin compris.

« Oh, mon petit, ne me posez pas de questions, ai-je dit. Si vous saviez comme je suis triste !

— Mais que s'est-il passé ? »

Maintenant, vous auriez pu voir que sa drôle d'expression de tout à l'heure s'était transformée en quelque chose de beaucoup plus dur, plus mauvais. Mais enfin, je croyais que cela changerait si je lui disais la vérité, sans rien lui cacher de mes sentiments.

« Il est mort, Mandy. D'un coup. Je l'ai trouvé gisant au fond de la cage, le pauvre petit. Sans un souffle de vie.

— Oh, Larry...

— Je sais, ma mignonne. La vérité, c'est que je suis complètement abattu. Il était ma seule famille, et maintenant il est mort. Et ça va être affreusement silencieux ici sans lui... »

Et c'est alors que c'est arrivé. Elle m'a bondi dessus comme une bête féroce, et c'est tout juste si elle ne m'a pas craché au visage.

« S'il était votre seule famille, alors pourquoi ne vous en êtes-vous jamais occupé ? »

Bon, c'était déjà une phrase de trop. Mais elle n'en avait pas fini, loin de là. Je suis resté immobile, trop ahuri pour dire un mot, et elle a continué sur le même ton :

« C'est vous qui l'avez fait mourir, Larry. Vous laissiez tout le temps sa cage couverte, vous ne lui parliez jamais. Vous m'avez empêchée de venir près de lui. Je ne suis même pas sûre que vous ayez pris la peine de le nourrir, la moitié du temps.

— Écoutez, Mandy... »

Mais elle était bien décidée à ne pas m'en laisser placer une.

« Ce malheureux petit oiseau. Prisonnier dans cette cage. Il y a des gens à qui on ne devrait jamais permettre de s'approcher d'une créature vivante. »

Des gens. C'est-à-dire moi, je présume. L'homme qui lui avait donné plus souvent à boire et à manger qu'à n'importe quel oiseau. Naturellement, j'aurais pu facilement lui répondre — seulement, peut-être parce que j'étais sous le choc, les mots ne me sont pas venus. Puis, soudainement, j'ai cessé de chercher en vain quelque chose à dire, et j'ai préféré adopter une attitude de tranquille dignité. Parce que si la fille que j'avais devant moi en ce moment était bien celle que j'avais aidée depuis le début par tous les moyens, alors j'avais perdu mon temps. Elle n'en valait pas la peine.

La suite serait facile, un véritable plaisir : j'allais sortir de la pièce, j'irais prendre cette satanée lettre derrière le sac à pain et je reviendrais pour la lui tendre sans un mot. La lui lancer au visage, même. Avec les compliments de Larry. Et bon débarras. On n'a pas besoin de gens comme elle dans cette maison.

C'est alors qu'elle a fondu en larmes.

Maintenant, dites-moi : quelle raison avait-elle de faire ça ? Et comme si les larmes n'étaient pas assez, voilà qu'elle s'est mise à geindre comme un enfant qui veut éviter d'être grondé.

« Oh, mon Dieu, Larry, je suis désolée. Je ne voulais pas être méchante. C'est seulement parce que je l'aimais bien, moi aussi. Croyez-moi, je suis vraiment désolée. »

Avouons-le, je mentirais si je prétendais avoir jamais entendu présenter des excuses avec un tel accent de sincérité — même si elle aurait quand même pu me regarder dans les yeux en me les adressant, ou du moins essayer. Mais enfin, c'était un commencement. Donc, je ne suis pas allé dans la cuisine, pas encore. Je me suis contenté d'attendre et de la regarder, pour être sûr qu'elle pensait vraiment ce qu'elle disait. Mais je dois dire qu'au bout d'une minute, j'ai commencé à me sentir... Comment dire ? Embarrassé. Quand on pleure, on ne reste pas planté sans bouger en laissant les larmes vous dégouliner jusqu'au bout du nez comme si on avait un mauvais rhume et la flemme d'aller chercher un mouchoir. Surtout pas quand on est une femme. Et ce n'était même parce qu'elle était secouée de sanglots. Non, elle était comme je vous ai dit, debout, immobile, regardant par terre avec les bras ballants tandis que les larmes lui roulaient sur le visage.

Qu'il me suffise de dire que tout ça me mettait très mal à l'aise. Finalement, et surtout parce que j'espérais un soulagement, j'ai pris la parole.

« Alors, il y a autre chose qui vous fait de la peine, mon petit ? »

Mais dès l'instant ou j'avais prononcé ces mots, j'ai su

que j'avais fait une erreur. Ce dont cette gamine avait besoin, c'était d'une bonne semonce et non de compassion. Mais c'était trop tard. Déjà, elle avait levé les yeux, avec sur le visage un air de totale surprise. Donc, comme vous voyez, elle non plus ne s'attendait pas à de la compassion, et pour cause.

« Larry, a-t-elle dit, Larry... »

Et elle a tendu la main vers moi. Je dois le dire, c'est ce qui m'a semblé le plus détestable. Ça ne m'aurait pas choqué si ç'avait été pour une bonne poignée de main bien franche entre amis. Mais elle s'était remise à pleurnicher, et avec sa main qui continuait à trembloter dans ma direction, j'avais l'impression d'être devant une aveugle tâtonnant vers moi pour vérifier si j'étais là ou non.

Mais rien de tout cela ne semble la gêner.

« Larry, dit-elle, sans même prendre garde aux larmes qui continuent à lui détremper la figure, Larry, je ne sais pas ce qui m'arrive... Je ne comprends plus rien... Je croyais qu'il restait des gens qui m'aimaient malgré tout. Mais c'est presque Noël, et où sont-ils passés ? Où sont-ils tous ? »

La réponse à cette question est évidente : pourquoi me demandez-vous ça à moi ? Après tout, le moins qu'on puisse dire, c'est qu'elle n'a pas été très généreuse en confidences avec son vieil ami, malgré toute l'attention que je lui ai manifestée, alors comment veut-elle que je puisse lui répondre maintenant ? C'est un peu tard ! Et qui plus est, elle pourrait au moins essayer d'être intelligible au lieu de marmonner comme elle est en train de le faire, sans jamais finir ce qu'elle a commencé à dire. J'ai eu envie de le lui faire remarquer, mais je n'en ai pas eu le cœur en voyant qu'elle pleurait tellement.

Donc, au lieu de cela, j'ai simplement dit :

« Je n'en sais rien, mon petit. Mais si je nous servais un petit verre de quelque chose à tous les deux, histoire de nous remonter le moral ? »

Et j'étais à deux doigts d'ajouter :

« Et puis je vais vous chercher un paquet de Kleenex, puisque apparemment vous n'avez pas de mouchoir sur vous. »

Seulement, j'aurais dû bouger un peu plus vite, parce que — je veux bien être pendu si ce n'est pas vrai ! — figurez-vous que sa main s'est tendue de nouveau vers moi et a carrément saisi la mienne.

« Larry... », a-t-elle gémi encore une fois — mais elle n'a pas obtenu de réponse. Je n'avais qu'une idée en tête : comment faire pour récupérer ma main ? Il n'y a pas de mots pour décrire à quel point c'est une sensation répugnante d'avoir une main moite qui s'accroche à la vôtre, d'autant plus que je n'avais aucune idée de ce qui lui passait par la tête.

Et puis j'ai deviné. Elle se préparait à me dire quelque chose. Il y avait une lueur bizarre dans ses yeux, et c'est ce qui a déclenché la sonnette d'alarme. Qui plus est, je savais, aussi sûrement qu'elle était debout en face de moi, que ce qu'elle s'apprêtait à me dire était quelque chose que je n'avais aucune envie d'entendre. Parce que alors, je serais pris au piège. C'est ce que les gens font tout le temps. Ils vous embobinent pour que vous compatissiez à leurs malheurs, et quand c'est chose faite, vous vous rendez soudainement compte qu'ils vous ont conduit exactement à l'endroit où ils voulaient vous faire aller, en se fichant pas mal de ce que vous pouvez en penser vous-même.

Donc, il ne me restait qu'une voie de repli. Dégager ma main et lui dire, très fermement :

« Allons, allons, mon petit, reprenez-vous. Je vois bien que vous êtes triste, mais souvenez-vous que ce n'est pas une solution de vous décharger de vos petits problèmes sur les épaules des autres. Il y a des choses auxquelles on doit apprendre à faire face tout seul. »

Mais en fin de compte, je n'ai pas eu à prononcer un mot. Parce que soudain, du rez-de-chaussée, nous est parvenue la voix que nous connaissons si bien et que nous aimons tant :

« Amanda ! Téléphone ! »

Sauvé par le gong.

Pendant quelques instants, la pauvre fille reste plantée là, bouche ouverte. Du moins je respire : l'emprise sur ma main se desserre. Mais je suis quand même obligé de lui dire :

« Vous ne croyez pas que vous feriez mieux d'aller répondre, mon petit ? »

Elle hoche la tête, retire sa main et fait quelques gestes pour essuyer son visage trempé et ses cheveux en bataille, un vrai désastre. Elle aurait le plus grand besoin de se laver la figure et de se donner un coup de brosse, mais elle n'en a pas le temps. Deux secondes plus tard, elle est en train de dévaler l'escalier, laissant là votre serviteur, qui laisse échapper un énorme soupir de soulagement.

Naturellement, vous savez qui l'appelait au téléphone. Et aussi sûr que je m'appelle Larry, vous savez aussi quelles seront les nouvelles. Mr. Adultère soi-même va venir pour gâcher le dernier week-end avant Noël.

Mais au moins, cela veut dire : moins de pleurs et de sautes d'humeur. Et qui plus est, cette fois-ci Larry ne se laissera pas démoraliser. D'abord, il me reste encore un tas d'emplettes à faire avant le grand jour, et ensuite — beaucoup plus important — j'ai cette pensée pour me réconforter : il y a quelques minutes, la pauvre petite était hors d'elle-même à force de se désespérer à propos de je ne sais quoi. Et quelle est la première personne vers qui elle s'est tournée pour la remonter ? Larry ! Vous n'allez pas me dire que c'est par hasard, je pense.

Le résultat, c'est que je me sens tout chaud à l'intérieur.

18

MAINTENANT, vous savez quels sont mes sentiments à l'égard de Mandy. Je ne veux pas entendre prononcer un seul mot contre elle, et c'est définitif. Seulement, il arrive un moment où l'on est forcé d'être honnête, de dire franchement ce qu'on a sur le cœur. Et dans le cas présent, ce que je dirai, c'est que, dorénavant, si les choses tournent de nouveau à l'aigre, eh bien nous saurons qui doit en porter la responsabilité. Une certaine jeune demoiselle qu'il est inutile de nommer.

Rien n'est plus tout à fait comme hier. Parce que, jusqu'à hier, tout marchait comme sur des roulettes, mais il a fallu que Mandy vienne faire son cinéma et tout gâter pour que le reste commence à se gâter aussi.

Ce qui se passe dehors, par exemple.

Regardez par la fenêtre, et cela vous frappera en pleine figure : ce temps délicieux que nous avions et qui semblait devoir durer au moins jusqu'à la semaine prochaine est brusquement devenu affreux. Il y a de quoi frissonner rien qu'en y pensant. On *voit* le vent, on voit bel et bien sa forme dans la poussière qui vole, tandis que de tous côtés de gros paquets d'air froid, à la façon de grosses brutes qui donneraient des coups de pied sur tout ce qui passe à leur portée, s'engouffrent dans la rue. Le pire, c'est qu'il vous attend, dès l'instant où vous franchissez le pas de la porte, caché derrière la haie pour pouvoir s'élancer sur vous, vous projeter dans la rue et vous cracher des giclées de pluie glacée pendant que vous marchez. Forcez-vous à cheminer péniblement jusqu'à l'arrêt du bus, et déjà vous voudriez ne jamais être sorti. Je vous assure, les seules personnes que j'ai vues tôt ce matin dans la rue, c'étaient les clochards et les vagabonds ; mais ça, c'est seulement parce que telles sont leurs habitudes. À part eux, tout le monde était chez soi, en train de se faire griller devant le radiateur.

Vous voyez comment les choses partent vite à la dérive ? Un jour tout vous semble merveilleux, et le lendemain tout s'en va de travers, comme si chaque chose déprimante en entraînait une autre, à commencer par le comportement de Mandy. Puisque Holloway Road était devenue une sorte de long tunnel canalisant le vent, il n'y avait rien d'autre à faire que de fuir et de retourner dans le centre, pour se remonter le moral en voyant toutes les lumières et des gens d'une classe différente, mais c'était impossible. Puisque Joey s'en était allé prématurément retrouver son créateur, il y avait eu un changement de programme et j'avais à faire dans le quartier, d'abord. À ce moment-là pourtant, la journée aurait pu redevenir prometteuse si je n'avais pas eu l'idée en chemin de faire un saut chez Woolworths. Idiot que je suis. Je n'y ai rien trouvé que je n'avais pas déjà, et malgré cela je me suis retrouvé dans la queue des bonbons au détail pour acheter une demi-livre de chocolats fourrés aux fruits secs. Et c'est alors que c'est arrivé. J'ai dû poser mon cabas par terre pour remplir mon sachet, et dix secondes après, plus de cabas ! Je n'en croyais pas mes yeux. Quelqu'un avait réussi à me le voler alors même que le sac était posé entre mes jambes.

Heureusement, c'était seulement un vieux cabas en plastique acheté chez Tesco[1] et mon portefeuille était précautionneusement rangé dans la poche arrière de mon pantalon. Mais l'ennui, c'est que le cadavre du petit Joey se trouvait au fond, enveloppé dans sa feuille de journal, ce qui fait que maintenant le pauvre n'est pas seulement mort mais entre les mains d'un voleur par-dessus le marché. Et ça vous laisse un goût amer dans la bouche de penser que

1. Chaîne de supermarchés *(N.d.T.)*.

même à l'époque de Noël, il n'y a personne à qui on puisse faire confiance.

En tout cas, ça m'a achevé. Laissé complètement K.-O. Impossible de trouver le courage de batailler avec les bus et la foule d'un bout à l'autre de la ville. Donc, je suis rentré chez moi en traînant les pieds, en me disant que tout cela ne serait peut-être pas arrivé si Mandy n'avait pas mis la pagaille, ce que j'appelle le juste cours des choses. Sans compter qu'il y avait toujours la crainte que l'enchaînement de contrariétés ne soit pas fini. Que la situation devienne pire encore.

Aussi, même avec la meilleure volonté du monde de ma part, il n'était pas possible que Mandy reçoive le genre d'accueil auquel elle est habituée. Elle est montée assez tôt ce soir, je dois dire ça à sa décharge. Mais enfin, je m'y attendais à moitié. Si nous devions passer ensemble le même temps que d'habitude *précédé* de ses excuses, elle aurait forcément besoin d'arriver un moment en avance. Ce à quoi je ne m'attendais pas, c'était de me sentir aussi peu enthousiaste à l'idée de sa visite. Je suppose que je ruminais ce qui s'était passé : d'abord la manière dont elle m'avait parlé hier soir, et puis le fait qu'après ça tout avait semblé prendre mauvaise tournure. En d'autres termes, je ne voyais pas pourquoi je me donnerais la peine de la mettre tellement à l'aise qu'elle aurait envie de recommencer son numéro d'hier. Aussi, après une demi-heure pendant laquelle je m'étais montré poli mais distant, tandis qu'elle s'efforçait d'alimenter un peu la conversation (ce qui n'a jamais été une tâche facile pour elle, même dans les meilleurs moments), elle a essayé une autre tactique :

« Je suis impatiente que le week-end arrive, Larry. Pas vous ?

— Vous avez cet ami à vous qui doit vous rendre visite, je crois ? » ai-je dit pour toute réponse.

Et en la voyant hocher affirmativement la tête, alors je lui ai dit ce que je pensais. Oh oui, je le lui ai dit, et sans détour.

« Dans ce cas, je ne crois pas que je vais attendre le week-end avec beaucoup d'impatience. Je suis un homme qui aime profiter de sa tranquillité, voyez-vous, et j'espère que vous voudrez bien m'excuser, mais je crois que j'ai grande envie de tranquillité en ce moment. »

La vérité, c'est que je n'ai pas dit ça méchamment, même si je me suis surpris moi-même en m'entendant prononcer ces phrases. Mais j'aurais voulu que vous voyiez la tête qu'elle a faite. Elle avait l'air abasourdie, et encore le mot est faible. Remarquez, c'étaient des phrases que j'aurais déjà dû lui dire il y a des mois. Le problème, c'est qu'alors je ne savais pas comment elle les aurait prises. Mais maintenant, c'est différent. Si quelqu'un est devenu un ami intime, vous pouvez lui dire presque tout ce que vous voulez. Qui plus est, elle ne pouvait pas se payer le luxe de vraiment se vexer, parce qu'à part moi, qui a-t-elle comme amis ? « Où sont-ils passés, Larry ? Où sont-ils tous ? » Ce sont ses propres mots.

Tout de même, j'ai eu un tout petit peu de remords lorsque je l'aie vue blêmir. Elle avait même l'air un peu chancelante quand elle s'est levée. C'était presque assez pour que j'aie envie de lui crier : « Poisson d'avril, Mandy ! » Mais je ne l'ai pas fait. D'abord, ce n'est pas la bonne époque de l'année. Et d'autre part, je ne voyais pas quel mal il y avait à lui parler franchement. Autant qu'elle pense pendant quelque temps qu'elle n'est plus dans les bonnes grâces de Larry. Quand arrivera le grand jour, elle comprendra qu'il n'y a pas âme qui vive en ce bas monde qui sache mieux que lui pardonner et passer l'éponge.

*

Mais, mon pauvre Larry, ce que tu peux être bête quelquefois ! Voilà, tu t'imaginais que tu avais tout compris, que la première chose qu'elle ferait en te quittant serait de dégringoler les marches pour aller enfouir sa tête dans son oreiller afin de sangloter comme elle le fait quand *lui* n'est pas là et qu'il lui fait de la peine. Tu croyais que tu l'entendrais pleurer toute la nuit.

Eh bien, je m'étais trompé, c'est le moins qu'on puisse dire. À peu près une demi-heure plus tard, j'ai entendu le raffut qui provenait de l'étage au-dessous. Je suis donc descendu doucement jusqu'au petit coin, dans l'espoir de comprendre ce qui se passait. C'était elle, Mandy, dans la salle de bains, qui s'agitait dans l'eau comme une otarie... et qui chantait de nouveau. Des chants de Noël, cette fois. Des chants de Noël entonnés à pleine voix, alors qu'il était plus de neuf heures du soir.

Elle est toujours là à barboter, et en plus c'est déjà la troisième fois qu'elle chante *Away in a Manger*[1]. À l'entendre, on a l'impression qu'elle est gaie comme un pinson. Comment ça se peut-il ? Je viens de l'enguirlander vertement. Je lui ai presque dit d'aller au diable. Elle est ma petite Mandy, si douce, si sensible. Elle n'a personne d'autre au monde que moi. Par conséquent, elle devrait au moins être en train de sangloter à fendre l'âme.

Mais bien sûr, ce n'est pas vrai qu'elle n'a personne d'autre que moi. Voilà pourquoi Crétin devrait être mon second prénom. Son Altesse va venir passer le week-end, donc elle voit les choses complètement différemment aujourd'hui. Elle qui veut de la compagnie, elle en aura. Donc, elle n'a pas besoin de ce vieux Larry. À quoi diable lui servirait-il ?

Et moi, triple idiot, qui ai fait de mon mieux pour lui mettre en tête que c'était moi qui n'avais pas besoin d'elle. Qui croyais que je pouvais lui dire ses quatre vérités sans risque puisque le socle de notre amitié était tellement solide à présent. Qui m'imaginais même que pour Noël, tout était définitivement réglé. Mais non. Rien n'est réglé.

Et je n'ai toujours pas trouvé la seule chose qui pourrait remettre les pendules à l'heure. Son cadeau.

*

Le lendemain matin, les choses ne vont pas mieux. J'ai essayé de l'attraper par la manche dans l'escalier, mais elle a marmonné quelque chose au sujet d'un bus qu'elle ne

1. Chant de Noël très populaire *(N.d.T.)*.

voulait pas manquer et, après un rapide coup d'œil à la table du vestibule, la voila partie.

Après une rencontre ratée comme celle-là, la meilleure chose à faire était de sortir et de vaquer à mes occupations. En me rappelant que nous sommes jeudi, et que je n'ai plus que huit jours devant moi : donc je dois utiliser mon temps à plein pour préparer notre Noël.

Mais le monde est sans pitié. Je n'exagère pas, la moitié de Londres était dehors aujourd'hui, s'écrasant dans les rues, faisant de longues files aux arrêts de bus et se rangeant les uns derrière les autres pour former le genre de queues qu'on n'aurait jamais imaginé rencontrer ailleurs qu'en Russie. Normalement, il n'y a rien qui divertisse autant Larry que de batailler pour sa place dans le 104, mais pas aujourd'hui. Croyez-moi, ce n'était vraiment pas un endroit pour un retraité.

Mais enfin, queues ou pas queues, vous savez très bien vers où je me dirigeais, même si pour finir j'ai été obligé de descendre dans Brompton Road pour faire à pied le reste du chemin. Apparemment, ce bus n'allait nulle part : il était englué dans les embouteillages comme ces insectes qu'on voit conservés dans la résine. Même Larry n'avait jamais vu un bouchon pareil.

C'est seulement alors, huit cents mètres plus loin, que j'ai compris la raison de ce chaos. Des gyrophares bleus éclairant dans toutes les directions et des cordons de police. Des bruits de talkies-walkies et des badauds debout derrière des barrières, attendant que quelque chose se passe. Alerte à la bombe. Ils ont interdit l'entrée de tout le pâté de maisons. Rentre chez toi, mon pauvre Larry, du moins si tu le peux.

Et tout ça a dû me prendre pas loin de trois heures.

*

Je sais comment doivent se sentir les soldats qui rentrent chez eux après avoir perdu la bataille. En remontant l'allée jusqu'à la porte, la seule pensée qui me réconfortait était que j'allais pouvoir me tremper les pieds dans une bassine d'eau bien chaude — et aussi l'espoir que Mandy serait rentrée assez tôt pour avoir déjà lu la petite note que j'avais laissée à son intention sur la table de sa cuisine. « Chère Mandy, Je n'étais pas dans mon état normal hier soir. Je vous en prie, ne m'en veuillez pas de ce que je vous ai dit, sinon je ne sais pas ce que je ferai. Affectueusement, Larry. »

Un petit mot très court, mais le ton est sincère. Et puis il y avait la jolie petite boîte de fruits secs enrobés de chocolat que j'avais achetée ce matin et que j'ai transportée avec moi toute la journée. Ils sont pour elle aussi, bien sûr. J'aurais même pu les lui donner tout de suite.

C'est alors que se produit l'événement qui me fait dire que vraiment, c'est le comble. La porte d'entrée s'ouvre, et *il* est là. Francis. Avec vingt-quatre heures d'avance, pas moins.

« Ah, Mr. Mann, dit-il. Vous êtes la seconde personne à qui je cause une surprise aujourd'hui. »

Et pendant qu'il prononce ces mots, voilà Mandy qui apparaît, passe entre nous deux, me frôle même le bras sans pourtant m'accorder ne serait-ce qu'un regard. Exactement comme si je n'étais pas là. Elle fait quelques pas et s'arrête devant la grille, où elle l'attend. Vous auriez pu penser qu'il l'aurait rejointe aussitôt, mais non. Il reste où il est, avec un air brusquement tout sucre, tout miel, dans un des ces très longs manteaux ultra-chic qu'on ne voit que dans *Vogue Hommes* ou des revues de ce genre.

« Vous avez fait quelques emplettes pour Noël, je vois. »

Et en disant cela, il désigne le sachet contenant ma boîte de chocolats. Tout ce que je rapporte après cette longue journée harassante. Et il sourit.

L'espace d'une seconde, je ne comprends pas. Il sourit forcément pour une raison, mais je ne vois pas laquelle. Et puis quelque chose fait tilt dans mon cerveau. Il sourit parce qu'il croit avoir vu dans son intégralité ce que sera le Noël de Larry Mann. Un boîte de chocolats aux fruits secs à grignoter en écoutant le discours de la reine[1].

1. La reine d'Angleterre s'adresse traditionnellement à ses sujets le jour de Noël. Son discours est retransmis à la radio et à la télévision *(N.d.T.)*.

Alors, Dieu sait combien de fois j'ai été tenté jusqu'ici — tenté de vendre la mèche et de tout gâcher, de manger le morceau et décrire tout ce que j'avais prévu et préparé, sans rien omettre. Mais jamais, jamais autant qu'en ce moment. Mon parapluie accroché à mon autre bras, savez-vous ce que j'avais envie d'en faire ? Le prendre fermement par la poignée, le brandir comme une épée et lui en appuyer la pointe sur le ventre, pour qu'il se retourne, et ensuite le faire monter marche après marche au pas cadencé jusqu'en haut de l'escalier, en dépassant les pièces de Mandy au premier étage et en le forçant finalement à entrer dans ma cuisine. Et là, je l'aurais empêché de sortir pour vider mes placards sous ses sales yeux de serpent et lui montrer ce que ce serait, le Noël de Larry Mann.

Une boîte de chocolats aux fruits secs.

C'est seulement au tout dernier moment que la voix de la raison est venue à ma rescousse, et m'a murmuré à l'oreille : « Laisse tomber, Larry, mon garçon. Il n'en vaut pas la peine. Pense plutôt à tout ce que tu as à perdre. Monte tout de suite chez toi et tu te sentiras beaucoup mieux. »

*

Et c'est vrai que je me suis senti mieux. Enfin, plus ou moins. Mais pour ça, il a d'abord fallu que je sorte tout de mes placards pour étaler à mes yeux la preuve même de son aveuglement : les gâteaux, les chocolats, les liqueurs, les fruits secs, le papier d'emballage, les jolies babioles pour le bas de laine, et tout le reste afin de bien me mettre en tête que c'est le futur qui compte et non le présent. Que la Mandy que nous connaissons et que nous aimons est en attente, déjà installée au milieu de la semaine prochaine, repaissant ses regards de tout un Monde de Noël créé et apporté devant elle par son cher vieux Larry. Alors, les autres ne brilleront que par leur absence.

Et la nuit m'a fait du bien.

Oui, elle m'a fait du bien, vraiment. Le fait de rester éveillé, d'écouter le silence dans la pièce au-dessous, de savoir qu'elle est là, qu'elle dort comme un bébé, seule, enfin elle-même.

Parce que voyez-vous, même si elle ne le redevient que dans son sommeil, du moment qu'alors elle dort du vrai sommeil du juste, seule, innocente, elle livre la seule bataille qu'elle doive livrer, et pour elle et pour moi.

19

ET NOUS EN ARRIVONS à aujourd'hui.

Je m'extirpe péniblement de mon lit. Pas question de traîner pour me reposer, même à supposer que j'en aie le temps. Parce que bien évidemment, il suffit du bruit d'un grand éclat de rire à l'étage au-dessous pour mettre fin au sommeil, si bref soit-il, dont vous avez pu profiter.

Personne ne m'a vu sortir, même pas Ethel. Aujourd'hui, c'est son jour de grandes festivités pour Noël, celui où elle bat le rappel de tous les occupants de la maison et les rassemble dans sa cuisine. Elle fait ça chaque année : elle nous gratifie de quelques biscuits au fromage, d'un verre de sherry fabriqué à Chypre[1], et d'un abondant prêchi-prêcha toujours sur le même thème : dans cette maison, nous formons tous une grande famille, etc. Donc, c'est là qu'ils se trouvent tous en ce moment : Ethel, Gilbert, Mandy, *lui*. Toute la maisonnée, à l'exception d'une personne, qui a préféré s'éclipser discrètement.

Naturellement, elle m'avait invité. Y a-t-il jamais eu un seul Noël où elle ne m'ait pas invité ? Sûrement pas, mais en déclinant aujourd'hui l'invitation, j'avais dans l'idée de leur donner un peu à réfléchir, à tous. Si je n'étais pas là, qui allait passer le plateau d'allumettes au fromage ?

1. Le véritable sherry est du xérès, un vin andalou. Celui de Chypre n'est qu'une sorte d'imitation bon marché *(N.d.T.)*.

Une telle question ne valait pas la peine qu'on cherche à y répondre. Du moins, c'est ce que j'ai pensé dans un premier temps. Mais juste au moment où je m'engageai dans l'allée, l'image s'est présentée à moi. Si je n'étais pas là pour faire le service, et puisque Gilbert en était incapable, devinez qui allait forcément prendre ma place. Tout à coup, j'ai vu Ethel faire son petit sourire pincé et désigner le plateau du menton : *« Oh, Francis, puis-je vous demander une petite faveur ? Je regrette de vous ennuyer, mais vous comprenez, puisque Mr. Mann nous a fait faux bond... »*

Mr. Mann ? Qui est-ce, Mr. Mann ? La dernière personne à laquelle ils pensent.

J'ai failli faire machine arrière. Mais c'était trop tard, évidemment. J'avais déjà dit que je ne viendrais pas, alors que penseraient-ils tous si j'apparaissais maintenant ? Moi, en tout cas, je le savais très exactement, et je n'allais certainement pas leur faire ce plaisir.

Et voilà, maintenant vous voyez ce qu'il en est. C'était une journée qui aurait dû commencer de manière tout à fait prometteuse, et déjà les choses avaient tourné à l'aigre.

Mais il existe quelque chose qu'on appelle l'esprit de Dunkerque[1], ce qui est une façon de dire que même si le monde entier se ligue contre vous, vous y faites stoïquement face quoi qu'il arrive.

Alors, que croyez-vous que j'ai fait ? Je me suis administré à moi-même une bonne semonce. Là, sur le seuil de la porte. Je me suis dit : « Larry mon garçon, ce n'est pas le moment d'avoir les jambes qui flageolent. Non, non, mon vieux, c'est plutôt le moment de relever la tête, de leur montrer de quel bois tu es fait. Ils sont peut-être en train de s'amuser à tes dépens dans cette cuisine, mais rappelle-toi bien qu'il n'y en a qu'une parmi eux qui puisse te chagriner. Et c'est pour elle que tu fais ce que tu es en train de faire. »

1. En 1940, la flotte britannique fut détruite au large de Dunkerque par les armées nazies, malgré une résistance particulièrement héroïque *(N.d.T.)*.

Et puis j'ai ajouté autre chose — le catalyseur, la source idéale de vigueur et d'énergie : « Oui, mon garçon. Aujourd'hui est le jour où tu reviendras avec le fruit de tes recherches sous le bras. Parce que c'est aujourd'hui que tu trouveras son cadeau. Le cadeau qui dira tout. »

Et c'est alors que j'ai éprouvé cette sensation. Le frisson d'anticipation qui me parcourait l'épine dorsale de haut en bas et de bas en haut. J'étais de nouveau un homme chargé d'une mission. Et soudain, c'était comme si j'étais déjà de retour, réchappé de la mêlée, portant son cadeau sous mon bras, le serrant très fort contre moi, sentant chanter en moi ce que j'allais lui dire. La sensation la plus délicieuse que j'aie connue de ma vie.

En cinq petites secondes, j'étais redevenu un homme neuf. Ça n'avait pas d'importance s'il pleuvait, ni même s'il faisait un froid à vous geler les entrailles. J'ai ôté ma casquette et laissé l'eau du ciel me mouiller le front, la bonne vieille pluie de Londres me donner sa bénédiction. Puis, j'ai remis mon couvre-chef et j'ai commencé à me mettre en marche, me lançant à l'assaut de cette journée.

Et ce n'était pas n'importe quelle journée. Au début, j'avais presque l'impression que le monde entier avait manigancé un complot contre moi. J'ai essayé le métro cette fois-ci. Mais ce n'était pas mieux que le bus d'être assis là-dedans pendant des heures, plongé dans d'obscurs boyaux comme un fragment de nourriture qui n'a pas été digéré. Quand je suis remonté parmi les vivants, c'était presque pire. Les trottoirs avaient disparu sous une énorme houle humaine, qui pouvait tout aussi vraisemblablement vous projeter comme une épave sous le porche d'une boutique quelconque que vous entraîner en toute sécurité exactement là où vous aviez décidé d'aller. Mais j'ai gardé la tête froide. Pas un seul instant je n'ai perdu mon calme, même si les aiguilles de ma montre indiquaient avec une insistance croissante qu'une partie toujours plus importante de la journée était absorbée seulement par le trajet. J'avais le sentiment que toutes ces embûches m'étaient envoyées pour m'éprouver. Ou si vous préférez, pour attester que j'étais bel et bien digne de la mission qui m'était assignée.

Finalement, j'ai vu qu'il ne me restait que quelques pas à faire pour arriver au but. Les cordons de police n'étaient plus là, et il n'y avait rien pour m'empêcher de franchir les doubles portes, tout en humant les bouffées d'air chaud qui me soufflaient au visage leur message de bienvenue. Oh, bien sûr, mon pauvre vieux palpitant n'a pas perçu la différence, pas tout de suite. Les deux premières minutes, tout ce dont j'ai été capable s'est réduit à rester planté là, dans le sas entre les portes extérieures et les portes intérieures, en attendant que la grosse pompe hydraulique dans ma poitrine cesse de cogner comme un marteau et retrouve son rythme habituel. Quand j'ai retiré ma casquette pour la deuxième fois de la journée, le ruban intérieur était tout trempé, signe évident que j'avais présumé de mes forces. Après tout, on n'attend pas des gens de mon âge qu'ils suent sang et eau. On trouve plus normal qu'ils se ménagent. Mais tout cela faisait partie de l'épreuve. « Petite Mandy, me suis-je dit alors que je sentais mon souffle redevenir régulier, si seulement tu savais ».

Maintenant, il était temps d'entrer pour de bon.

Et tout ce que je peux dire, c'est ceci : merci Seigneur, je savais à quoi m'attendre. Autrement dit, j'avais prévu que dès l'instant où je franchirais cette porte, j'assisterais à une véritable explosion. Un bombardement assourdissant de couleurs et de formes appartenant à Des Choses, toutes différentes, toutes éblouissantes, et complètement impossibles à distinguer les unes des autres. Et comme vous vous en doutez sûrement, j'avais raison.

Pendant une seconde, j'ai cru que malgré tout j'allais être pris de panique, mais la petite voix de la raison qui m'a si bien guidé pour reprendre pied tout récemment m'a dit : « Tiens bon, Larry. Contrôle-toi. Ce dont tu as besoin, c'est de te détendre un moment. De fixer ton attention. Regarde autour de toi, et réjouis-toi de ce que tu vois. »

Et progressivement, très progressivement, c'est ce que j'ai commencé à faire. Et tout aussi progressivement, je me suis mis à m'intéresser non pas tant au magasin et aux objets présentés qu'aux gens. Ce qui, d'une certaine façon, n'était guère surprenant, puisque après tout nous étions des âmes sœurs, toutes réunies en ce lieu pendant que le reste du monde se trouvait ailleurs, occupé à rechercher des objets inférieurs à des prix inférieurs qu'ils emporteraient dans des sacs portant un nom inférieur. Nous étions différents d'eux — une catégorie distincte de clients. Et ces gens qui étaient comme moi, je commençais à les percevoir dans tous leurs glorieux détails, du foulard sur les épaules des femmes aux pointes dorées de leurs chaussures. La plupart d'entre elles avaient un homme à leur remorque — il fallait bien que quelqu'un paie pour leurs achats, après tout —, mais c'était quand même surtout les femmes que j'observais. Je les observais pendant qu'elles faisaient le tour des rayons, je les observais lorsqu'elles s'arrêtaient sans aucune raison évidente à mes yeux. Qu'est-ce qui rendait un présentoir de gants auquel elles ne prêtaient aucun intérêt moins intéressant que le suivant, qu'elles examinaient avec l'attention d'un spécialiste en biologie cellulaire ? Je n'en savais rien, mais j'avais envie de le découvrir. Et assez vite, rien qu'en observant les femmes, j'ai eu le sentiment que j'avais compris une façon nouvelle de voir les choses, de se focaliser sur elles en les séparant du flou général. Ce qu'elles regardaient, je le regardais aussi, avec la même attention, et comme elles je ne m'occupais pas du reste. On pourrait dire que c'était comme si j'avais trouvé une paire de lunettes qui me rendaient capable de voir tout ce qui méritait vraiment d'être vu.

Bien sûr, ça ne veut pas dire que j'étais toujours d'accord avec leurs choix. Prenez cette femme, là-bas, en train d'acheter ce chapeau. Un moment, je me suis tellement approché d'elle que la vendeuse, me prenant pour son mari, s'est tournée vers moi pour me demander mon avis. Et si j'avais voulu, j'aurais pu prendre le temps de me montrer un peu plus utile que je ne l'ai été en réalité, autrement dit lui dire la vérité. Et la vérité, c'était que pour un quart de ce prix elle pourrait s'acheter un bon béret en tweed et que ça ne lui irait pas plus mal, mais à la façon dont l'autre femme me regardait, je me suis dit : à quoi bon ? Laissons-la gaspiller son argent si ça lui plaît. Et je suis parti.

L'argent. J'entends presque ce que vous êtes en train de

dire en ce moment. Larry, Larry, qu'est-ce que vous espérez ? Voulez-vous vraiment vous saigner aux quatre veines pour impressionner une gamine *qui ne vous en appréciera peut-être pas davantage ?* Et la réponse est : oui. Je me saignerai autant qu'il faudra. Parce que la vérité pure, c'est que, justement, elle saura m'en apprécier davantage.

On en revient toujours au fait que c'est une fille complètement hors du commun. Il vous suffit de regarder autour de vous pour saisir la différence. À première vue, vous pourriez penser que ce n'est sûrement pas désagréable de se trouver dans l'ombre d'une des femmes qu'on rencontre ici. Elles sont séduisantes, pour la plupart, bien habillées, sans un cheveu qui dépasse, aussi à l'aise dans un endroit comme celui-ci que dans leur propre living-room. À mille lieues d'une Doreen et de ses semblables, pourriez-vous dire. Mais non, pas vraiment. En un certain sens, il n'y a aucune différence. Parce que ce sont elles aussi, ces femmes qui ont tout vu, qui ont tout fait. Comme des foules d'autres femmes partout dans le monde. Ça se voit sur leurs visages, dans leurs démarches. Des femmes d'expérience, voilà comment on pourrait les définir. Et qui était Doreen, sinon une femme d'expérience, justement ? Et sa femme, à *lui* ? Vous ne seriez pas prêts à parier qu'elle est exactement pareille ? Moi, je mettrais ma main à couper qu'elle le traîne des après-midi entiers dans toutes les boutiques chic d'Édimbourg avec exactement la même expression sur le visage. Cette expression qui semble proclamer au monde entier : « C'est peut-être lui qui casque, mais c'est moi qui commande. »

Il n'y a pas une once de différence entre elles, toutes autant qu'elles sont. Et je vous parie qu'il n'y a pas un seul homme ici qui ne soit en train de prier pour sa délivrance.

Et c'est ça le secret, comprenez-vous ? C'est forcément ça. Le secret, autrement dit la vraie raison pour laquelle il vient traînailler avec une fille comme notre Mandy. Parce que justement, *elle* est différente. Parce qu'elle est jeune, et aussi innocente que l'agneau qui vient de naître. Elle prête l'oreille à chaque mot qu'il prononce, elle ne s'insurge jamais, elle ne se moque jamais de lui. Quand ils se promènent ensemble, c'est à lui que les gens s'intéressent, parce que c'est lui qui en impose, pas elle. En un mot, elle est tout ce qu'une femme doit être — et tout ce que les autres femmes ne sont pas.

Dans le mille.

Jeune et innocente comme une enfant, c'est bien ça que je viens de dire, pas vrai ? Parfois, elle se conduit même comme une petite fille pas sage, quand un caprice la prend. Mais elle dort toute seule et elle a autant d'expérience qu'un bébé. Ma Mandy. Mon enfant chérie. La seule qui ne m'abandonnera jamais.

Et tout à coup, j'ai su précisément où il fallait que je dirige mes recherches.

L'endroit où il me fallait aller était tout en haut, au dernier niveau du magasin, aussi loin que possible des rayons que j'avais parcourus pendant tout ce temps. Pas étonnant que rien n'ait attiré mon regard, ici au rez-de-chaussée, parmi les parfums et les colifichets. Toutes ces choses-là sont bonnes pour les Doreen et les June, pas pour elle, pas pour ma douce petite Mandy.

J'étais dans le magasin qu'il fallait, mais je n'avais pas cherché au bon endroit. Jusqu'à présent, du moins. Mais quand je suis sorti de l'ascenseur, j'ai compris. J'étais arrivé au bout de l'arc-en-ciel.

L'Étage des Jouets.

Comme une montée de sang à la tête, quelque chose s'élève pour m'accueillir et me saluer : Noël, la véritable essence de Noël. Il y a tout dans ce magasin, tout ce qu'il faut pour donner à ce que vous possédez chez vous l'air d'une médiocre imitation. Donc, mieux vaut éviter les comparaisons. Mieux vaut se borner à regarder et s'émerveiller.

Voyez-vous, c'est un autre monde ici. On croirait que tous les objets, toutes les surfaces ont été touchés par une baguette magique — un monde étincelant, recouvert d'une mince pellicule de givre, qui se reflète en tremblant dans les boules des arbres de Noël plus verts que de vrais sapins. C'est un magasin transformé en pays de contes de fées. Ces cloisons ne sont plus des cloisons qui séparent un rayon d'un autre, mais des talus couverts de houx, à moins que ce ne soit de lierre. Vous pourriez vous trouver dans un jardin, ou participer à une vente aux enchères au Paradis.

Et puis il y avait les jouets. Incroyables ! Des voitures miniatures ronronnant à vos pieds. Des trains électriques soufflant et haletant parmi des montagnes en papier mâché, avec leurs phares qui vous clignent de l'œil et leurs minuscules roues argentées qui tournent à toute vitesse. Un peu plus loin, les surfaces polies des robots qui luisaient. Partout où l'on pose les yeux, tout semble vivant — au point qu'il faut vous adosser un moment au mur bien massif derrière vous pour vous remettre en mémoire que ce sont seulement des objets mécaniques.

J'ai dit que c'était le Paradis, n'est-ce pas ? Bon, pas tout à fait. Parce que bien sûr, il y a les enfants, des marmots par centaines à ce qu'on dirait, qui crient, qui braillent, qui se déchaînent — comme on doit s'y attendre — chaque fois que les parents tournent le dos à leurs responsabilités et se moquent que le reste du monde doive supporter le charivari occasionné par leur progéniture. Ils vous démolissent tout, ces sales gosses, ils renversent tout et courent dans tous les sens comme s'ils étaient dans une cour de récréation, et personne, pas même les vendeurs, ne lève le petit doigt pour les arrêter. Si je n'étais pas si pressé, si je n'avais pas en outre une notion assez claire du genre de réaction que je m'attirerais, je serais très tenté de dire haut et clair le fond de ma pensée, je vous assure...

Enfin, peu importe. Quoi qu'il en soit je me retrouve à l'endroit voulu, et ce qu'il me reste à faire maintenant, c'est trouver le véritable trésor qui est niché quelque part à cet étage et le rapporter à la maison.

Seulement, une fois de plus — et combien de fois est-ce arrivé depuis quelque temps ? —, il faut que je trouve mes repères, que je me concentre sur la raison pour laquelle je suis ici. Mandy. Parce qu'elle a beau être jeune et innocente comme un enfant, ça ne veut pas dire que je suis monté lui acheter une panoplie d'infirmière ou une boîte de Lego. Ce serait idiot. Je ne suis pas ici pour acheter un jouet, mais plutôt quelque chose qui lui renverra le reflet de l'essence même de ce qu'elle est, qui lui rappellera quelle est sa véritable nature. Et je ne vais certainement pas trouver ça dans les alentours immédiats, c'est-à-dire au rayon des jouets téléguidés. Donc, ce qu'il fallait que je fasse à présent — puisque c'était là que j'avais abouti par hasard —, c'était de m'en éloigner pour explorer l'étage. Mais voilà : le moins qu'on puisse dire, c'est qu'un simple déplacement comme celui-là se révélait plutôt malaisé. Je n'avais pas fait cinq pas qu'un blindé venait s'écraser contre mes chevilles, me faisant presque trébucher. Et qu'on ne vienne pas me dire que c'était un accident. Parce qu'il y avait un petit malin à moins de deux mètres de moi avec une manette entre les mains qui hurlait de rire. Croyez-moi, il savait très bien ce qu'il faisait.

Mais le pire, quand il y a des gosses de quelque côté que l'on regarde, c'est qu'il n'y a pas moyen de se diriger. Ça ne sert strictement à rien d'essayer de marcher droit quand à chaque mètre ou presque vous tombez sur une marmaille groupée autour de tel ou tel jouet extraordinaire qui vous bloque le passage. Ce qui explique probablement pourquoi, après avoir quitté le rayon des jouets téléguidés et traversé celui des ordinateurs (des ordinateurs pour des gosses — je vous demande un peu !), puis voyagé parmi les jeux de société et aperçu au passage toutes sortes d'autres choses plus ou moins bizarres, je me suis retrouvé au milieu des télécommandes, exactement à l'endroit d'où j'étais parti. Et en plus, face au même garnement que tout à l'heure, qui paraissait m'avoir attendu et dirigeait sa manette tout droit en direction de mes pieds.

Pas besoin d'en dire plus. Ma seule pensée était de m'éloigner de là aussi vite que possible. Je n'ai même pas pris le temps de choisir une direction cette fois : je m'attendais presque qu'un certain jeune vaurien me suive partout où j'irais. Mais il n'en a rien fait, et il y avait déjà de quoi s'estimer heureux. D'un autre côté, là où j'étais arrivé, les choses ne semblaient pas beaucoup plus encourageantes. Parce que maintenant, je circulais entre des murailles de jouets pour bébés, des centaines de babioles et de hochets en tout genre pour des marmots hauts comme trois pommes et qui ont déjà tout. Tout de même, plus on avançait dans les rayons, plus les hochets et les toupies cédaient la place à des choses qui avaient des mains et des visages. Et c'est en voyant ça qu'une idée a commencé à germer dans mon esprit. Autrement dit, un instinct au fond de moi-même se réveillait et examinait ce qu'il y avait alentour.

Vous comprenez, j'entrais dans le rayon des poupées. Quelques pas de plus et il y en avait de tous les côtés, et ce vague pressentiment que j'avais senti s'intensifiait, se transformait en quelque chose qu'on pourrait presque définir comme de l'espoir.

Maintenant, je vous demande de ne pas rire. Parce que vous n'avez pas la moindre idée de ce qui se passait vraiment dans ma tête. Et d'ailleurs, moi non plus. Tout ce que je savais, c'est que sous mon maillot de corps, je sentais un léger frémissement m'indiquant que je brûlais à présent. Il y avait quelque chose, pas loin, peut-être hors de vue, qui m'attendait. Il ne me restait plus qu'à le trouver. J'ai donc ralenti le pas, et commencé à tout observer très attentivement.

Si vous me demandiez d'expliquer ce que je recherchais au juste, je crois que je vous répondrais ceci. Il y a bien des années, Harry et Molly, sa femme, sont allés passer des vacances à Majorque. C'est la seule et unique fois de leur vie où ils sont allés à l'étranger, mais ils avaient l'habitude de dire qu'ils n'oublieraient jamais ce voyage parce qu'ils avaient leur danseuse de flamenco pour raviver leurs souvenirs. Elle devait faire pas loin de soixante centimètres de haut, toute en écarlate et en noir, parfaite, du rouge vif de ses lèvres aux deux petites fossettes sur ses joues. Elle était posée sur le piano, et June l'adorait littéralement. Non qu'elle l'ait jamais, ne serait-ce qu'effleurée, du bout du doigt. Mais elle aimait rester un moment à la regarder, et après ça elle disait à tout le monde qu'elle deviendrait danseuse de flamenco quand elle serait grande. Donc, même si c'était une poupée, on ne peut pas dire que c'était un simple jouet : c'était plutôt un ornement, un bel objet, fait pour être entretenu et admiré, un souvenir du passé, et en ce qui concerne June, presque un présage de l'avenir. Eh bien, voilà peut-être ce que je voulais trouver : une poupée qui ferait sur Mandy le même effet que la danseuse sur June.

L'ennui, c'est qu'on ne fabrique plus de poupées comme celle-là. Je le sais, parce que j'ai bien regardé partout. J'ai arpenté ces rayonnages en long et en large je ne sais combien de fois, mais je n'ai rien vu de tant soit peu ressemblant. Je ne me suis même pas arrêté devant les autres, les gros baigneurs dont les yeux s'ouvrent et se ferment et qui disent « Maman » quand on leur met la tête en bas. Ce qui ne veut pas dire qu'ils n'avaient pas des tas de poupées, surtout avec l'apparence de bébés. Non seulement il y en avait à profusion, mais c'était un genre de poupées tel que je n'en avais jamais vu auparavant — et, très franchement, tel que j'espère bien ne jamais en revoir. Tellement réelles dans leurs boîtes qu'on n'osait même pas respirer, avec de vilains petits visages renfrognés, exactement comme ceux des nouveau-nés, bien au chaud dans de petits vêtements en nylon. Ne me demandez pas à quoi ils m'ont fait penser, ces faux bébés. June ne les aurait pas aimés.

Et bien sûr, il y avait aussi d'autres poupées, d'un tout autre genre. Seulement, croyez-moi si je vous dis que celles-là étaient les pires de toutes. C'étaient des poupées que je n'aurais pas voulu être surpris en train de regarder. Parce qu'elles avaient des corps de grandes filles — et quand je dis de grandes filles, je sais très bien ce que je dis : toutes en reliefs et en courbes, et même pas habillées pour certaines d'entre elles. Il existe un mot bien précis pour ce qu'elles évoquaient, ça ne fait pas de doute. Sinon, pourquoi les fabriquerait-on avec ces formes ? C'était presque insupportable de les regarder et de penser en même temps aux dégâts qu'elles pourraient provoquer sur de jeunes âmes innocentes.

Pourtant, j'ai eu beau parcourir ce même rayon dans un sens puis dans l'autre à trois ou quatre reprises, j'avais du mal à admettre que ce que je recherchais ne s'y trouvait pas. Ce léger frémissement s'était transformé en grands frissons, et même le dos de mes mains me picotait. C'était comme si j'avais été entraîné dans une partie de cache-cache, et comme si le cadeau pour Mandy était là, presque à portée de main, attendant seulement que je le découvre. Comme s'il m'appelait.

Mais il n'était pas parmi ces poupées, parmi ces bébés en latex et ces grandes filles aguicheuses, et pas davantage parmi ces poupées de chiffons à face de pleine lune, avec des petites taches noires figurant les yeux, ou encore ces enfants presque grandeur nature et vêtus de fanfreluches qui pouvaient marcher, parler et probablement aller à l'école sans que personne remarque rien d'anormal. Non, il n'y avait rien là pour Mandy. Ni pour moi, d'ailleurs.

Et quand finalement les frissons ont commencé à se calmer et les poils à cesser de se dresser sur le dos de mes mains, j'ai senti une sorte de force refluer de moi. Comme un mauvais rêve qui se dissipe. Soudain je n'étais plus énervé. Fatigué seulement, et avec la fatigue une pensée me venait, tout à fait à l'improviste mais que je ne pouvais chasser : j'aurais tout aussi bien pu m'acheter un plat chaud chez le traiteur et m'épargner tout cela. Parce que si on se demandait quels dégâts cet étalage pouvait provoquer sur de jeunes âmes innocentes, on pourrait aussi se demander quel effet un après-midi pareil produisait sur moi ! J'étais là, coincé au cinquième étage d'un édifice qui s'élevait en plein milieu d'une ville devenue complètement folle, soudain trop fatigué pour accomplir un mouvement et sans avoir fait la découverte qui aurait tout compensé. Il aurait mieux valu ne pas sortir de chez moi. Il aurait mieux valu ne pas rêver à ce merveilleux Noël. Peut-être même aurait-il mieux valu ne jamais l'avoir rencontrée...

Et c'est alors que c'est arrivé. Que j'ai eu les oreilles transpercées par le son peut-être le plus affreux que j'aie entendu de toute ma vie. Un cri, s'élevant au-dessus de tout le brouhaha environnant, s'enfonçant dans votre crâne à l'endroit précis, juste derrière les yeux, d'où partent les migraines — et d'ailleurs en déclenchant une tout de suite. Et comme si ça ne suffisait pas, voilà que ce cri est suivi d'un autre, puis d'un autre encore. Mes yeux se retournaient tout seuls à l'intérieur de ma tête, et j'avais l'impression que toute ma personne les suivait dans leur convulsion.

Non loin de moi, elles se trouvaient là toutes les deux, la mère et la fille, à quelques mètres tout au plus, de l'autre côté du rayon des poupées. La gamine, qui devait avoir trois ou quatre ans, regardait droit devant elle et désignait quelque chose du doigt, toute prête à lancer un autre cri. Son bras gauche était levé bien au-dessus de sa tête, la main maternelle enserrant son poignet d'où dépassait un tout petit poing. Parce que, depuis un bon moment, la mère tirait sa fille derrière elle, essayant de l'entraîner loin de l'objet invisible vers lequel elle pointait son doigt. Mais il était visiblement hors de question qu'elle fasse un seul pas, en tout cas pas autrement que *manu militari*. Quand même, il aurait fallu que vous voyiez la figure de la mère : les joues blêmes, la bouche figée et raidie comme celle d'un boxeur. On pouvait l'entendre d'ici essayer de raisonner sa fille, lui répétant que c'était l'heure de partir, qu'elle était fatiguée, qu'elles étaient toutes les deux fatiguées. Qu'elle n'en pouvait plus, que c'était trop pour aujourd'hui.

Croyez-le ou non, je n'étais pas loin de compatir.

« Mais je le veux ! JE LE VEUX ! »

La gamine avait finalement trouvé des mots en accord avec ses hurlements. Ce qui ne lui a d'ailleurs pas rapporté grand-chose. Parce que n'importe qui aurait pu facilement deviner ce qui allait se passer : les cris étaient déjà assez éprouvants, mais ça, c'était la goutte qui faisait déborder le vase. J'ai regardé la mère lâcher soudain le poignet de la petite, de manière à pouvoir lever sa propre main très haut au-dessus de sa tête, puis la faire retomber à toute volée sur la joue de l'enfant avec un claquement bien sonore. L'instant d'après, sans un mot de plus, je l'ai vue tourner les talons et s'éloigner à grands pas, laissant la gamine debout exactement à l'endroit où elle se trouvait depuis tout à l'heure.

Si vous aviez pu voir le regard dans les yeux de cette gosse ! C'était presque comique. Avec le choc de cette gifle et sa mère qui était partie en la plantant là, elle n'arrivait pas à croire ce qui se passait. Seulement, ce n'était pas tout. Elle avait une main libre pour se frotter les yeux dans son incrédulité, tandis qu'avec l'autre elle continuait à montrer quelque chose, même s'il n'y avait plus personne pour voir quoi — excepté moi. Ce qui se lisait maintenant sur son visage était une expression de pure terreur : l'effroi d'un enfant qu'on a laissé tout seul et peut-être abandonné pour toujours. Alors pourquoi ne s'est-elle pas mise à courir, de toutes ses forces, derrière sa mère qui avait déjà disparu ? Vous pouviez deviner ce que son petit cerveau d'enfant lui disait : dans un instant, il sera trop tard. *Alors pourquoi ne s'est-elle pas mise à courir ?*

Parce que l'objet qui avait provoqué la scène de tout à l'heure était toujours là et continuait à la retenir, même si c'était presque en dépit de sa volonté à présent, contre tout le petit bon sens de ses quatre ans. Les quelques brèves secondes d'une guerre miniature s'écoulaient, et tout ce qu'on pouvait faire était la regarder, immobile, enracinée, voulant courir et se sentant en même temps incapable de bouger. Puis, brusquement, un parti l'a emporté. Elle a ouvert la bouche, s'est écriée « Maman ! » (sans hurler) et a filé à toute allure dans la direction par où elle avait vu sa mère s'en aller.

Ce qui m'a laissé seul sur le terrain. Il n'y avait plus personne à proximité, pas ici. Ses hurlements avaient probablement fait évacuer cette partie du magasin en produisant le même effet qu'une sonnerie d'alarme. Et j'étais sur le point de m'éloigner moi-même, et le plus vite que je pourrais, sentant que mes jambes s'engourdissaient à force de fatigue et que toute mon énergie m'avait quitté. Mais une chose me retenait. Je ne pouvais pas partir sans avoir vu de mes yeux quel était l'objet qui avait le pouvoir de clouer une fillette sur place en dépit du cauchemar de voir sa mère s'en aller sans elle.

J'ai donc parcouru les quelques mètres qui me séparaient de l'endroit où elle s'était trouvée l'instant d'avant, laissant derrière moi les poupées dont j'avais tant espéré et qui s'étaient révélées plus que décevantes. Et je me suis trouvé debout au milieu d'une ménagerie d'animaux en peluche.

Et il était là, la cause de tout ce petit drame.

C'était un gros ours marron, beaucoup trop volumineux pour être posé sur une étagère du rayon, et qu'on avait donc assis par terre en l'appuyant contre une cloison. Il avait la figure ronde de n'importe quel ours en peluche, mais dix fois plus grosse avec un corps si volumineux pour une peluche que ses yeux avaient dû se trouver exactement au niveau de ceux de la fillette. Et c'est ça, je crois, qui était la principale cause de toute cette histoire. En effet, lorsque que je me suis baissé pour renouer mon lacet, j'ai moi-même plongé mon regard dans ces grands yeux bruns et j'en ai presque ressenti un choc. Voyez-vous, nous étions là, lui et moi, à nous regarder dans les yeux exactement comme si nous étions deux personnes vivantes qui venaient de se rencontrer. Et quand j'ai regardé d'encore plus près, je me suis vu, reflété dans ces yeux comme dans un miroir : deux petits Larry absolument parfaits, en casquette de laine et cravate en polyester, parés pour une journée en ville.

C'est alors que j'ai su que j'avais découvert ce que je cherchais.

Oh, je vous entends. *« Quoi, Larry ? Qu'est-ce qui vous fait croire qu'un gros ours en peluche sera le cadeau de ses rêves ? »* Ma foi, vous pourriez tout aussi bien me demander pourquoi les femmes aiment les bébés ou pourquoi certains hommes ont la passion des chiens. Le fait est que je n'en sais rien. Mais trouvez-moi une fille qui n'ait jamais eu son nounours. Et je ne parle pas seulement des petites filles. On en voit partout, des filles avec un ours. Sur les couvertures des journaux pour enfants comme sur les photos de pin-up dans les revues cochonnes. Surtout dans les revues cochonnes. Des filles qui les serrent contre elles de manière à dissimuler leur nudité, en espérant vous faire croire qu'au fond elles sont des filles très convenables. Ou dans ces jeux de foire un peu olé-olé, où des filles avec pas grand-chose sur le dos font mine de pleurnicher tellement elles ont envie d'attraper le gros lot sur un tapis roulant, et le gros lot, c'est toujours un gros nounours. Même Doreen a poussé un grand « Oooh » une fois en soulevant un ours en peluche dans une boutique. C'était avant notre mariage et elle a bien failli me faire dépenser le peu d'argent que j'avais, simplement pour son plaisir. Vous comprenez ce que je veux dire ? Les femmes sont comme ça. Elles raffolent des ours en peluche, toutes. Je crois que c'est dans leur nature.

Mais faites cadeau d'un ours à la personne qu'il faut, et qui non seulement ait l'air d'un ours vivant, mais semble dix fois plus réel encore. Faites-en cadeau à quelqu'un qui est jeune et sensible, et vous aurez fait beaucoup plus que lui offrir simplement un cadeau. Vous lui aurez donné un ami. Je vous assure que le mot n'est pas trop fort. Quel autre mot emploieriez-vous pour quelqu'un avec qui elle partagera sa chambre, contre qui elle se serrera au cœur de la nuit, à qui elle confiera tous ses petits secrets, et vers qui elle pourra toujours se tourner quand il n'y a personne d'autre ? Comment appelleriez-vous celui qui sait parfaitement qu'au-delà de toutes les apparences, elle n'est qu'une petite fille perdue dans un monde méchant ? Un ami. Il n'y a pas d'autre mot qui convienne. D'autres personnes lui offriront peut-être des flacons de parfum, qui resteront alignés sur sa coiffeuse et n'auront pas la moindre signification. Mais donnez-lui un beau gros ours brun à câliner, et il n'y aura rien au monde qu'elle aimera davantage, hormis le donateur.

Cherchez et vous trouverez. C'est ce que disent les Saintes Écritures, pas vrai ? En voilà la preuve vivante.

Et pourtant, même maintenant, alors que tout était presque accompli, je n'en avais pas encore vraiment fini. Pas tout à fait. On pourrait même dire que le cap le plus difficile restait à franchir. Parce que accrochée à son oreille et beaucoup moins décorative que le ruban écarlate autour de son cou, il y avait l'étiquette du prix, et quand je l'ai retournée pour la lire, j'ai découvert que ce qu'elle m'indiquait était un nombre à trois chiffres[1]. Je ne plaisante pas. Acheter cet ours signifierait que je dépenserais plus d'argent que pour tout ce que j'avais acheté jusqu'à présent pour Noël.

J'aimerais pouvoir dire que cela ne m'a pas fait hésiter une minute, que j'ai immédiatement tendu le bras pour

1. C'est-à-dire un prix d'au moins 100 livres sterling. À l'époque de la rédaction du roman, une livre équivalait à environ dix francs *(N.d.T.)*.

emporter cet ours sans me soucier de quoi que ce soit, mais ce ne serait pas honnête. Pendant un moment, j'ai été dans le même état que la petite fille de tout à l'heure, déchiré entre ce qui était raisonnable et ce qui ne l'était pas, avec une voix dans ma tête qui me disait : « Non, Larry. Achètes-en un plus petit. C'est l'intention qui compte », et tout le reste de ma personne qui se refusait à écouter, faisait des additions et des soustractions et calculait comment je me débrouillerais.

Puis mon œil a rencontré le sien. Et de nouveau, c'était comme si mon regard croisait celui d'une autre personne. Ses yeux n'étaient pas du tout vitreux, bien au contraire : il y avait en eux une expression qui en disait plus qu'un long discours. Et qui plus est, ils me parlaient maintenant.

« Pas la peine d'hésiter, Larry, mon garçon, me disaient-ils. Tu as déjà vu tout le reste, alors maintenant prends ce qu'il y a de mieux. Tu sais bien qu'il n'existe pas un seul ours qui puisse se comparer à moi. Je suis celui qu'il lui faut, un point c'est tout. »

Et vous savez quoi ? Il avait raison.

(Mais pour votre gouverne, laissez-moi vous préciser qu'il n'était pas du tout insistant ou vaniteux. Il énonçait un fait, rien de plus.)

Donc, rien à ajouter. Cet ours allait me suivre à la maison, et tout de suite. L'espace d'un instant, j'ai alors pensé que je pouvais rester tranquillement où j'étais, le temps de laisser le sentiment de soulagement nous envahir tous les deux. Mais bientôt, une autre pensée m'est venue. Et si la femme de tout à l'heure avait fini par céder ? Si les cris de sa fille avaient été plus qu'elle ne pouvait supporter, si à cette minute précise elle était en train de regagner ce rayon ? Elle pouvait se dresser brusquement devant moi et se saisir de l'ours au moment même où je le prenais dans mes bras. J'ai vu des gens faire des choses comme ça des centaines de fois à la période des soldes. Il suffisait qu'elle apparaisse et Mandy ne verrait jamais son ours.

Aussitôt mes yeux ont commencé à la chercher. Mais ça ne servait à rien, elle pouvait être n'importe où. Elle pourrait même être déjà à la caisse en train de payer au moment où je m'approcherais avec mon portefeuille à la main tandis qu'un vendeur allait lui chercher l'ours pour l'emballer.

De toute ma vie je n'ai jamais saisi quelque chose aussi précipitamment. Croyez-moi, s'il y avait aux Jeux olympiques une épreuve consistant à prendre dans ses bras un ours en peluche géant et à fendre la foule d'un magasin bondé, j'aurais gagné haut la main. D'ailleurs, le parcours ressemblait assez à une course de haies, avec des groupes de marmots dans lesquels je me prenais les pieds et qui ont bien failli me faire faire deux ou trois fois un vol plané. Il n'a semblé venir à l'esprit de personne, et surtout pas des parents, qu'un homme de mon âge, visiblement très pressé et encombré d'un ours aussi grand qu'un enfant de dix ans, méritait qu'on lui fasse un peu de place. Mais somme toute, ça n'avait pas d'importance. Malgré tous les obstacles, je suis arrivé jusqu'à la caisse — et pas trace de la femme dans les parages.

« Je veux cet ours, ai-je dit. Et si quelqu'un fait la moindre objection, dites que c'est moi qui l'ai vu le premier. »

J'avais crié à cause de tout le brouhaha, mais je dois pourtant admettre que je me suis surpris moi-même en entendant le son de ma voix. Les gens ont dû m'entendre depuis le rayon des complets-vestons. Mais très franchement, vu les circonstances, ça ne me faisait ni chaud ni froid. Même si on ne s'attend pas à ce que les gens vous regardent comme ça, en ouvrant des yeux grands comme des soucoupes. Non pas que leur étonnement ait changé quoi que ce soit. La fille derrière la caisse pouvait bien passer tout le reste de la journée à scruter mes billets pour vérifier s'ils étaient vrais, je sais que mon argent vaut tout autant que celui de n'importe qui, et une demi-minute plus tard l'ours était à moi.

En fait, il était beaucoup trop gros pour qu'on puisse l'emballer. J'avais été stupide de ne pas m'en rendre compte. De toute façon, y a-t-il un meilleur moyen de faire voir qu'on est propriétaire de quelque chose que de l'emporter sous son bras au vu et au su de tout le monde ? J'ai même pensé que je devrais peut-être essayer de retrouver la fillette et sa mère, et les croiser en leur adressant un grand sourire pour leur montrer que je ne leur en voulais pas. Et d'ailleurs je les ai aperçues, pas très loin de la sortie. Le problème, c'est que je ne suis pas arrivé à leur faire tourner le regard dans ma direction. La gamine faisait tout ce qu'elle pouvait pour dégager sa main de celle de sa mère, en lui montrant du doigt des poneys à bascule de toutes les couleurs de l'arc-en-ciel. Et rien qu'à voir la figure que faisait la mère, vous auriez pu deviner facilement ce qui allait se passer d'ici une minute.

20

SUR LE TROTTOIR, j'ai eu l'impression que j'étais bien le seul aujourd'hui à être sorti faire des achats et à rentrer chez lui en ayant trouvé ce qu'il cherchait. Comment expliquer, sinon, que j'étais le seul à marcher vers l'arrêt d'autobus avec sur le visage un sourire étalé comme du beurre sur une tartine alors que tous les autres passants avaient l'air de retourner chez eux sans rien rapporter d'autre qu'un mauvais rhume ? Pourtant, je n'y voyais pas grand-chose, avec une grosse tête en peluche brune à cinq centimètres de ma figure. Mais je savais qu'il n'y avait personne sur ces trottoirs qui marchait avec la même souplesse alerte dans ses pas.

C'est qu'un fait indiscutable m'apparaissait maintenant : tout ce dont j'avais décidé de me mettre en quête depuis le premier jour était désormais en ma possession. Peu importait ce qui pourrait se passer à présent. Mandy et moi, nous étions prêts pour notre Noël. J'avais accompli tout ce qu'il y avait à accomplir, et le couronnement de ma mission, je le tenais serré entre mes bras. Et qu'est-ce que ça m'avait coûté de recevoir cette récompense ? Seulement de l'argent. Ce n'était même pas un effort de le porter. Il était peut-être aussi lourd qu'un petit enfant et deux fois plus gros, mais rien au monde ne me l'aurait fait poser par terre, rien, depuis l'instant où je l'avais saisi au dernier étage du magasin. Il avait même une façon à lui de vous procurer une sensation agréable tandis que vous marchiez, le nez enfoncé dans la fourrure au sommet de sa tête. Il avait une odeur bien à lui aussi, une odeur de nylon tiède, comme une chemise qu'on vient d'enlever. Tout autre chose qu'un jouet.

Ce qu'il y avait de curieux, c'était la manière dont les gens réagissaient. On aurait pu croire que ça les ferait ricaner de voir un retraité se promener en plein centre-ville avec une peluche géante dans les bras, mais ce n'était pas du tout ça. Au contraire, dès que je suis monté dans le bus et que — merveille des merveilles — j'ai trouvé un siège libre, j'ai vu que les autres passagers tombaient sous le charme de son regard et se mettaient à sourire. Je me suis assis avec lui sur mes genoux, souriant moi aussi, et j'ai laissé ma pensée vagabonder, se projetant déjà dans le futur.

« Il y a quelqu'un qui va aimer très fort son grand-papa le jour de Noël. C'est pour qui, un garçon ou une fille ? »

De surprise, j'ai failli tomber de mon siège. La voix semblait venir de nulle part. Puis, en tordant le cou pour voir qui se trouvait derrière la tête de l'ours, je me suis rendu compte qu'une femme — âgée elle aussi — était assise en face de moi. Elle avait dû s'asseoir alors que mon esprit était complètement ailleurs, au pays des fées. Comme elle m'avait pris au dépourvu, je n'avais pas le temps de réfléchir à ma réponse, et pourtant je voulais lui répondre : je voyais bien qu'elle avait seulement envie de se montrer aimable. J'ai donc ouvert la bouche et j'ai dit la première chose qui m'est passée par la tête.

« Une fille. Une petite fille.

— Il est magnifique. Vous n'auriez pas pu mieux choisir. »

Et elle a continué à me sourire pendant tout le trajet, jusqu'à mon arrêt.

*

Après une journée aussi étincelante que celle-ci, me retrouver chez moi aurait dû me sembler plutôt morose en comparaison. Mais non. En fait, au moment où j'entrai dans la maison merveilleusement silencieuse, je me suis dit qu'en somme c'était une bonne chose qu'*il* soit là. Cela voulait dire qu'il n'y avait pas grand risque que Mandy soit dans les parages et puisse me croiser dans l'escalier avec sa surprise dans mes bras, et quant à Ethel, ayant passé la matinée à s'imbiber en compagnie de La Haute Société, comme elle dirait, elle devait maintenant être couchée quelque part, immobile, dans un sommeil rendu comateux par le sherry. Résultat : nous sommes montés nous mettre à l'abri dans ma cuisine sans être dérangés par le moindre murmure — et le moins qu'on puisse dire est que dans cette maison, c'est un rare privilège.

Ce dont j'avais envie maintenant, c'était une tasse de thé — à la fois pour célébrer ma victoire et reprendre des forces —, mais commençons par le commencement. C'est ce que je me suis dit en cherchant autour de moi un endroit où installer Monsieur Ours. Pas question de le laisser dans la cuisine ou au salon, parce que dans ce cas, aussi sûr que je m'appelle Larry, Mandy romprait avec ses habitudes les plus invétérées et déciderait de me rendre visite en dépit de la présence de Son Altesse. Mais enfin, ce n'était pas un gros problème : il y avait toute la place nécessaire pour lui dans la petite chambre inoccupée, même avec toutes les provisions de bonnes choses qui s'y entassaient déjà. Donc, la petite chambre. Mais attention, je me suis assuré qu'il y aurait ses aises. Alors, en bas du lit, à côté de l'arbre de Noël et de la télé de rechange avec la petite table pour la poser. Comme ça, il pourrait rester couché comme un vrai pacha, sans devoir laisser de place à quoi que ce soit sauf la cage de Joey.

Et c'est seulement ensuite que je me suis préparé la bonne tasse de thé que je m'étais promise. Pourtant, j'avais beau en avoir eu envie depuis des heures, je ne l'ai pas bue avec beaucoup de plaisir. Ce n'était pas le thé qui était mauvais. C'était moi qui n'arrivais pas à me détendre. Alors que j'avais enfin réglé mon plus gros souci, que le moment était venu maintenant de foncer à toute vapeur vers un futur bienheureux pour nous trois, quelque part il y avait quelque chose qui m'inquiétait — et pourtant, même si ma vie en avait dépendu, j'aurais été incapable de dire quoi. N'empêche que j'étais encore dans le même état quand j'ai commencé à préparer mon dîner. J'avais beau être à moitié mort de faim, même la pensée d'un steak pie avec des pommes de terre et des petits pois ne me réjouissait pas vraiment.

Et puis, j'ai compris.

Il faisait froid dans la petite chambre, et sombre. Et il était tout seul. L'opposé de ce qu'il avait dû espérer après m'avoir entendu crier à pleins poumons devant la caissière qu'il était à moi, et avoir été transporté ensuite à la maison comme un membre de la famille royale. Voilà, c'était ça ! Vous pouvez penser de moi ce que vous voudrez, mais il était hors de question que je le laisse se désoler tout seul. J'ai tout laissé en plan et je suis entré dans la petite chambre. Et dans les secondes qui ont suivi l'instant où j'ai allumé la lumière, je pourrais jurer que ses yeux ont brillé de plaisir en me voyant.

« Écoute, lui ai-je dit sans détours, tu m'obliges vraiment à me comporter comme un grand gosse. Je n'arrête pas de m'affairer autour de toi, tu vois ? Heureusement que Doreen n'est pas là pour me voir en ce moment. Elle rirait à s'en décrocher la mâchoire. »

J'étais sur le point d'ajouter : « Et June aussi », mais je ne l'ai pas dit. Voyez-vous, pour être tout à fait franc, je crois bien que June aurait pu comprendre — du moins il y a longtemps, quand elle était petite fille.

Résultat : je me suis retrouvé en train de le transporter dans ma chambre, puis de l'installer sur le fauteuil au bout de mon lit. Et j'ai décidé qu'il resterait là : on avait l'impression que c'était l'endroit où il avait rêvé d'être depuis toujours. Quand j'irai me coucher, je parie qu'il voudra que je lui dise bonne nuit. En tout cas, une chose est sûre : au moment de dormir, aucun de nous deux ne va déranger l'autre en ronflant.

Après ça, tout allait bien. Mieux que bien. J'ai fini d'éplucher les pommes de terre, j'ai mis le steak pie dans le four et je suis allé regarder un moment la télé, heureux comme un poisson dans l'eau. Et tout ce que j'ai fait pendant l'heure qui a suivi, je l'ai réussi à la perfection. La sauce était excellente, le steak pie idéalement bien cuit. Et moi, je n'arrêtais pas de sourire. Savez-vous pourquoi ? Parce que assis dans la pièce à côté, dans ma chambre, il y avait un certain gros ours brun qui prenait ses aises sur mon fauteuil, surveillant mon lit de son œil attentif.

Je me demandais quel genre de nom elle allait lui trouver. Il y avait toujours la solution évidente : le nom du donateur. Nous pourrions être Larry Ier et Larry II dans ce cas. Mais il n'y aurait jamais qu'une seule Mandy.

Bon, que fait-on pour achever une soirée parfaite ? On va se coucher. Oui, mais s'il était encore tôt et que vous n'êtes pas d'humeur à dormir tout de suite ? À cette pensée, il faut ajouter ceci : j'avais bien présent à l'esprit qu'il y avait deux certaines personnes qui n'étaient pas encore rentrées, qui prolongeaient la soirée en se laissant probablement aller à toutes sortes d'excès, alors que moi, j'étais assis dans mon salon à me demander si j'allais m'offrir le luxe d'une tasse de chocolat chaud avant d'aller au lit.

Autrement dit, pourquoi mettre un terme à une journée parfaite si rien ne vous y oblige ? Pourquoi ne pas s'autoriser une petite folie et rester éveillé un peu tard, en somme vivre un peu pour une fois ?

Mais si je ne me couchais pas, ce ne serait pas pour me refaire du thé ou me remettre devant la télé. Vous devinez sûrement le genre d'humeur qui était la mienne. Ce dont j'avais vraiment envie, c'était de célébrer mon triomphe. Alors, même si ouvrir une boîte de biscuits de luxe aurait pu me sembler excitant en toute autre occasion, ce n'était pas assez aujourd'hui, pas ce soir. C'est pourtant en ouvrant un placard de ma cuisine que l'idée m'est venue. Il y avait une foule de bouteilles qui s'entrechoquaient là-dedans. Des bouteilles de ceci et de cela, et je ne parle pas de limonade, ou même de whisky. Non : c'était tout un autre monde, une caverne d'Ali Baba pleine de saveurs inconnues. Je vais vous expliquer : comme je ne connais rien des préférences de Mandy en matière de liqueurs, sauf qu'apparemment elle n'aime pas tellement le sherry, j'ai décidé d'acheter une bouteille de tout ce qui m'avait l'air intéressant. Des bouteilles auxquelles je n'avais jamais fait attention auparavant. Chères, oui — même si ce qu'elles m'avaient coûté était sans comparaison avec ce que j'avais déboursé aujourd'hui. Mais ce qui va peut-être vous sembler risible, c'est que je ne savais même pas quel genre de breuvage elles contenaient pour la plupart. Bien sûr, j'avais lu les étiquettes, mais ça ne m'avait pas appris grand-chose, parce je n'y lisais que des noms comme Ocean Paradise ou Irish Milk. En fait, je les avais presque toutes achetées pour ces noms, et aussi pour les couleurs étranges qu'on avait parfois la surprise de voir briller à travers le verre. Seulement, si Mandy demandait à savoir ce que c'était avant d'en boire ? J'aurais l'air d'une vraie cloche si, après avoir aligné toutes ces boissons tellement raffinées devant elle, je devais ensuite lui avouer que je n'en savais rien.

Et c'est alors que j'ai pensé ceci : pourquoi ne pas joindre l'utile à l'agréable, autrement dit boire une gorgée de chacune pour savoir quel goût elles avaient, et célébrer de cette façon ma réussite ? Ensuite, tout droit au lit, un petit salut à mon copain l'ours et une bonne nuit de sommeil.

*

Le travail nécessaire pour les transporter toutes dans le salon m'a pris en lui-même un certain temps. Honnêtement, vous n'avez pas idée du nombre qu'il y en avait. Alignées côte à côte, elles couvraient pratiquement toute la longueur de la table devant le canapé. Et puis, il y avait les verres pour aller avec : tout un carton de six, qui n'avaient jamais servi. On ne peut pas dire qu'ils étaient tout neufs : en fait, je les avais depuis des années, mais je ne les avais jamais sortis de leur emballage avant ce soir. Je suppose que j'aurais dû les rincer avant de les utiliser, mais ils ne présentaient pas le moindre grain de poussière. De tout petits verres absolument ravissants. Je comprenais maintenant pourquoi je les avais commandés en les voyant sur le catalogue. Chacun n'aurait pu contenir plus de quelques gouttes de liqueur, et, peinte sur le côté, il y avait une minuscule automobile de l'ancien temps, différente pour chaque verre. En d'autres termes, on pouvait les remplir tous les six à ras bord, mais vu la quantité contenue dans chacun, même un adversaire acharné de l'alcool n'aurait pas protesté.

Pendant une minute, peut-être plus, j'ai seulement pris plaisir à regarder tout ça disposé devant moi, lisant les étiquettes les unes après les autres et admirant les détails des voitures miniatures, et je me disais : dans quelques jours, à la même heure, nous serons deux dans cette pièce à savourer le même plaisir, et même trois en comptant un certain gros ours brun.

Et puis je me suis mis à l'ouvrage. Heureusement pour moi, la plupart des bouteilles avaient des bouchons qui se dévissaient. Je n'ai jamais été très doué pour me servir d'un tire-bouchon. Le seul problème, c'était de choisir laquelle goûter en premier. À la fin, je me suis décidé pour la Jamaican Orange Cream — pour la simple raison qu'avec un nom comme ça, on pouvait avoir entièrement confiance. D'ailleurs, ça ressemblait à de la crème lorsqu'on la versait, épaisse et légèrement orangée, mais on sentait bien l'odeur de la liqueur.

Vous voulez savoir quel goût ça avait ? Un goût de paradis. C'est à peine si on se rendait compte qu'on buvait quelque chose d'alcoolisé. Je m'en serais volontiers resservi un verre tout de suite, mais j'avais un devoir à remplir : il fallait que je goûte à tout. Cependant je n'y perdais rien. Parce que ce qui m'attendait, c'étaient des liqueurs au peppermint, au café, à la noix de coco, sans oublier la pêche, la cerise et l'amande, chacune plus exquise que la précédente. Arrivé à la moitié de la rangée, je me suis brusquement mis à rire en pensant que j'étais comme Boucles d'Or, au moment de l'histoire où elle goûte un peu de ceci et un peu de cela. Et puis je me suis représenté Mandy en train de faire la même chose, et cette fois j'ai presque eu envie de pleurer, mais de joie. De joie à l'état pur.

Parce que c'est quand je pense à Mandy que je me sens totalement heureux. Et tandis que je finis de tester toute la rangée, c'est en quelque sorte comme si elle était assise près de moi et goûtait aussi un verre après l'autre. En fait, j'ai décidé que celui qu'elle préfère est le tout premier, la crème à l'orange. C'est donc celui que j'ai choisi pour boire un autre verre en son honneur, bien décidé à ce que ce soit le dernier.

Non pas que célébrer mon succès avec un ou deux petits verres ait été mon seul projet pour la soirée. Loin de là. J'avais tout planifié. Une petite goutte de celui-ci, une petite goutte de celui-là, et ensuite, en avant pour l'orgue, et pour un pot-pourri de tous mes vieux airs préférés. Je l'ai un peu négligé, mon orgue, ces derniers temps. Le problème, c'est que Mandy et moi nous avons toujours tellement de choses à nous dire que je n'ai jamais le temps de jouer quand elle est là. Et quand elle n'est plus là, il faut que je rattrape ce que j'ai manqué à la télé. Il n'y a pas assez d'heures dans une journée. En tout cas, pas depuis qu'une certaine jeune demoiselle a choisi de venir habiter cette maison.

Ce que je n'avais pas du tout prévu, c'est que le poids de tous les efforts de la journée finirait par avoir raison de ma résistance. Je me suis bien levé du canapé avec l'intention de me diriger vers l'orgue, mais à cet instant — je ne plaisante pas ! — la pièce s'est mise à tourner autour de moi. C'était l'épuisement bien sûr, et j'aurais dû m'y attendre après avoir tant couru et m'être tant démené sans prendre le temps de réfléchir aux conséquences que toute cette agitation pouvait avoir sur un homme de mon âge. Aussi la simple prudence m'a-t-elle dicté de me rasseoir et de m'abandonner à quelque chose de relaxant, par exemple me réjouir par avance en pensant à ce qui se passerait dans quelques jours, faire une sorte de répétition générale de la joie de Noël. Et c'est ce que j'ai fait, jusqu'aux environs de dix heures. Mais à ce moment-là, j'ai remarqué que la lumière dans la pièce était devenue un peu bizarre. Je ne sais pas pourquoi, mais tous les objets avaient l'air de se recroqueviller sur eux-mêmes comme s'ils voulaient disparaître. Prenez la table devant moi, par exemple : c'est un objet bien solide, diriez-vous, et pourtant je n'étais pas sûr de la sentir sous mes doigts si j'essayais de la toucher. Pas de doute, il fallait changer l'ampoule avant que la lumière s'éteigne complètement. Seulement, monter sur une chaise et visser une ampoule neuve était bien la dernière chose dont j'avais envie après une journée pareille. Donc, ou bien je restais assis dans cette pièce qui risquait fort d'être bientôt plongée dans l'obscurité, ou bien je me prenais par la main et j'allais sagement me coucher. C'est ce que j'ai fait. J'ai laissé les bouteilles et les verres où ils étaient, et je me suis dirigé vers ma chambre pour me laisser tomber dans les bras de Morphée.

C'est seulement en franchissant la porte que le souvenir de la réalité m'est revenu : Francis était ici.

Voilà comment une journée parfaite peut soudain devenir un champ de ruines. Rien qu'en pensant à lui, j'ai été obligé de tendre un bras pour m'appuyer au mur, sinon je serais peut-être tombé face contre terre. C'est ainsi qu'un homme comme lui est capable d'en déséquilibrer un autre, rien qu'en surgissant sans crier gare dans sa tête. Jusque-là, j'avais été perdu dans un rêve heureux, un rêve où nous n'étions que trois — Mandy, l'ours et moi —, en train de profiter joyeusement de tout ce que l'amitié peut offrir. Mais bien sûr, voilà comment agit le seul fait de penser à Son Altesse : à la façon d'un rappel que tout ça n'est qu'un rêve, et que nous sommes encore englués en plein dans le présent. Tout à l'heure, Mandy n'était pas assise près de moi du tout. Elle était avec lui, elle est encore avec lui en ce moment, et c'est une personne entièrement différente de la vraie Mandy, celle que je connais.

Comme je me sentais presque accablé de chagrin, ça ne vous étonnera pas qu'il m'ait fallu une bonne minute pour trouver l'interrupteur et allumer la lumière dans ma chambre. Mais quand la pièce s'est éclairée, avec une lumière plus forte que dans le salon, quelle merveilleuse vision ! Notre cher grand Monsieur Nounours trônait exactement à l'endroit où je l'avais laissé, et il semblait qu'il n'avait rien fait d'autre pendant tout ce temps qu'attendre que je vienne me mettre au lit. Et dites-moi que c'était un effet de mon imagination si vous voulez, mais moi, je vous jure qu'il a remué une patte pour me faire comprendre qu'il était mécontent que je ne me sois pas couché plus tôt.

C'est ce qui a remis les pendules à l'heure. Soudain, j'ai senti que j'étais de nouveau tout sourires, tout simplement parce qu'il était là et qu'il m'attendait. Quant à ses reproches parce que je me couchais trop tard...

« Tu n'es qu'un ours mal léché, lui ai-je dit, sans le moindre détour, il n'est pas si tard. Et puis, Larry est un grand garçon maintenant. »

Un ours mal léché. Vous saisissez ? Un petit trait d'esprit. Le genre de moquerie gentille qu'on peut adresser à un ami, à quelqu'un dont on sait bien qu'il va rire de bon cœur et ne se vexera pas. Ours mal léché. Elle est bien bonne.

Et voilà comment la journée s'est achevée. En deux temps trois mouvements, j'étais en pyjama et je me glissais entre les draps, continuant à rire tout seul. Et voyez-vous, je ne serais pas surpris si quelqu'un me disait qu'une minute plus tard, j'avais toujours un grand sourire hilare sur les lèvres, alors que j'étais confortablement allongé dans mon lit bien chaud. Moi, je ne peux pas le savoir : je me suis endormi à l'instant même où ma tête a touché l'oreiller.

21

Je ne sais pas ce qui m'a réveillé.

C'était peut-être un bruit. Un de ces bruits qui ont cessé avant que vous vous réveilliez vraiment, en ne laissant planer qu'une sorte d'écho dans l'obscurité. Il se peut même que ç'ait été un camion, un de ces camions particulièrement bruyants, un poids lourd fonçant vers le nord et dont le chauffeur veut absolument trouver le temps d'effectuer un transport de plus avant les jours de pause obligatoires. Un camion. C'est tout à fait possible.

Rendors-toi, Larry. Voilà ce que je me suis dit. Il est deux heures et demie du matin, mon vieux. Ce n'est pas le moment de rester éveillé, surtout pas quand, pour une fois, tu as réussi à trouver le sommeil sans t'infliger les longues heures d'attente et d'écoute habituellement inséparables des visites de Son Altesse. C'est vrai, j'avais réussi à dormir sans me soucier de ce qui se passait au-dessous, et j'avais trouvé un bon sommeil paisible en conséquence.

Et puisque ce même sommeil paisible était ce que je voulais retrouver maintenant, j'ai refermé mes yeux qui s'étaient ouverts sans raison apparente, et j'ai essayé de me rendormir. Mais je n'ai pas pu. Impossible. En fait, plus j'essayais et plus je me sentais réveillé. Jusqu'à ce que finalement je sois bien forcé de me rendre à l'évidence : je n'y arriverais pas, en tout cas pas pour le moment.

Il y avait quelque chose dans ma tête qui me tarabustait,

qui me harcelait comme aurait pu faire une voix de femme. Maintenant que j'étais bien réveillé, je voulais savoir pourquoi. Tant que je ne le saurais pas, je serais incapable de me rendormir.

Alors, qu'est-ce que ça pouvait bien être ? Un bruit ? Un rêve ? Sûrement un rêve. Il n'y a rien de tel que les rêves pour vous réveiller brusquement, surtout ceux que j'ai tendance à faire. Et maintenant que j'y réfléchissais, je sentais qu'il s'était passé quelque chose, là-bas, de l'autre côté du sommeil. Mais ce n'était pas le genre de rêve que je fais habituellement. Ça, je pouvais l'affirmer, parce que l'idée m'a brusquement frappé que si je tenais tellement à me rendormir, c'était en grande partie parce que j'avais envie de retrouver ce rêve, quel qu'il soit. Quelque chose me disait que j'y avais pris plaisir. Et maintenant qu'il était interrompu, je me sentais floué.

Donc, ç'avait certainement été un rêve. Pas un rêve comme j'en ai normalement, c'est sûr, mais quand même assez perturbant pour me réveiller brusquement. Ce n'était pas une odeur de gaz, ou la vision de flammes en train de brûler des billets de banque, ou un son venant de la pièce au-dessous et qui n'aurait jamais dû se faire entendre...

Mais expliquez plutôt ça à mes mains. Vous ne croyez pas qu'elles pourraient cesser de s'agiter ? Elles courent dans tous les sens comme deux âmes en peine. Finalement, j'ai fait un effort pour les contrôler, et je les ai tenues serrées l'une dans l'autre au-dessus des couvertures, juste en dessous de ma taille.

Alors, j'ai compris ce qui m'avait *réellement* réveillé.

Sous les couvertures, sous mes mains, quelque chose était vivant. Quelque chose que j'avais cru mort depuis bien longtemps. Mais qui était toujours là, toujours vivant, toujours dur.

Non. Ne dites rien. Larry n'est pas du tout un homme qui s'occupe de ça. Doreen aurait pu vous le dire. Après tout, elle le disait à tout le monde, n'est-ce pas, comme s'il y avait quelque chose de mal à vivre proprement. Comme si ces choses avaient le moindre intérêt, comme si nous n'avions pas déjà June, de toute façon. Ce n'était pas ma faute à l'époque, et il suffit de réfléchir sérieusement pour comprendre que *ce n'est pas non plus ma faute à présent.* Alors ne dites rien.

Il faut simplement que ça cesse et que je puisse dormir du sommeil du juste.

De la lumière. C'est de lumière que j'ai besoin. De la lumière, pour chasser les démons qui se tapissent dans l'obscurité pour jouer leurs méchants tours à un homme respectable. Seulement, ça ne doit pas être la lumière ordinaire, pas dans des circonstances où vous risquez de finir par voir des choses que vous n'avez pas envie de voir. Il faut que ce soit une tout autre lumière. Spirituelle, sans doute. En d'autres termes : Éclaire mes ténèbres, ô Seigneur. Délivre-moi.

Mais la seule réponse que j'obtiens, c'est que le même tourment continue, et là au-dessous, toujours présente, il y a cette chose dure qui a de quoi vous faire mourir de honte. Donc il me faut de la lumière, n'importe quelle lumière. Faute de mieux, ma lampe de chevet. L'important, c'est de ne pas regarder, ni sous le lit, ni dans le miroir, de garder les yeux fixés dans la même direction, tout droit devant moi, là où il n'y a rien à craindre. Voilà pourquoi la première chose que je vois, c'est l'ours, qui me fixe des yeux lui aussi.

Mon Dieu, ne me dites pas que je vais me mettre à rougir devant une saleté de jouet en peluche. C'est pourtant ce qui arrive. Je ne peux pas m'en empêcher. Il me regarde, et il n'a pas cessé de me regarder depuis l'instant où je me suis couché, et peu importe l'obscurité. Parce que ces yeux brillants qu'il a, jaunes dans cette lumière, ces yeux-là peuvent tout voir. Et tout autant que ma personne, ils observent l'étranger qui est apparu au milieu du lit...

Alors je reste couché sans bouger et je sens que je deviens tout rouge. Je reste couché et je le fixe autant qu'il me fixe, jusqu'à ce que... Jusqu'à ce que l'impossible se produise, et qu'à l'encontre de toute attente, à l'encontre de toute vraisemblance, il me cligne de l'œil.

Seigneur ! Il m'a bel et bien cligné de l'œil.

« Quoi ? »

Malgré moi, j'ai sauté du lit. Que feriez-vous d'autre si un ours en peluche vous clignait de l'œil, puis se carrait de nouveau sur son siège, avec l'air suffisant et entendu d'un mauvais plaisant qui s'amuse à vous narguer dans un bistro ? Avec des yeux jaunes qui se moquent de vous et vous accusent de toutes sortes de mauvaises pensées ? Votre première réaction est de sauter du lit, mais pas seulement, bien sûr. Vous voulez bondir sur lui, l'arracher de son siège et lui flanquer la raclée qu'il mérite. Mais vous n'en faites rien, à cause de la peur de sentir un petit cœur d'animal palpitant sous le nylon de la fourrure.

Donc, quand on ne peut pas faire ce qui est normal, on opte pour quelque chose d'un peu moins normal. Dans le cas présent, se laisser retomber sur le lit et laisser la conversation se poursuivre. Parce qu'il y a ces yeux qui vous scrutent, et qui vous en disent plus qu'un long discours.

Ou qui vous disent quelques mots, en tout cas. Et ces mots sont :

« De qui étais-tu en train de rêver, Larry ? »

Alors, tout remonte à la surface comme dans une crue — tout ce rêve effroyable, qui se déverse sur moi en un flux soudain. Je peux voir son visage et tout le reste. Au même instant, ce qu'il y a en bas explose et s'anéantit. Et tout est fini.

Au bout de mon lit, affalé dans le fauteuil, il y a un animal en peluche comme n'importe quel autre, qui n'a rien du tout dans les yeux sauf le miroitement du verre. La seule créature vivante dans cette pièce, c'est Larry, assis très droit dans son lit, tremblant de frayeur — et d'autre chose, aussi.

De soulagement, probablement.

Quand même, il se passe plusieurs longues minutes avant que la voix de la raison revienne se faire entendre, et, sans un mot d'excuse pour son absence, me dise de me ressaisir. C'est à cause du rêve que c'est arrivé. Et l'on n'a pas à se reprocher ses rêves. Ce sont d'autres personnes qui entrent par effraction dans votre sommeil. Au moins, Doreen n'aurait rien eu à dire, parce que pour une fois ce n'était pas de Doreen que j'avais rêvé. Et quoi qu'il en soit, il y avait encore de beaucoup de longues heures de sommeil paisible qui m'attendaient désormais.

Mais pas cette nuit. Hors de question que Larry se rendorme cette nuit, pas tout de suite, et d'autant moins qu'il y avait quelqu'un d'autre, assis au bout du lit, qui le surveillait. Même s'il n'avait strictement rien fait de mal, il fallait que l'ours quitte cette pièce. Je me suis donc levé, avec l'intention de le prendre sous mon bras et de le transporter ailleurs dans l'appartement, dans un endroit où il serait installé tout aussi confortablement. Alors, imaginez ma surprise quand deux secondes après, je m'aperçois que j'ai franchi la porte de ma chambre et que je suis enveloppé par l'obscurité la plus complète. L'ours est resté exactement à sa place, et au bout du compte c'est moi qui suis en train de sortir.

Puis, après la stupeur initiale, je me dis qu'après tout ça revient exactement au même : j'ai regagné la solitude dont j'avais besoin, et maintenant que je suis debout et que je n'ai plus la moindre envie de me rendormir, autant continuer sur ma lancée et passer dans la cuisine pour me préparer une tasse de quelque chose de chaud, histoire de me remettre de mes émotions.

C'est donc ce que je fais. Je mets l'eau à chauffer dans la bouilloire et je jette deux sachets de thé dans la théière. Je dispose soigneusement tout sur un plateau, presque comme si j'attendais de la visite. Mais une fois le thé infusé, je reste planté là, à regarder le plateau, sans même toucher à la tasse.

Voyez-vous, il vient de se passer quelque chose d'autre. Il y a longtemps, très longtemps que je vis ici, et pour la première fois depuis toutes ces années je viens de remarquer l'odeur. Pendant que j'attendais que l'eau chauffe, elle est montée en rampant tout le long de mon corps, si bien que lorsque tout le reste en a été imprégné, mes narines en ont été remplies. J'ai compris à cet instant, sans avoir même reconnu ce que c'était, qu'il me serait impossible de boire quoi que ce soit. Si j'avalais ne serait-ce qu'une gorgée, je ferais entrer en même temps cette odeur à l'intérieur de moi, et je peux vous dire ce qui se serait passé aussitôt après. Un terrible haut-le-cœur, et j'aurais vomi sur le lino de ma cuisine — exactement comme Mandy dans les toilettes au premier, quand elle s'est un peu trop bourrée de sucreries.

De la vieille graisse de cuisson. Rance. Elle transpire des murs, elle est suspendue en cloques au plafond. L'odeur de tous les repas cuits dans cette pièce depuis au moins dix ans, et sûrement bien avant cela. Pendant toutes ces années, j'ai dû vivre dans cette odeur sans jamais la remarquer. Jusqu'à il y a un instant, quand soudain je ne l'ai plus supportée. Le pire, c'est qu'on pourrait ouvrir toutes les fenêtres, arracher les portes de leurs gonds, faire même sauter le toit de la maison, qu'elle serait toujours là, en suspension dans les placards, suintant de sous le lino. Impossible d'y échapper. Elle fait partie de la substance même de cet appartement De mon appartement.

Et dans le salon, ce n'est pas mieux. C'est même encore pire, peut-être. Elle a imbibé le bois du bar, elle s'est incrustée dans les espaces séparant les étagères, elle s'accroche aux fibres du papier peint, elle a pénétré chaque fil coloré de la moquette. Il y a tant de choses dans cette pièce pour la retenir, tant de meubles là où il devrait y avoir de l'air. Je ne me suis pas laissé de place pour respirer.

Demain matin, j'aurai du mal à croire que j'ai pu dire ça. En fait, demain matin, je verrai clairement la rangée de bouteilles tout le long de la petite table, et je me dirai : Larry, pauvre vieil imbécile que tu es, tu as tout simplement pris une cuite et tu ne t'en es même pas rendu compte. Et maintenant, tout ça — les mauvais rêves, un rien d'incontinence nocturne —, c'est le prix à payer pour ton imprudence. La morsure après la caresse. Voilà pourquoi certains types boivent sans jamais s'arrêter : pour retarder le plus possible les réveils douloureux.

Je me demande quand même ce que diraient leurs épouses si elles les voyaient dans un état comme le mien. Je suppose que ça dépendrait du genre de femme avec qui on est marié. Si c'est une femme bien, alors je suis sûr qu'elle serait là en trois secondes et voudrait savoir pourquoi son mari — cuite ou pas cuite — est assis sur le canapé du salon en pleine nuit et fait tout ce qu'il peut pour ne pas respirer l'air qui l'entoure. Mais si on y réfléchit, même si vous étiez marié à une Doreen, je crois qu'elle se lèverait aussi, ne serait-ce que pour vous houspiller jusqu'à ce que vous lui ayez dit ce qui se passe. En somme, vous auriez quelqu'un à qui parler.

Je sais ce que vous êtes en train de penser. Vous vous dites : pauvre vieux Larry, il est vraiment bien seul. Il en est presque à regretter que Doreen ne soit pas là pour le prendre par la main. Eh bien, vous vous trompez. Larry Mann ne s'est pas senti seul une minute depuis qu'une certaine demoiselle a franchi le seuil de cette maison. Avec une amie comme ça, comment voulez-vous qu'on puisse se sentir seul ? Même quand elle est ailleurs, c'est sans importance : je sens qu'elle est ici par l'esprit. Au cours de la soirée, j'aurais pratiquement pu tendre le bras et la toucher. Mon problème, c'est que pour une fois, en ce moment précis, le fait de savoir qu'elle est ici par l'esprit ne me suffit pas. Parce que ce n'est pas Doreen qui me manque, ni personne d'autre. C'est elle, Mandy. Je voudrais que Mandy soit près de moi en ce moment. Alors tout irait bien.

Vous voulez savoir comment je vois les choses ?

Ce n'est pas un hasard si nous avons fini par habiter la même maison, Mandy et moi. Nous y avons été réunis dans un but bien précis. Réfléchissez un peu. Elle aurait pu trouver à se loger n'importe où. À Crouch End, à Cricklewood[1], n'importe où. Mais non. C'est ici qu'elle est venue, guidée vers la maison où elle était sûre de se découvrir un ami dès le premier jour. Et puis il y a Ethel, obstinée à ne louer ces pièces qu'à des Indiennes depuis je ne sais combien d'années et à qui il a suffi de poser un regard sur ma Mandy pour changer d'avis. Ne me dites pas que tout ça n'est que coïncidences. Non, c'est le doigt du destin, une partie d'un Grand Plan de la Providence. Après toutes ces années, après toutes ces humiliations et ces chagrins, Larry reçoit enfin ce qu'il mérite. Mon histoire, on pourrait la lire dans la Bible. Je suis le Juste.

1. Quartiers du nord de Londres *(N.d.T.)*.

Et Mandy ? Que serait-elle devenue sans son Larry, qui l'a prise sous son aile, qui l'a défendue contre un monde bien décidé à la transformer en une femme comme toutes les autres ? Il a fait ce que ses parents auraient dû faire, c'est-à-dire sauvegarder l'étincelle de pure bonté qui fait d'elle un être tellement exceptionnel, la protéger pour qu'elle reste ce qu'elle est. Une fille comme il n'y en a pas une sur un million.

Alors elle est peut-être ma récompense, mais moi je suis son salut. Ensemble, nous sommes absolument complémentaires. Et voilà pourquoi nous ne devrions jamais être séparés. Parce que c'est entièrement contre nature.

Savez-vous quoi ? Je n'ai jamais compris clairement, jusqu'à cette minute précise, ce qui nous unissait. Il y a presque de quoi me sentir tout heureux de m'être réveillé en pleine nuit — en dépit de tout —, puisque ça m'a permis d'avoir cet aperçu de la vérité profonde, et de m'en émerveiller. Même si, d'un autre côté, c'est d'autant plus exaspérant de savoir qu'en ce moment elle est avec lui, qu'il est avec elle, et que cela bouleverse l'ordre naturel des choses.

Vous voyez, il ne peut rien se passer de bon tant qu'il ne sera pas parti. Il nous éloigne l'un de l'autre, il nous éloigne de Noël.

Va te coucher, Larry.

*

Quoi qu'il en soit, il n'y a aucune raison de voir les choses en noir. Parce que dans la chambre, il y a un certain gros ours qui attend, et il suffit de le regarder pour comprendre : l'autre ne fait pas le poids. C'est tellement évident qu'on a presque envie de lui présenter ses excuses, à notre ours, pour avoir eu un moment d'abattement. Mais une fois de plus, il suffit de le regarder profondément dans ses grands yeux pour savoir que ce n'est pas la peine. Il comprend tout des pensées qui me traversent. Le contempler alors qu'il pose son regard sur vous revient à sentir une main apaisante sur votre épaule, une main qui vous dit que tout va pour le mieux.

Et très bientôt, je sais qu'il aura exactement le même effet apaisant sur Mandy. Il est le rêve de tous les enfants.

« Mais pourquoi attendre ? »

Ces mots m'ont fait sursauter. J'étais étendu sur le côté, m'apprêtant à éteindre la lumière, et ils ont soudain résonné au centre même de mon cerveau, clairs comme le bruit du cristal. Ce n'est pas moi qui les ai prononcés, et je suis bien sûr que ce n'est pas lui non plus, pas l'ours. Qui plus est, je connaissais cette voix. C'était celle qui avait parlé le jour même de son arrivée, celle dont j'avais pensé qu'elle n'était pas du tout comme les autres. Le genre de voix auxquelles on prête l'oreille.

Et cette fois, elle me disait : pourquoi attendre ?

Alors, peut-être qu'une phrase comme celle-là vous inciterait à prendre du temps pour réfléchir, mais pas moi, pas un instant. Je savais très bien ce que ça voulait dire. Il y a en ce moment un grand golfe qui nous sépare, Mandy et moi, et qui continuera à nous séparer aussi longtemps que lui sera là. Mais ce n'est pas inévitable. Pas si je me décide à ne plus attendre le jour de Noël. En d'autres termes, si j'apporte à Mandy son ours dès cette nuit. Dès cette minute même. Si je prends l'initiative de faire tomber Noël quelques jours plus tôt, de rapprocher le futur. En comblant l'espace qui nous sépare. Il suffit pour ça que l'ours soit la première chose qu'elle aperçoive demain matin, quand elle se réveillera, assis au bout de son petit lit, comme le meilleur ami qu'elle ait au monde — à l'exception d'une seule personne, bien sûr. Rien ne sera plus pareil, ensuite. Je sais qu'immédiatement, elle montera voir son vieux Larry en serrant son nouvel ami contre son cœur. Et l'autre ? Il n'aura même pas droit à un regard. Parce que c'est évident : que peut-il bien avoir à lui offrir en comparaison ?

Bien sûr, cela suppose un changement radical dans mes plans, mais répondez à la seule et unique question que je vous poserai : avec un ours comme celui-là à mes côtés, comment pourrais-je me tromper ?

*

D'abord, il fallait que je calcule les risques encourus. Mais pour autant que je sache, il n'y en avait pratiquement aucun. J'ai moi-même été le papa d'une petite fille autrefois, ne l'oubliez pas. Et j'ai déjà fait tout ça dans le passé : me glisser à pas feutrés dans la chambre d'une enfant et en ressortir tout aussi silencieusement, en prétendant le lendemain que c'était le Père Noël qui était passé. Je ne me suis jamais fait attraper. Seulement, comment savoir si elle était endormie ? Même cela ne constituait pas un problème. Si elle était éveillée et se tournait et se retournait dans son lit comme nous le faisons tous quand nous n'arrivons pas à dormir, les grincements de son lit m'auraient renseigné depuis longtemps. Or, je n'avais pas entendu le moindre son.

Non, je ne voyais qu'un seul véritable risque. *Il* était là lui aussi, dans le living-room comme d'habitude. Si jamais il me surprenait en train de pousser la porte en douce, alors c'en serait fait de mon petit jeu. Tout serait perdu. Mais la vie est ainsi faite : qui ne risque rien n'a rien. Donc, j'ai pris l'ours et je suis sorti sur le palier.

La première chose que j'ai remarquée, c'est que l'odeur avait disparu. Ou plus exactement, elle était toujours là — je la remarquerais toujours dorénavant —, mais elle était devenue unc odeur familière, accueillante, une partie de l'atmosphère. Et ça, en soi, était un signe que j'avais raison de faire ce que je faisais.

Lorsque j'ai descendu l'escalier, je ne crois pas qu'une souris aurait pu faire moins de bruit, et pourtant ce n'était pas si facile. Bien sûr, j'aurais pu descendre ces marches avec un bandeau sur les yeux, mais essayez donc un peu quand vous tenez une grosse masse de fourrure contre laquelle vous vous cognez la tête à chaque pas. Enfin, je n'ai pas fait le plus petit faux pas. Résultat : je me sentais tellement fier qu'en passant devant le living-room j'ai fait quelque chose d'un peu bête. Je me suis approché et j'ai fait un pied de nez à travers la porte au dégoûtant personnage qui dormait comme un loir de l'autre côté, plongé dans ses sales rêves d'adultère.

Ensuite est venu le moment le plus délicat. Ouvrir très doucement la porte de Mandy et entrer sur la pointe des pieds, en croisant les doigts pour ne pas heurter quelque chose. Mais voyez-vous, j'avais cru que la difficulté viendrait de ce qu'il ferait plus noir dans cette pièce que partout ailleurs. Or, je m'étais trompé. En entrant dans la chambre, j'ai constaté au contraire qu'il y faisait plus clair que dans l'escalier. Les rideaux étaient ouverts, laissant pénétrer la clarté de la lune, si bien que l'on avait en comparaison une impression de luminosité. Et c'est comme ça que j'ai vu tout de suite qu'il n'y avait personne. Le lit était vide, il n'était même pas défait. Alors ils n'étaient pas encore rentrés, ils étaient encore en train de faire la noce quelque part en ville, et à une heure pareille ! Toutes ces précautions pour ne pas faire de bruit, tous ces efforts pour rien. Je ne pouvais même pas laisser l'ours ici maintenant, en sachant que ça pourrait être *lui* qui le verrait le premier.

Et pourtant je n'avais pas le cœur de me mettre en colère, non, pas en regardant autour de moi sa petite chambre. Difficile d'imaginer ce qu'elle avait bien pu fabriquer depuis que j'y étais entré pour la dernière fois. Pour commencer, même si je savais qu'elle le faisait pendant la journée, jamais je n'aurais songé qu'elle pourrait laisser sa fenêtre ouverte à cette heure-ci, au milieu de la nuit et en plein hiver. À croire qu'elle essayait d'évacuer jusqu'au plus petit souffle d'air provenant de la maison. Mais ce n'était pas tout, même s'il m'a fallu une minute ou deux pour m'apercevoir du reste. La pièce était étrangement nue, et dans un ordre si parfait que ça ne paraissait pas naturel. Toutes les étoffes exotiques avaient disparu du lit, et des murs aussi. S'il n'y avait pas eu son bric-à-brac habituel de boîtes et de flacons sur la coiffeuse, je n'aurais probablement pas pu m'empêcher d'imaginer le pire — qu'elle avait profité de la nuit pour déménager à la cloche de bois. Pourtant ses chaussures étaient bien là, impeccablement alignées sous son lit.

Mais, Seigneur, que tout ça était triste ! Vue ainsi, cette

chambre était tellement froide, tellement inhospitalière... Et dire que c'était cette vision de tristesse qui l'attendrait quand elle rentrerait, plus tard dans la nuit — ou au petit matin, pour être exact. Il n'y avait même pas d'oreiller sur son lit. Qu'avait-elle bien pu faire de son oreiller ?

En tout cas, une chose était sûre : je n'allais pas laisser la pièce telle quelle — autrement dit glaciale — alors que Mandy allait revenir. Même si Francis était dans les parages. J'ai posé l'ours un instant et j'ai fermé la fenêtre. C'était tout ce que je pouvais faire pour elle, et je n'étais même pas sûr que cela suffirait pour réchauffer un peu l'air ambiant. Puis j'ai ramassé l'ours, je lui ai fait un rapide petit câlin parce que je sentais que nous avions tous les deux besoin de réconfort, et je suis ressorti. Au moins, sur le palier, je n'avais pas besoin de marcher sur la pointe des pieds, attendu que les seules personnes que je risquais de déranger étaient Ethel et Gilbert. Et en passant de nouveau devant la porte du living-room, je me suis soudain mis à sourire. Parce qu'une autre idée venait de se former dans mon esprit. Je pouvais faire bien mieux qu'un simple pied de nez à quelqu'un qui, de toute façon, n'était même pas là. Je pouvais lui concocter une petite farce. Oh, inoffensive, bien sûr, mais réjouissante quand même. Je pouvais entrer rapidement et ouvrir toutes les fenêtres, en prenant bien soin de fermer les rideaux avant de m'en aller. De cette façon, quand il rentrerait, la pièce serait une véritable glacière, et avec un peu de chance il ne se rendrait même pas compte que les fenêtres étaient grandes ouvertes derrière les rideaux tirés. Et comme ça il finirait à moitié mort de froid. Bien fait.

Mais je dois vous préciser une chose : dans cette maison, tout le monde prend vite l'habitude de se déplacer sans faire de bruit, même quand c'est inutile. Donc, lorsque j'ai ouvert la porte, je l'ai fait aussi silencieusement que si c'était un courant d'air qui la poussait. C'est pour ça que personne ne m'a entendu.

C'est pour ça que je les ai vus avant qu'ils ne me voient.

Parce que voyez-vous, ils étaient bel et bien là, ensemble. Sur le vieux canapé de la tante de Doreen, celui qui a des trous par où l'on voit le crin du rembourrage. Celui dont on peut rabattre le dossier pour le convertir en lit à deux places parfaitement confortable. Mais ça, je l'avais complètement oublié. Jusqu'à cette minute précise.

D'abord, c'est seulement le lit qui attire mon attention. Le lit, et la lumière qui n'est rien d'autre que le rougeoiement du radiateur. Juste assez pour que je les distingue tous les deux sur le lit : un enchevêtrement de jambes et de bras nus, qui bougent lentement, avec les étoffes bizarres de la chambre de Mandy éparpillées en désordre autour d'eux. Et même en voyant ça il me faut un petit moment pour comprendre. Il est couché sur elle, son dos et ses fesses sont comme le dos d'une grande main qui l'écrase contre le lit, poussant toujours plus fort d'arrière en avant. Mais c'est son visage à elle qui me révèle vraiment ce qui se passe devant mes yeux, le visage de Mandy sans erreur possible, qui ne regarde pas de son côté, ni vers le feu, mais vers la porte. Et moi.

Jamais de votre vie vous n'avez vu un visage aussi paisible. Les yeux fermés, les joues roses comme celles d'un enfant, celui de quelqu'un pour qui rien n'existe excepté l'instant présent. De quelqu'un qui fait de la musique et qui s'écoute jouer. Et c'est son visage qui m'a laissé cloué sur place, et que j'ai continué à regarder bien après que j'avais commencé de croire à ce que je voyais.

Ensuite, bien sûr, c'était trop tard. Quelque chose l'a fait remuer, ouvrir les yeux, et nous nous sommes trouvés face à face tous les deux. Il n'y avait que nous et personne d'autre au monde. Mandy et moi. C'était comme ça. Et puis, lentement, comme si quelqu'un tournait tout doucement un robinet, les larmes se sont mises à couler sur ses joues, très, très doucement.

Je suis ressorti avant qu'il m'ait vu.

Tout ce que j'étais capable de penser, c'était qu'il me fallait remonter cet escalier, que si j'arrivais en haut avant qu'il se passe quoi que ce soit, d'une manière ou d'une autre tout irait bien. Mais je me trompais. Alors qu'il ne me restait plus que deux marches à gravir, j'ai entendu sa voix faire voler en éclats le peu de silence qui restait :

« Qu'est-ce que...? »

Et c'est ce qui m'a achevé. Soudain mes pauvres jambes ne m'ont plus soutenu et je n'ai pas pu faire un pas de plus. J'ai fini par tomber plus que je ne m'asseyais, avec au-dessus de moi autant de marches qu'au-dessous. Au même moment, dans le living-room, une lumière s'est allumée. Et puis, plus rien. Plus le moindre son. Alors les minutes ont commencé à passer, si bien que peu à peu j'ai dû cesser d'écouter. Dans ma cuisine aussi la lampe était allumée, elle éclairait les murs et l'escalier, et je ne sais pas pourquoi, mes pensées ont pris une tout autre route. De temps en temps peut-être, je regardais autour de moi et je me demandais ce que je faisais là, assis à quatre marches de mon palier, mes yeux se posant parfois sur un gros ours brun que quelqu'un avait laissé tomber sur le palier du dessous. Mais ensuite je cessais de me poser ces questions et je retournais à mes pensées. Le fait est qu'il y a bien des années, je m'asseyais très souvent au même endroit. C'était quand June était petite. Elle s'asseyait sur la première marche, laissant pendre ses jambes, parce que je lui disais qu'il fallait que je vérifie si ses lacets étaient bien noués avant de sortir. C'était un truc que j'avais imaginé quand elle était toute gosse : je voulais être sûr qu'elle ne dévalerait pas les marches en courant pour arriver dans la rue la première au risque d'avoir un accident. De cette façon, elle était toujours obligée d'attendre que je l'accompagne.

Donc, j'ai essayé de calculer le nombre d'années qui s'étaient écoulées depuis ce temps-là, mais je me suis bientôt rendu compte que cet effort était trop dur pour moi. Il y avait trop de brouillard dans mon cerveau. Et quelque chose d'autre commençait à me gêner. Pour la première fois, je me demandais pourquoi je n'avais jamais entrepris de retapisser les murs de la cage d'escalier. Un mois après le départ de Doreen, j'avais déjà tout changé dans l'appartement, mais pas ici. Et qui plus est, le papier peint est toujours celui que Doreen avait choisi, l'été précédant le Noël où elle est partie : de grosses fleurs de couleur criarde, des roses ou je ne sais quoi, en tout cas sûrement pas ce que vous appelleriez un papier du meilleur goût. Mais je me souviens : elle avait dit qu'il fallait absolument un motif de couleurs très vives sur ces murs, sinon l'on ne verrait rien du tout, et je dois maintenant admettre que pour une fois elle avait raison. En temps normal, la lumière est si faible dans ce satané escalier qu'il faudrait presque braquer un projecteur pour distinguer ce qu'il y a sur les murs. Ajoutons à cela qu'il y a une marque brunâtre qui s'étire de la première à la dernière marche au niveau du coude, c'est-à-dire là où mon manteau doit frotter chaque fois que je monte ou que je descends. N'empêche que le papier lui-même est toujours là, et que même dans la pénombre vous distinguez aisément le contour des grosses fleurs si vous regardez bien — comme je suis en train de le faire en ce moment. Ce qui signifie que même après tant d'années, et malgré toute la peine que je me suis donnée, Doreen a quand même réussi à laisser ici des signes de sa présence, pour qu'on se souvienne d'elle au passage.

Il y a vraiment de quoi se mettre à pleurer. Vous vous imposez un labeur gigantesque, vous suez sang et eau pour être sûr qu'il ne reste plus la moindre trace de pourriture, et qu'est-ce qui se passe ? La pourriture resurgit devant vos yeux au moment où vous vous y attendez le moins. Résultat ? Je suis assis sur ces marches avec Doreen tout autour de moi.

C'est alors que les éclats de voix se font entendre.

« C'est terminé, Amanda. Terminé une fois pour toutes. J'en ai jusque-là de cette baraque pourrie. C'est la dernière fois que j'y mets les pieds, tu m'entends ? »

Une petite voix l'interrompt — trop petite pour changer quoi que ce soit.

« N'insiste pas, Amanda. Tu me harcèles pour que je vienne te voir dans ce trou à rats, à six cents kilomètres, et tout ça pour que le premier venu puisse entrer et se rincer l'œil juste au moment où je... »

À nouveau elle essaie de l'interrompre, mais rien n'y fera, on sent ça tout de suite.

« Non, Amanda. Il faut que tu te décides à voir les choses de mon point de vue. Je remue ciel et terre pour être sûr que Sheila ne pourra rien savoir, et tout ça pour quoi ? Pour m'apercevoir que tu as pratiquement invité les gens à se mettre aux premières loges ! »

Pourquoi suis-je donc si surpris de découvrir qu'il est bel et bien marié ? Peut-être parce qu'il ne s'est jamais comporté comme un homme marié. Pas vraiment. En tout cas, c'est l'impression qu'on a lorsqu'on est assis dans l'escalier de Doreen et qu'on se rappelle.

En bas, le silence est revenu. Il réfléchit à ce qu'il doit dire ensuite. Mais moi, je sais déjà ce qui va venir.

« Écoute-moi bien. »

Il ne crie plus, cette fois. Ce qu'il veut à présent, c'est donner une impression de délicatesse.

« Tout ça ne peut pas durer, tu comprends ? Nous ne pouvons pas continuer comme ça. Il y a trop de choses en jeu et j'ai trop à perdre. Du reste, tu le sais aussi bien que moi. »

Et puis ses sentiments véritables prennent le dessus et il recommence à crier, assez fort pour réveiller les morts.

« Nom de Dieu, petite idiote ! Tu ne crois pas que j'aie mieux à faire que de te servir de partenaire pour régaler un vieux pervers avec des spectacles porno en direct ?

— Oh, non, Francis... »

Cette petite voix, de nouveau. Puis :

« Francis, ne t'en va pas ! »

Et cette fois, finalement, sa voix résonne. Plus que cela, même. Elle se répercute assez fort pour faire trembler le verre des miroirs, tandis que ses vibrations vont s'écraser contre les fenêtres. Elle se répand et remplit tous les espaces et les passages de la maison. Elle ne dit rien de plus, mais ses mots ont une vie propre. Ils le suivent tandis qu'il traverse le palier, passe devant la cuisine et dégringole l'escalier, ils doivent continuer à sonner dans ses oreilles pendant qu'il court lourdement dans le vestibule. Ils ne s'arrêtent, enfin, que lorsque la porte d'entrée s'ouvre avant de claquer derrière lui..

Un moment de silence, puis une porte plus petite s'ouvre à son tour, celle de la chambre à coucher des Duck. On entend la voix de Gilbert s'échapper un moment dans le vestibule, puis cette porte aussi se referme.

Ensuite, plus rien.

Maintenant, nous nous tenons chacun dans la petite portion de la maison qui nous revient, pour une fois dans notre vie sans qu'aucun de nous se mêle des affaires des autres. Et pourtant je nous vois parfaitement, tous autant que nous sommes, de la même façon que pourrait nous voir un regard extérieur. Ethel et Gilbert dans le noir, grommelant sur leurs oreillers et discutant des mesures qu'il faudra prendre demain. Mandy assise sur le bord du canapé-lit de Tantine Freda, tremblante parce qu'elle est toute nue, trop maigre et qu'elle n'arrive pas à garder la nourriture qu'elle avale, n'osant pas pleurer, parce que désormais qui lui reste-t-il pour lui prendre la main ?

Et puis, bien sûr, il y a moi, encore assis sur la même marche, et m'efforçant toujours de retrouver mes repères. Seulement, moi, je ne peux pas rester là toute la nuit. J'ai des choses à faire.

*

N'empêche que ça m'a pris un bon moment de remonter ces quatre marches. D'abord, il a fallu que j'attende que cessent mes tremblements, et qu'un peu de vigueur revienne dans mes vieilles jambes. Mais il y avait autre chose. Dites que c'était l'influence de Doreen qui me tombait dessus de tous les côtés, en m'empêchant de mettre de l'ordre dans mes pensées comme elle l'a toujours fait, dites ce que vous voudrez, mais pendant tout le temps où je suis resté assis dans cet escalier, j'aurais été bien incapable de vous dire si je voulais monter ou descendre. Et si quelqu'un avait pris la peine de me poser la question, ce que je lui aurais probablement répondu, c'est que j'attendais encore que June vienne s'asseoir sur la première marche et tende ses petites jambes pour que je vérifie si ses souliers étaient bien lacés.

Et puis, soudain, voilà que le brouillard se dissipe dans mon cerveau. Que de nouveau, je réussis à penser clairement. Larry n'attend personne, et certainement pas June qui marche sur les traces de sa mère depuis déjà longtemps. Il n'y a pas une ombre de sa présence ici, ni de celle de Doreen, d'ailleurs. Peu importent les grosses fleurs sur les murs : ici, on est chez Larry et chez personne d'autre. Et c'est Larry qui prend tout en charge. Quand je me relève enfin, je me sens plus léger qu'une plume et je gravis ces quelques marches comme si je flottais, pour retourner vers ma cuisine et la civilisation.

Et je vais vous dire quelque chose : le fait de m'être trouvé dans cet état bizarre pendant un petit moment a fait un bien infini à ma mémoire. Parce que voyez-vous, un homme très occupé comme Larry oublie forcément des tas de choses, jusqu'à ce qu'un incident se produise et vienne réveiller ses souvenirs. Prenez ma cheminée, par exemple. Je peux l'avoir sous les yeux pendant des mois sans me rappeler ce qui se trouve à l'intérieur. Pourtant, c'est bien moi qui l'ai construite, brique par brique, il y a maintenant douze ans, aussitôt après qu'elle est partie. Et en plus, j'ai pris mon temps, pour être sûr que ce soit une réussite. Mais il y a la dernière brique, celle que j'ai laissée amovible, et c'est justement celle à laquelle je ne pense jamais. Jusqu'à il y a une minute, dans l'escalier.

Bon, tout le monde a une cachette, un endroit secret, pas vrai ? Une cachette où il peut placer certains objets sans que le monde entier soit au courant. Dans mon cas, d'ailleurs, il s'agit moins d'un désir de cacher que de protéger l'aspect accueillant du reste de l'appartement, sans y laisser traîner des choses que très franchement, on n'a pas envie de voir — en tout cas, pas tous les jours. Quand même, je ne peux pas m'empêcher de trembler un tout petit peu au moment où j'enlève cette brique, parce que au fond de moi, j'ai toujours la crainte que quelqu'un soit passé par là pour voler ce qu'il y a derrière. Comme s'il y avait une âme au monde qui puisse savoir.

Mais j'avais tort de m'inquiéter. Tout est là. L'écharpe de Doreen. Ou, pour être plus exact, l'écharpe de Doreen, plus diverses petites affaires.

Bon, je vous ai dit que j'avais des tas de choses fourrées un peu partout, pas vrai ? Mais je me rappelle aussi ce que je vous ai dit plusieurs fois : que j'avais jeté aux ordures la moindre babiole qui ait appartenu à Doreen. Et je me dis souvent que je devrais aussi me débarrasser de cette écharpe et du reste, mais c'est comme pour la brique de la cheminée. J'oublie. Et puis, quelque chose de particulier se produit, comme ce soir, et alors non seulement je me souviens qu'elle est toujours là, cette écharpe, mais je suis bel et bien content qu'elle y soit. Parce que croyez-le ou non, elle s'est révélée très pratique en quelques occasions depuis le temps, et j'ai bien l'impression qu'elle le sera encore cette nuit.

En tout cas, l'écharpe est bien là, mais ce que je trouve ensuite est une petite surprise, même pour moi. C'est un cadeau, enveloppé dans un joli papier, avec du bolduc et tout et tout. Et pendant une seconde, je me demande s'il n'y a pas eu quelqu'un qui est venu fouiller ici, malgré tout. Et puis, je me souviens pour quelle raison il est là, ce cadeau. Et je lis les quelques mots sur la petite carte attachée au paquet : *« Pour Larry, avec toute la tendresse du monde. Mandy. »* Je vais l'ouvrir, bien sur. Noël est arrivé plus tôt que prévu cette année, alors pourquoi attendre ? Mais vous ne devineriez jamais ce qu'il y a à l'intérieur du paquet. Ou peut-être que si, étant donné qu'on peut le sentir avant même d'avoir défait l'emballage. Les vagues de la Méditerranée déferlant sur des colonnes brisées. Et voilà. Après s'être autorisé quelques enfantillages en flânant au rayon des parfums pour hommes chez Harrods, Larry en a maintenant tout un flacon pour lui tout seul.

D'accord, j'avoue. C'est moi qui l'ai acheté. Et c'est aussi moi qui l'ai empaqueté. Et qui ai écrit le petit message sur la carte. Vous pouvez rire si vous voulez, mais au milieu de toute cette foule qui achetait des cadeaux, et alors que j'en cherchais un moi-même, qu'y a-t-il de mal à ce que je me sois offert un petit quelque chose ? Seulement, comme je suis foncièrement étranger à toute forme d'égoïsme, j'ai choisi quelque chose qu'elle aime, vous voyez ? Je veux dire, nous savons bien vous et moi quel effet il produit sur elle, ce parfum.

C'est curieux, l'influence des odeurs. Tout à l'heure, j'ai brusquement remarqué l'odeur de cet appartement, un demi-siècle d'odeurs de repas qui refusaient de se dissiper et de mourir, et il n'y a pas si longtemps que je me sens de nouveau dans mon état normal, après en avoir été si violemment incommodé. Et maintenant, c'est l'odeur de Mandy que j'ai l'impression de sentir, Mandy qui ment, qui ment, ment encore et toujours, en s'efforçant de se faire passer pour une enfant innocente et sans une ombre de malice. Et il y a l'odeur de Doreen qui me revient, Doreen avec son haleine chargée de gin, qui me rit au nez. Et enfin ce parfum, pour couronner le tout. Oh, je sais bien que je n'attraperai jamais le tour de main pour m'en mettre juste ce qu'il faut. De nouveau, il dégouline le long de mon cou, comme chez Harrods, mais cette fois c'est pire parce qu'il en coule jusqu'à la ceinture de mon pyjama. Mais peu importe : je vais enfiler mon manteau par-dessus. Et pas question de me laver pour dissiper l'odeur. Parce que après tout, c'est bien ce parfum qui fait ressentir des choses à Mandy, pas vrai ? Donc, plus j'en aurai sur moi et plus l'impression sera forte.

Ce qui veut dire que presque tout est prêt. À part le rouge à lèvres. Orange, naturellement. La couleur préférée de Doreen. Le rouge à lèvres de Doreen. Il faut qu'elles le portent à ce moment-là, sinon ce n'est pas la même chose.

Vous ne saisissez pas de quoi je parle, hein ?

Maintenant, redescendre l'escalier. Vous n'imaginez pas comme je me sens plein d'entrain. Ça vient de ce que je sais que tout va rentrer dans l'ordre, et sans difficulté aucune. Prenez l'écharpe de Doreen, par exemple. Vous seriez surpris de voir comme je la manipule naturellement. Pourtant, quand a-t-elle servi pour la dernière fois ? Il y a six ans, sept ans. Pour Noël, il y a sept ans. Après la visite de June. Je ne sais pas en quoi elle est faite, mais habituellement, essayez d'avoir une bonne prise sur une écharpe comme celle-ci, et vous vous rendrez compte que c'est un vrai problème. C'est parce que les fabricants veulent imiter le moelleux du satin, je crois. Résultat : cette saleté d'écharpe n'arrête pas de vous glisser entre les doigts comme un poisson visqueux. Mais il suffit d'avoir un peu de jugeote. Entourez solidement chacun de vos poignets avec une extrémité, et voilà le travail ! Il vous reste quand même une bonne longueur entre les mains, et avec ça vous pouvez faire exactement ce que vous désirez.

Je sais dans quelle pièce elle est, bien sûr. Elle s'est glissée dans sa chambre il y a une demi-heure à peu près, espérant probablement que personne ne l'entendait, et ensuite il ne m'est plus parvenu le moindre bruit venant de chez elle. Mais je suis sûr qu'elle ne dort pas. Peut-être même qu'elle attend. Quoi ? Le retour de quelqu'un, enveloppé de ce parfum familier qu'elle connaît si bien et qui lui plaît tant ? Peut-être.

Il n'y a pas de lumière sous sa porte. Ni sur le palier. J'ai même pris soin d'éteindre dans ma cuisine avant de descendre. Aucune raison de laisser l'argent brûler. Alors, le moins qu'on puisse dire, c'est qu'il fait noir comme dans un four. En cet instant précis, je n'arrive même pas à distinguer ma main. Mais j'oubliais : de toute façon, elle est enveloppée dans un bout de l'écharpe. Maintenant, il ne me reste plus qu'à entrer. Ne me demandez pas si j'ai frappé. Vous savez bien que dans cette maison, il faut batailler ferme pour protéger son intimité.

Pourtant, elle n'est pas consciente que je suis là. Pas encore. Elle a enfin tiré les rideaux, et elle est couchée dans l'obscurité, puisqu'elle ne peut pas regarder en face la Lumière de la Vérité. On peut tout juste discerner sa silhouette, recroquevillée sur le lit. Elle ne m'a même pas entendu. Trop absorbée par sa propre personne, et par la question de savoir comment elle fera face désormais à un monde qui la voit avec un regard nouveau. Elle pourrait tout aussi bien être aveugle et sourde — mais ça n'a aucune importance. Il me suffit de rester debout dans l'obscurité, et elle ne tardera pas à se rendre compte qu'il y a quelqu'un. Du reste, on devine bien qu'elle commence à s'en apercevoir lorsque autour d'elle l'odeur de l'air n'est plus la même. Sur le lit, la silhouette se soulève, s'agenouille. Deux brèves respirations, et puis sa voix, aiguë, perçante, incrédule :

« Francis ? »

Je referme la porte.

*

Je l'ai laissée exactement telle que je l'avais trouvée. Non, je vous assure. Et si ça vous surprend, alors vous avez sans doute envie que je vous raconte ce qui s'est passé. À la vérité, je préférerais ne pas y repenser. J'ai abordé la chose très, très lentement : je suis venu d'abord m'asseoir sur le lit à côté d'elle, sans dire un mot. L'obscurité était complète. Mais c'était comme si on avait pu les entendre, ces vagues de la Méditerranée se brisant sur des colonnes. Et c'est alors que j'ai senti ses bras venir s'enrouler autour de mon cou. Doucement d'abord, comme si elle avait de la peine à croire qu'il y avait bien là quelqu'un, à côté d'elle. Et c'était déjà assez pénible en soi, d'autant plus que je la suspectais de n'avoir même pas pris la peine de se rhabiller. Mais le pire, c'était son visage, essayant de distinguer le mien dans le noir, comme un bébé qui cherche celui de sa mère. Et qu'est-ce que cela prouvait, sinon qu'une fois encore elle recourait à ses ruses de toujours, qu'elle voulait encore faire croire qu'elle n'était qu'une grande enfant exempte de toute bassesse...

Assez, c'est assez.

« Arrête, Mandy, lui ai-je dit. Ça ne me plaît pas du tout, tu sais. »

C'est le son de ma voix qui fait tout. Sur ma nuque, je sens ses mains se crisper. Puis elles retombent sur le lit avec un bruit lourd, comme deux oiseaux morts. Puisqu'elle est soudain devenue toute molle et semble incapable de faire un mouvement, j'allume la lampe de chevet.

« Oh, ma pauvre Mandy, si tu te voyais ! »

C'est tout ce que je peux faire pour m'empêcher de rire. Elle est nue comme un ver, mais ça n'a pas vraiment d'importance, pas avec la figure qu'elle a en ce moment. Des yeux écarquillés, tout gonflés et rouges, le nez de la même couleur, les lèvres trop épaisses pour qu'elle puisse fermer correctement la bouche. L'espace d'un instant, j'ai cru qu'il lui avait flanqué une raclée — et bien fait pour elle —, mais ensuite j'ai compris que c'est parce qu'elle a bel et bien pleuré, après tout. Seulement, elle a dû opter pour des pleurs dans le genre silencieux, parce que je n'ai strictement rien entendu de chez moi. En tout cas, voilà Mandy, qui n'a jamais rien eu d'une beauté rare même dans ses meilleurs jours, et certainement moins que jamais à présent, Mandy agenouillée sur le lit face à moi et qui me regarde avec une expression égarée, ou plutôt parfaitement stupide. Je vous assure, il y a des mongoliens dans les institutions spécialisées qui arrivent à avoir l'air plus vifs que ça. Maintenant que vous savez quelle figure elle fait, vous ne serez guère étonnés que le reste de sa personne n'exerce pas beaucoup de séduction. Sur Larry moins que sur quiconque.

« Tu sais, Mandy, lui dis-je, je crois que tu as besoin d'un peu de maquillage. »

Elle ne dit rien. Elle a commencé à se balancer d'avant en arrière en geignant comme un bébé qui a faim.

« Essaie donc ça, lui dis-je. Ça appartenait à Doreen autrefois, mais je crois que ça t'ira bien. Tu es exactement le genre de personne à qui ça doit convenir à merveille. »

Elle ne dit toujours rien, elle ne me regarde même pas, et quant à ses balancements, ils ne font qu'empirer. Dans ces conditions, la seule chose à faire, c'est de lui donner un coup de main. Je retire le bouchon du tube de rouge à lèvres, et l'instant d'après, alors qu'elle se penche de nouveau dans ma direction, je la saisis par les cheveux et lui peins les lèvres avec le rouge. On ne peut pas vraiment dire que le résultat fasse très soigné. En principe, on ne porte pas une grande balafre de rouge en travers de la figure comme une gamine qui est allée fouiller dans le sac de sa maman. Mais c'est quand même une amélioration. Et au moins, elle a cessé de se balancer.

« Voilà, lui dis-je. C'est bien. »

Et je saisis de nouveau l'écharpe, avec les deux mains. Je la lui mets devant les yeux pour qu'elle la voie bien, un peu agacé parce que justement, ses yeux sont brusquement fixes et ont l'air de ne rien voir du tout. Mais j'ai tort de m'inquiéter, elle comprend parfaitement. Vous n'avez qu'à regarder son drap. Il y a une tache de la forme de l'Australie qui s'étend et devient plus foncée, et pendant un instant on sent une odeur de pipi. Du pipi de petite fille, comme du temps de June.

Seulement, croyez-le ou ne le croyez pas, deux secondes plus tard elle recommence à geindre et à se balancer. Et elle renverse la tête en arrière, les yeux fixés non pas sur moi mais sur le mur derrière elle. Étant donné les circonstances, c'est plutôt inattendu. On pourrait presque croire qu'elle fait ça exprès pour me faciliter la tâche. Et soudain, je comprends : c'est exactement ce qu'elle veut !

Tout ce que j'allais faire, c'était lui éviter de se donner un peu de peine.

Bon, comme vous pouvez l'imaginer, ça m'a stoppé net. Coupé toute envie de continuer. L'instant d'après, je dégage mes mains enserrées dans l'écharpe et je la fourre dans ma poche. Qu'elle le fasse toute seule, son sale boulot. Elle peut toujours courir, si elle s'imagine que Larry va se fatiguer pour elle. Tant pis pour elle : je la laisse gémir et gigoter tant qu'elle voudra.

Et qui plus est, si elle se décide à le faire, le sale boulot, et qu'on vient demander ce qui s'est passé au premier étage, Larry ne se privera pas de tout raconter dans le détail. Voilà qui devrait jeter un sacré pavé dans la mare du côté d'Édimbourg. Et Ethel me soutiendra, ne serait-ce que parce qu'elle sera folle de rage. Vous pensez, des locataires qui ont le culot de se buter au milieu de ses meubles ! C'est seulement dommage que Mandy était encore en train de hurler quand il est parti.

Je lui ai quand même éteint sa lumière.

Et voilà, il va bien falloir que Larry aille faire un tour dehors, maintenant. Autant le dire, je trouve que malgré tout c'est préférable, parce que tout au fond de moi je savais que c'était un peu trop près de mon propre domicile : un seul étage entre elle et moi, et par-dessus le marché un tas de gens qui auraient pu faire remarquer que j'étais le seul à la connaître, je veux dire à la connaître vraiment. Vous ne m'auriez jamais pris en train de commettre une erreur pareille avec Doreen, ni avec June d'ailleurs. D'autre part, pouvez-vous imaginer ce que ce serait de se colleter avec une femme comme Doreen ? La force qu'elle pouvait avoir dans les bras, c'était à peine croyable. Le combat n'aurait pas été égal. L'explication, si on va au fond des choses, c'est que les femmes comme elle sont protégées par une cuirasse de vice et qu'il n'y a rien à faire pour entamer cette cuirasse. Si j'ai quand même été tenté de m'y attaquer dans le cas de Mandy, c'est qu'elle m'avait mis dans une telle colère que je crois bien n'avoir jamais été aussi furieux de ma vie. Même Doreen ne m'a pas déçu autant qu'elle a réussi à le faire.

Mais il y en a une foule d'autres, pas vrai ? Partout, elles cherchent leurs victimes, racontant leurs mensonges. Des femmes, toutes aux aguets, attendant l'occasion de frapper, de mutiler. Des femmes avec, souvent, déjà un homme dans le collimateur. Pour chaque Doreen, ou pour chaque Mandy de ce point de vue, il y en a mille autres en train de ronger leur frein, jusqu'au moment où elles pourront faire subir le même sort que le mien à un pauvre bougre inoffensif. Démasquez-en une et c'est comme si vous les aviez toutes démasquées, parce qu'elles jouent toutes le même jeu. Alors, quand vous vous êtes enfin décidé à prendre un peu votre revanche, ça n'a strictement aucune importance de savoir laquelle vous choisirez. Prenez celle qu'il vous plaira : de toute façon, vous rendrez service à la société et vous éviterez à un brave type le malheur qui l'attend. Ensuite, dans un monde idéal, les hommes devraient faire la queue devant chez vous pour vous serrer la main.

Mais je vais vous dire quel est le vrai problème cette fois-ci. C'est le temps qu'il fait depuis quelques jours. Pourquoi faut-il toujours qu'elles choisissent Noël ? Ne riez pas, mais je commence à penser que la seule femme à s'être jamais souciée que Noël soit le moment de la paix sur la terre aux hommes de bonne volonté était cette brave Vierge Marie. D'abord Doreen, ensuite June. Et maintenant, Mandy. Toujours à Noël. Bon, sachant cela, je sais aussi exactement ce que je vais devoir affronter dehors, dès que j'aurai franchi le pas de la porte. Terrible, ce vent. Il déboule immédiatement sur moi, dans le noir, canalisé par la route qui vient de Finsbury Park, pour me glacer jusqu'aux os. Et qui plus est, c'est pire que jamais cette fois-ci. Il y a douze ans, et même sept ans encore, Larry était assez vigoureux pour lui résister, mais ce n'est plus guère le cas maintenant. Aucune personne saine d'esprit n'attendrait d'un homme de mon âge qu'il sorte par un temps pareil, au mépris de sa santé, uniquement pour apporter sa petite contribution au bien de l'humanité. Seulement, comme je l'ai toujours dit, il faut bien que quelqu'un s'en charge.

Mais celle-ci sera la dernière. Après, je crois que j'aurai gagné le droit de me reposer. La seule chose qui me redonne du cœur au ventre, c'est qu'elle sera facile à trouver, comme la dernière fois et la fois d'avant. C'est même un avantage qu'il y ait ce vent glacé. Je la découvrirai recroquevillée sous un porche, essayant de se tenir un peu au chaud malgré tout. Elle m'attendra. Elle l'aura cherché. Il se pourrait même que je n'aie pas à aller bien loin. La seule chose à ne pas faire, c'est lui demander son nom. Et si elle vous le dit quand même, souvenez-vous que c'est seulement une ruse, une façon de vous faire croire qu'elle est différente des autres. Un homme averti en vaut deux. Et dans ce cas, un peu de rouge à lèvres pour vous rappeler à qui vous avez affaire, et puis l'écharpe de Doreen, qui étouffera tous les mensonges, toutes les obscénités, avant même que les mots aient le temps de se former. Très honnêtement, je pense qu'il n'existe pas d'autre truc.

Ensuite, la chose faite, je rentrerai bien au chaud. Demain, je viderai mes placards, et puis je songerai aussi à remplacer ce fichu papier peint dans l'escalier.

Joyeux Noël, Larry.